国語

六

創造

一まいの紙から、
船が生まれる。飛行機が生まれる。
ひとかたまりのねん土から、
象が生まれる。つぼが生まれる。
生まれる、生まれる。
わたしたちの手から次々と。

脳を動かすと、本が生まれる。

目次

こくご

六年生の

国語の学びを見わたそう

これから国語の学習が始まります。
みんなで考え、学びを深めていくために、学習の進め方と、
六年生で学ぶことを確かめましょう。

学習の進め方

初めに

「やってみたい。」「考えてみたい。」

「こうすればうまくいきそう。」

「どうして――だろう。」

▼

読む　**書く**　**話す・聞く**

▼

ふりかえる

「こんな言葉の力がついた。」

「考えが深まった。」

「もっとみんなで考えたい。」

▼

学習や生活にいかす

「――のときに，
いかすことができそう。」
「――のときに，
この言葉を使おう。」

六年生で学習すること

六年生で学ぶことを確かめたり、学習したことをふり返ったりして、言葉の力を高めていきましょう。

話す・聞く

五年生の学びを確かめよう

決める 集める ◀ 準備する ◀ 話す・聞く（話す／聞く／話し合う） ◀ つなげる

- 目的や意図に合わせて、伝えたいことや自分の考えなどを観点を分けて書き出す。
- 事実と感想、意見とを区別する。
- 「初め」「中」「終わり」などの構成を考える。
- 自分の体験や調べた事実など、具体的な理由を入れて話す。
- 図表などを資料にまとめて提示する。
- 相手の意図をとらえて、話の要点をまとめたり、内容を確認したりする。
- 質問を通してたがいの考えをよく聞き、共通点や異なる点をはっきりさせる。
- 目的や条件、進行計画に沿って話し合い、考えを広げたりまとめたりする。
- 話したり聞いたり話し合ったりして、気がついたことを伝え合う。

5 10 15

まとめる ◀ ひろげる

・自分の知識や経験と重ねながら読むことで、自分の考えを明確にする。
・読んだ感想や考えを伝え合い、たがいの感じ方のちがいを明らかにすることで、新たなものの見方・考え方に出会うことができる。

言葉

読む

五年生の学びを確かめよう

とらえる

説明する文章

- 初めや終わりに書かれている筆者の考えから、要旨（し）をとらえる。
- 取り上げている事例や理由にも、筆者の考えが表れる。

物語・詩

- 人物の関係を、言動や心情が分かる表現からとらえる。
- 人物の関係が変化するきっかけとなる出来事に着目する。

ふかめる

説明する文章

- 図表やグラフ、絵、写真などを、それぞれ文章と対応させて読む。
- 筆者の考えと事例や資料が、どう結び付いているかを整理しながら読む。

物語・詩

- 言動や心情を表す複数の表現から、人物像を想像する。
- 心情を情景によって想像させるなど、さまざまな表現の工夫に着目して読む。

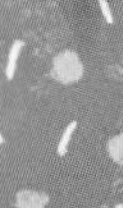

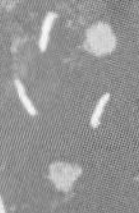

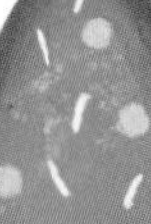
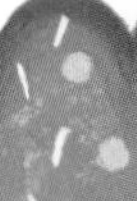
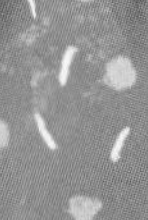
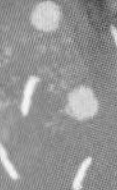
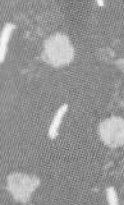
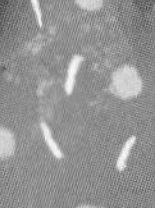

書く

決める 集める ◀ 組み立てる ◀ 書く ◀ つなげる

五年生の学びを確かめよう

- 目的や意図に応じて、読み手に伝えたい情報は何かを考えて、書く内容をしぼる。
- 集めた情報の中から、伝えたいことに合う理由や根拠を選び、その適切さを確かめる。
- どこに何が書かれているかが分かりやすいように、段落の分け方を工夫する。
- 「初め」と「終わり」で自分の考えをはっきりと述べ、「中」でその理由や根拠を複数示すなどすると、説得力が増す。
- 実際にあったことや、その記録（具体例・引用など）と、自分の考えを区別して書く。
- 写真や図表と文章とを対応させて書く。
- 書いたものを読み返し、よりよい構成や表現がないかを考え、書いたものを整える。
- 分かりやすいところや、説得力があると思った書き方を中心に伝え合う。

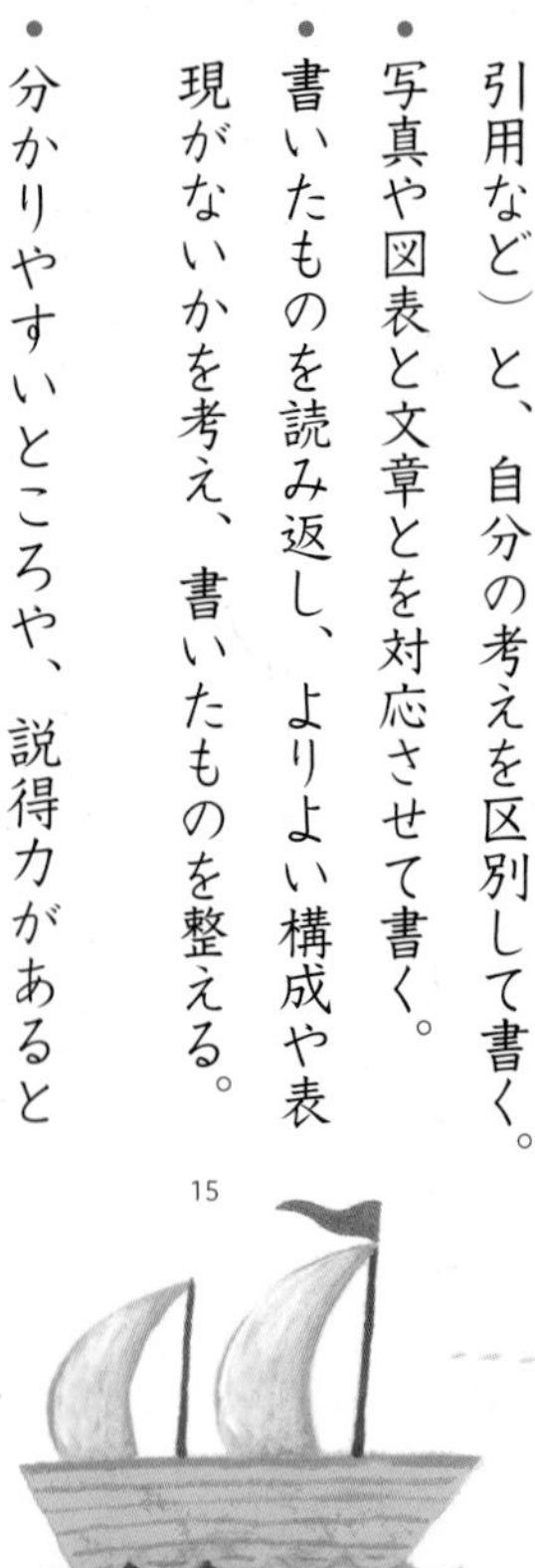
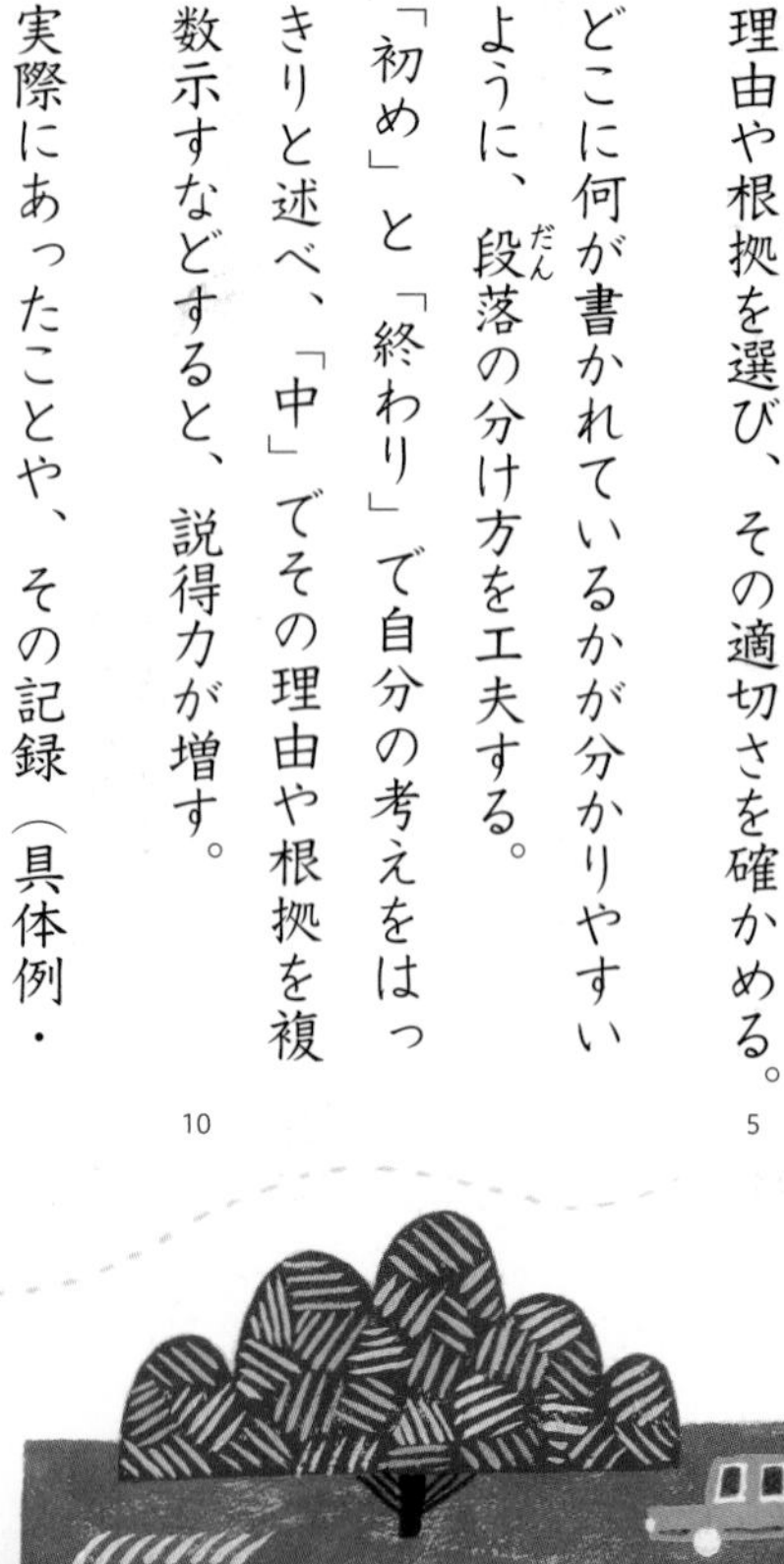

考えるときに使おう

ものの考え方、伝え方

物事や考えをいろいろな関係で整理したら、次のような言葉を使って伝えましょう。

観点を決めて整理し、伝える

■順序立てる

初めに——。次に——。

■分ける

——という点で分けると——。

■比べる

——という点で比べると——。

関係を明らかにし、伝える

■全体と中心

言おうとしていることは全体として——。

その中でも中心となるのは——。

■考えと、その理由や事例

理由は——。

例えば——。

具体的には——。

■原因と結果

——が起きた原因は——。

——によって——。

——から——という結果になった。

自分の見方や考え方が、よく伝わる言葉は、どれだろう。

考えをつなぎ、伝える

■考えをつなげる、広げる

——とつなげて考えると——。

——と関連するのは——。

「考えを図で表そう」254ページ

言葉の準備運動

つないで、つないで、一つのお話

友達と協力して、お話を考えてみませんか。五、六人のグループで輪になり、一文ずつ順につないで、二周する間に一つのお話を作りましょう。どんなお話ができるでしょう。

ある小学校に、大きな木がありました。
その木に、三羽の小鳥がすんでいました。
ええっと―

1 これから作るお話の、最初の一文と、最後の一文を決めよう。

〈例〉
【最初の一文】
今日は運動会です。
【最後の一文】
道にりんごが落ちていました。

2 グループで、最初の一文と最後の一文を言う役をそれぞれ決めよう。

わたしから始めて、時計回りにつなげていこう。

ぼくが、最後の一文を言う役だね。

3 一人目から順番に、一文ずつお話をつないでいこう。

今日は運動会です。

たろうさんは、上手にダンスができるか心配でした。

4 最後の人は、決めておいた最後の一文を言って終わろう。

道にりんごが落ちていました。

音の聞こえた方を見てみました。

5 できたお話をみんなに発表して、感想を伝え合おう。

- 前の人の話をよく聞いて、楽しくお話を続ける。
- あまり考えすぎずに、思いうかんだことを一文で言う。

もっと楽しもう

- 最初と最後の一文を、入れかえたり、自由に考えたりする。
- 三周、四周とつないだり、クラス全員で一つのお話をつないだりする。

友達とお話を作って、どう感じましたか。

詩を楽しもう

春の河

山村(やまむら) 暮鳥(ぼちょう)

たつぷり（たっぷり）と
春は
小さな川々まで
あふれてゐ（い）る
あふれてゐ（い）る

5

小景異情

室生犀星

あんずよ
花着け
地ぞ早やに輝やけ
あんずよ花着け
あんずよ燃えよ

植田真 絵

学習

●二つの詩から、どんな春の景色が広がりますか。友達と音読を聞き合って、話しましょう。

この本、読もう
おーい ぽぽんた

続けてみよう

気になるニュースを集めよう

小学校最後の一年が始まります。社会で起きていることに興味をもち、気になったニュースを一年間、書きためましょう。あなたの世界を広げる、大切な記録になるでしょう。

書いたものを話題にして、朝の会などでスピーチをしてもいいですね。

日本人宇宙（うちゅう）飛行士、国際宇宙ステーションへ

□□□□□□□□□□
□□□□□□□□□□□
□□□□□□□□□□□
□□□□□□□□□□□
□□□□□□□□□□□

○年○月○日

日本人が国際宇宙ステーションの船長になると聞いて、うれしくなった。いつか、だれもが宇宙を旅行できるようになるといいと思った。

日づけ

ニュースの内容を書く。新聞記事があれば、切りぬいてはっておく。

ニュースについての感想や意見を、二、三文で書く。

大好きな宇宙についてのニュースがあった。書き留めておこう。

読む

視点のちがいに着目して読み、感想をまとめよう

1

帰り道

あなたは、毎日、どんな帰り道の時間を過ごしていますか。「律（りつ）」と「周也（しゅうや）」にとって、今日の帰り道はどのようなものになるのでしょうか。

これまでの学習
五年生の学びを確かめよう（物語・詩）……9ページ

帰り道

一

森絵都（もりえと） 作
スカイエマ 絵

放課後のさわがしい玄関口（げんかんぐち）で、いきなり、周也から「よっ。」と声をかけられて、どきっとした。

「あれ。周也、野球の練習は。」

「今日はなし。かんとく、急用だって。」

うわばきをぬぎながら周也が言って、くつしたにぽっかり空いた穴から、やんちゃそうな親指をのぞかせた。その指をスニーカーにおさめても、周也はなかなか歩きだそうとしない。どうやら、いっしょに帰る気のようだ。

5

○視点（シ）
○穴（あな）

小四から同じクラスの周也。家も近いから、周也が野球チームに入るまでは、よくいっしょに登下校をしていた。なのに、今日のぼくには、周也と二人きりの帰り道が、はてしなく遠く感じられる。

もたもたとくつをはきかえて外へ出ると、五月の空はまだ明るく、グラウンドに舞う砂ぼこりを西日がこがね色に照らしていた。

「ああ、腹へった。今日の夕飯、何かなあ。あしたの給食、何かなあ。」

「な、律。昨日の野球、見たか。」

「夏休みまで、あと何日だったっけ。」

周也の話があちこち飛ぶのは、いつものこと。なのに、今日のぼくにはついていけない。まるでなんにもなかったみたいに、周也はふだんと変わらない。ぼくだけがあのことを引きずっているみたいで、一歩前を行く紺色のパーカーが、どんどんにくらしく見えてくる。

今日の昼休み、友達五人でしゃべっているうちに、「どっちが好き。」って話になった。「海と山は。」「夏と冬は。」「ラーメンとカレーは。」「歯ブラシのかたいのと

○砂（すな）ぼこり
○腹（はら）

やわらかいのは。」――みんなで順に質問を出し合い、「海。」「海。」「山。」「海。」と、ぽんぽん答えていく。そのテンポに、ぼくだけついていけなかった。「どっちかなあ。」とか、「どっちもかな。」とか、一人でごにょごにょ言っていたら、周也が急にいらついた目でぼくをにらんだんだ。

「どっちも好きってのは、どっちも好きじゃないのと、いっしょじゃないの。」

先のとがったするどいものが、みぞおちの辺りにずきっとささった。そんな気がした。そのまま今もささり続けて、歩いても、歩いても、ふり落とせない。

返事をしないぼくに白けたのか、周也の口数もしだいに減って、大通りの歩道橋をわたるころには、二人してすっかりだまりこんでいた。階段をのぼる周也と、ぼくとの間に、きょりが開く。広がる。ここ一年でぐんと高くなった頭の位置。たくましくなった足どり。ぼくより半年早く生まれた周也は、これからもずっと、どんなこともテンポよく乗りこえて、ぐんぐん前へ進んでいくんだろう。

はぁ。声にならないため息が、ぼくの口からこぼれて、足元のかげにとけていく。どうして、ぼく、すぐに立ち止まっちゃうんだろう。思っていることが、

5

10

階段(ダン)

並(なら)べる

なんで言えないんだろう。ぼくは海のこんなところが好きだ。山のこんなところも好きだ。その「こんな」をうまく言葉にできたなら、周也とちゃんとかたを並べて、歩いていけるのかな。「どっちも好き」と「どっちも好きじゃない」がいっしょなら、「言えなかったこと」と「なかったこと」もいっしょになっちゃうのかな。考えるほどに、みぞおちの辺りが重くなる。

市立公園内の遊歩道にさしかかったころには、ぼくは周也に三歩以上もおくれをとっていた。もうだめだ。追いつけない。あきらめの境地でぼくは天をあおいだ。信じがたいものを見たのは、そのときだった。

空一面からシャワーの水が降ってきた。

もちろん、そんなわけはない。なのに、なぜだかとっさにプールの後に浴びるシャワーがうかんだのは、公園の新緑がふりまく初夏のにおいのせいかもしれない。

「うおっ。」

「何これ。」

頭に、顔に、体中に打ちつける水滴を雨と認めるのには、少し時間がかかった。晴れているのに雨なんて、不自然すぎる。ぼくと周也はむやみにじたばたし、意味もなくとんだりはねたりして、またたく間に天気雨が通り過ぎていくと、たがいのぬれた頭を指さし合って笑った。

本当に、あっというまのことだったんだ。ざざっと水が降ってきて、何かを洗い流した。周也の気どった前がみがぺたっとなったのがゆかいで、ぼくはさんざん腹をかかえ、気がつくと、みぞおちの異物が消えてきた。

単純すぎる自分がはずかしくなったのは、笑いの大波が引いてからだ。うっかり

5 10

○降る(ふ)　●初夏(カ)　○認める(みと)　○洗い流す(あら)　○異物(イ)　○単純(ジュン)

はしゃいだばつの悪さをかくすように、ぼくはすっと目をふせた。アスファルトの水たまりに西日の反射がきらきら光る。そのまぶしさに背中をおされるように、今だ、と思った。今、言わなきゃ、きっと二度と言えない。

「ぼく、晴れが好きだけど、たまには、雨も好きだ。」

勇気をふりしぼったわりには、しどろもどろのたよりない声が出た。

「ほんとに両方、好きなんだ。」

周也はしばしまばたきを止めて、まじまじとぼくの顔を見つめ、それから、こっくりうなずいた。周也にしてはめずらしく言葉がない。なのに、分かってもらえた気がした。

「行こっか。」

「うん。」

ぬれた地面にさっきよりも軽快な足音をきざんで、ぼくたちはまた歩きだした。

5　10

○反射（シャ）
○背中（せ）

2

何もなかったみたいにふるまえば、何もなかったことになる。そんなあまい考えをすてたのは、校門を出てから数分後、最初の角を曲がった辺りだった。どんなに必死で話題をふっても、律はうんともすんとも言わない。背中に感じる気配は冷たくなるばかり。やっぱり、律はおこってるんだ。そりゃそうだ。

昼休み、みんなで話をしていたとき、はっきりしない律にじりじりして、つい、言わなくてもいいことを言った。軽くつっこんだつもりが、律の顔を見て、重くひびいてしまったのが分かった。まずい、と思うも、もうおそい。以降、絶対にぼくの顔を見ようとしない律のことが気になって、野球の練習を休んでまで玄関口で待ちぶせをしたのに、いざ並んで歩きだすと、気まずいちんもくにたえられず、またぺらぺらとよけいなことばかりしゃべっている自分がいた。

「この前、給食でプリンが出てから、もうずいぶんたつよな。」

「むし歯が自然に治ればなあ。」

5

10

以
●降コウ

「山田んちの姉ちゃん、一輪車が得意なの、知ってたか。」

何を言っても、背中ごしに聞こえてくるのは、さえない足音だけ。ぼくがしゃべればしゃべるほど、その音は遠のいていくような気がする。

ふいに母親の小言が頭をかすめたのは、下校中の人かげがあっちへこっちへ枝分かれして、道がすいてきたころだった。

「周也。あなた、おしゃべりなくせして、どうして会話のキャッチボールができないの。会話っていうのは、相手の言葉を受け止めて、それをきちんと投げ返すことよ。あなたは一人でぽんぽん球を放っているだけで、それじゃ、ピンポンの壁（かべ）打ちといっしょ。」

ピンポン。なんだそりゃ、とそのときは思ったけど、今、こうして壁みたいにだまりこくっている律を相手にしていると、その意味が分かるような気がしてくる。たしかに、ぼくの言葉は軽すぎる。ぽんぽん、むだに打ちすぎる。もっとじっくりねらいを定めて、いい球を投げられたなら、律だって何か返してくれるんじゃないか。

○舌（した）

でも、いい球って、どんなのだろう。考えたとたんに、舌が止まった。何も言えない。言葉が出ない。どうしよう。あわてるほどにぼくの口は動かなくなって、逆に、足は律からにげるようにスピードを増していく。

無言のまま歩道橋をわたった先には、しかも、市立公園が待ち受けていた。道の両側から木々のこずえがたれこめた通り道。人声（ひとごえ）も、車の音も、工事の騒（そう）音も聞こえない緑のトンネル。ぼくはこの静けさが大の苦手だった。

正確にいうと、だれかといるときのちんもくが苦手だ。たちまち、そわそわと落ち着きをなくす。何か言わなきゃってあせる。野球チームに入る前、律とよくいっしょに帰っていたころも、ぼくはこの公園を通りかかるたび、しんとした空気をかきまぜるみたいに、

ピンポン球を乱打せずにいられなかった。律のほうはちんもくなんてちっとも気にせず、いつだって、マイペースなものだったけど。

そっと後ろをふり返ると、やっぱり、今日も律はおっとりと一歩一歩をきざんでいる。まぶしげに目を細め、木もれ日をふりあおぐしぐさにも、よゆうが見てとれる。ぼくにはない落ち着きっぷりに見入っていると、とつぜん、律の両目が大きく見開かれた。

なんだ、と思う間もなく、ぼくのほおに最初の一滴が当たった。大つぶの水玉がみるみる地面をおおっていく。天気雨——頭では分かっていながらも、ピンポン球のことばかり考えていたせいか、空からじゃんじゃん降ってくるそれが、ぼくの目には一しゅん、無数の白い球みたいにうつったんだ。

ぼくがむだに放ってきた球の逆襲。「うおっ。」と思わずとび上がったら、後ろからも「何これ。」と律の声がして、ぼくたちは全身に雨を浴びながら、しばらくの間ばたばたと暴れまくった。はね上がる水しぶき。びしょぬれのくつ。たがいのあわてっぷり。何もかもがむしょうにおかしくて、雨が通り過ぎるなり、笑い

○乱打（ラン）

があふれだした。律もいっしょに笑ってくれたのがうれしくて、ぼくはことさらに大声をはり上げた。

はっとしたのは、爆発的な笑いが去った後、律が急にひとみを険しくしてつぶやいたときだ。

「ぼく、晴れが好きだけど、たまには、雨も好きだ。ほんとに両方、好きなんだ。」

たしかに、そうだ。晴れがいいけど、こんな雨なら大かんげい。どっちも好きってこともある。心で賛成しながらも、ぼくはとっさにそれを言葉にできなかった。こんなときにかぎって口が動かず、できたのは、だまってうなずくだけ。なのに、なぜだか律は雨上がりみたいなえがおにもどって、ぼくにうなずき返したんだ。

「行こっか。」

「うん。」

しめった土のにおいがただようトンネルを、律と並んで再び歩きだしながら、ひょっとして――と、ぼくは思った。投げそこなった。でも、ぼくは初めて、律の言葉をちゃんと受け止められたのかもしれない。

森 絵都
一九六八年、東京都生まれ。作家。「DIVE!!」「クラスメイツ」などの作品がある。

見通しをもとう

視点のちがいに着目して読み、感想をまとめよう

- 登場人物の心情を想像しながら音読しよう。
- 視点のちがいに着目し、登場人物の心情や人物像をとらえよう。

視点
物語などで、語り手がその作品をどこから見て語っているかということ。
309ページ

とらえよう

● この物語は、「律」の視点から書かれた「1」と、「周也」の視点から書かれた「2」で構成されている。同じ出来事に対する、それぞれのとらえ方や心情を確かめよう。 1
- 共通点と異なる点は何か。
- 「1」と「2」を合わせることで読み取れることは何か。

● 登場人物の心情が伝わるように音読しよう。

ふかめよう

● 「律」と「周也」は、どのような人物だろう。 2
- 「律」と「周也」、それぞれが思う自分自身。
- 「律」から見た「周也」と、「周也」から見た「律」。
- あなたから見た「律」と「周也」。

● 「律」と「周也」はそれぞれ、「言葉」や「言葉にすること」

1 二つの視点からとらえる

次の場面について、「律」と「周也」それぞれのとらえ方や心情をまとめるとよい。
- 「周也」が一人でしゃべり続けているとき
- 昼休みの出来事
- 二人ともだまりこんでしまったとき
- 天気雨に降られたとき
- 雨が上がり、二人で歩き始めたとき

2 人物像をとらえる手がかり

様子や心情を直接表す言葉とともに、次のような点も人物像を想像する手がかりとなる。
- それぞれの人物が見ているものと、その表し方
- 会話文や心内語(心の中で言っていること)
- 情景を表す言葉

など

に対して、どのような思いや考えをもっているだろうか。

●「ぬれた地面に――ぼくたちはまた歩きだした。」（24ページ12行目）と、「しめった土のにおいが――受け止められたのかもしれない。」（29ページ12行目）には、「律」と「周也」のどんな心情の変化が表れているだろうか。

5

まとめよう

●この後、二人の関係はどのように変化すると思うか。考えたことを友達と話そう。

●物語全体を読み深めることで、どのようなことを感じたり、考えたりしただろう。観点を決めて感想を書こう。 3

10

ひろげよう

●書いたものを読み合い、友達の感想について、思ったことや感じたことを伝え合おう。

3 感想を書く観点の例

〈内容に着目して〉

・「律」と「周也」の言動や考え方、二人の心情の変化を、自分の経験と重ねて。

・物語をきっかけにして、「言葉」について考えたこと。

〈書かれ方に着目して〉

・言葉の使い方や表現で、特に印象に残っていること。

・視点を変えて書かれた「1」と「2」という構成によって、物語にどんな効果が表れているか。

5

10

ふりかえろう

□知る　心情が伝わるように音読するために、どのようなことに気をつけましたか。

□読む　どのようなことを手がかりにして、人物像をとらえましたか。

□つなぐ　あなたが考えるこの作品のいちばんのみりょくは、何だと思いますか。

●異（こと）なる

人物像をとらえる

- 人物の様子や行動を表す言葉、会話文などから、その人物のものの見方や考え方を想像する。
- 語られる視点によって、人物の見え方はちがってくる。
- 自分と比べながら読むことで、人物像を深くとらえることができる。

いかそう

物語を読むときには、人物を表す言葉が、どの視点から語られているのかに着目しましょう。

この本、読もう

視点や構成を効果的に用いた物語は、たくさんあります。「帰り道」のように、一つの出来事を複数の立場からえがいたものや、一つの物事について、さまざまな人物がそれぞれの立場で語るものなど、その手法も多様です。

また、一人の視点からえがかれた物語を、他の登場人物の視点からとらえ直すとどうだろうかと、想像してみるのも楽しいものです。だれの視点で語られているのか、別の視点から見るとどうなのかなど、視点に着目して物語を楽しんでみましょう。

付録
「いかだ」→270ページ

なみだの穴

海に開いた穴を見つけた光太が「なんだあれ？」とつぶやいたとたん、なみだが止まらなくなって——。

糸子の体重計

食べるのが何より好きな糸子。いつも本音で全力の糸子をめぐる、クラスメートの心の内や変化をえがく。

流れ星キャンプ

圭太はキャンプがきっかけで、おじいさんと、入院中の明里に出会う。そして、三人にきずなが生まれる。

本を読んだら、記録をつけましょう。

日付	読んだ本	作者・筆者
4月23日	どうぶつさいばん ライオンのしごと	竹田津 実

《ひとこと》
ヌーの母親を殺したライオンが，うったえられる。さまざまな動物の証言を通して，ライオンのしたことの意味が明らかになるところがよい。
（おすすめ度 ★★★★★）

おすすめ度のらんには，だれかにすすめたい気持ちを，5段階程度で書きましょう。

視 シ
穴 あな
砂 サ すな
腹 フク はら
段 ダン
並 なみ ならべる ならぶ ならびに
降 コウ おりる おろす ふる
認 みとめる
洗 セン あらう

異 イ こと
純 ジュン
射 シャ いる
背 ハイ せ せい
舌 した
乱 ラン みだれる みだす

297ページ

本は友達

地域の施設を活用しよう

さがしている本や、知りたい情報が学校図書館にないときには、公共図書館をはじめとした、地域の施設を活用しましょう。

■公共図書館

広い館内には，多様な資料が所蔵されている。コンピュータで蔵書を検索できるところも多い。

物語の作者や作品について深く知りたいときには、文学館に行ってみましょう。一人の作家を中心にあつかったところや、地域にゆかりのある作家や作品を集めたところなど、さまざまな文学館があります。

■文学館

地域にゆかりの作家のコーナー。

写真や年表，手紙などの資料から，作家の人生を知ることができる。

この地域をぶたいにした作品があるんだ。読んでみたいな。

○地域
○所蔵

歴史や文化、芸術、産業、自然科学などについて深く知りたいときには、博物館や資料館、美術館などに行くとよいでしょう。

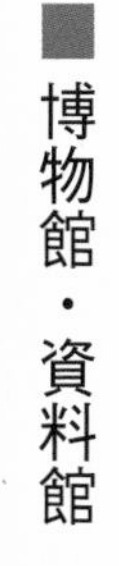

■博物館・資料館

館内には，展示パネルや，実物模型（もけい），パンフレットなどのさまざまな資料がある。また，小学生向けの展示やイベントを通じて，実際に体験しながら知識を得られる施設もある。

その他、水族館や動物園などでは、実際の生き物を見て、その生態を知ることができます。

▼あなたの住む地域には、どんな施設があるでしょう。それは、どんなときに利用するとよいでしょうか。

○展示（テン）
○訪問（ホウ）

■調べて分かったことを、書き留めておこう

記録カード　4月25日

- 調べること
  人間が初めて宇宙（うちゅう）に行ったのは，いつか。
- 分かったこと
  「1961年4月12日，ソ連のパイロット，ユーリ・ガガーリンが人類史上初めて宇宙飛行を行った。」（108ページ）
- 出典「よく分かる世界の歴史」
  高本正秋 監修（かんしゅう）
  ひかり社，2018年

- 出典　○○宇宙科学館
  展示資料「宇宙飛行の歴史」
  2020年4月15日訪問

域　イキ
蔵　ゾウ
展　テン
訪　ホウ　たずねる

297ページ

漢字の形と音(おん)・意味

同じ部分で同じ音

- 我々の要求が認められた。
- プロ野球のリーグ戦が始まる。
- けが人は、無事に救助された。

「求」「球」「救」は、漢字の形に着目すると、「求」の部分が共通しています。また、どれも「キュウ」と読みます。このように、同じ部分をもつ漢字は、形ばかりでなく音も共通する場合があります。

1 次の各文の□に当てはまる漢字を、（　）から選びましょう。どの部分が共通で、どんな読み方をしているでしょうか。

①（化・貨・花）
- 文□を伝承する。
- 校庭の桜が開□した。
- 蒸気機関車が、□物列車を引っ張る。

②（静・清・晴・青）
- 細心の注意をはらって、手紙を□書する。
- 冷□な判断で、物事に対処する。
- あの□年は、銀行に就職した。
- □天なので、洗濯(たく)物を干す。

③（則・側・測）
- 地層の年代を□定する。
- 規□正しい生活をする。
- 箱の□面に名前を書く。

○我(われ)々　伝○承(ショウ)　○蒸(ジョウ)気　●細(サイ)心　対○処(ショ)　○就(シュウ)職　○干(ほ)す　地○層(ソウ)

同じ部分と意味

同じ部分をもつ漢字は、意味のうえでつながりがある場合があります。

亻（ぎょうにんべん）

「行く」や「道」などの意味を表す漢字に使われます。

- 役所と駅の間を、徒歩で往復する。
- 母は恩人を招待し、得意料理をふるまった。
- 裁判官は、法律にもとづいて判断する。

月（にくづき）

元は「肉」で、体に関係のある漢字に使われます。

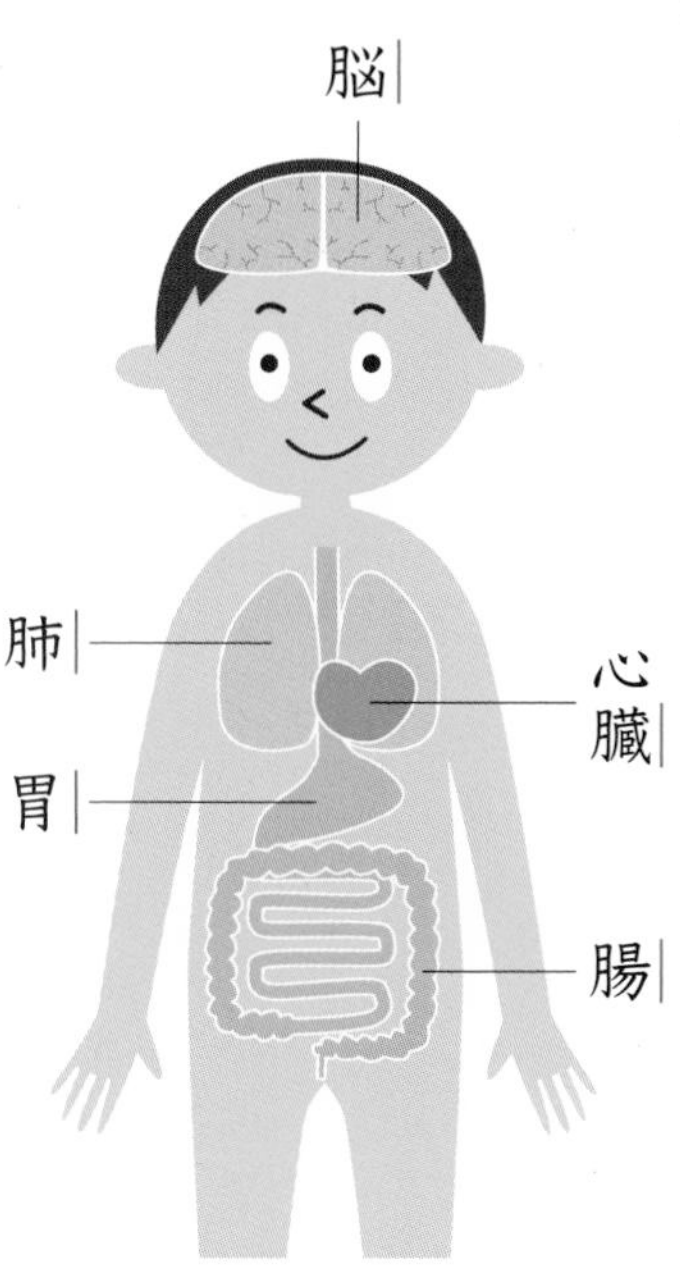

2 次の部分をもつ漢字を集め、部分が表す意味を考えた後、漢字辞典で確かめましょう。

「六年間に習う漢字」284ページ

宀　扌　忄　刂

○恩人（オン）　○裁判官（サイ）　法律（リツ）
○脳（ノウ）　心臓（ゾウ）　○肺（ハイ）　○胃（イ）　○腸（チョウ）

我（われ）　承（ショウ）　蒸（ジョウ）　処（ショ）　就（シュウ）　干（カン・ほす）　層（ソウ）　恩（オン）　裁（サイ・さばく）

律（リツ）　脳（ノウ）　臓（ゾウ）　肺（ハイ）　胃（イ）　腸（チョウ）

298ページ

季節の言葉1

春のいぶき

立春
雨水
啓蟄
春分
清明
穀雨

立夏（りっか）
小満（しょうまん）
芒種（ぼうしゅ）
夏至（げし）

【りっしゅん】立春

二月四日ごろ

　こよみのうえで、春が始まる日。まだ寒さはきびしいが、だんだん日がのび、木々が芽ぶいてくる。

【うすい】雨水

二月十九日ごろ

　降る雪が雨に変わり、深く積もった雪も解け始める。このころから、早春の気配が感じられるようになる。

【けいちつ】啓蟄

三月六日ごろ

　地中で冬眠（みん）していた虫がはい出てくるころという意味。春も、もうまもなく本番になるころである。

木立（だち）より雪解（げ）のしづ（ず）く落つるおと
聞きつつわれは歩みをとどむ

斎藤（さいとう）　茂吉（もきち）

小暑（しょうしょ）　大暑（たいしょ）　立秋（りっしゅう）　処暑（しょしょ）　白露（はくろ）　秋分（しゅうぶん）　寒露（かんろ）　霜降（そうこう）　立冬（りっとう）　小雪（しょうせつ）　大雪（たいせつ）　冬至（とうじ）　小寒（しょうかん）　大寒（だいかん）

春分【しゅんぶん】

三月二十一日ごろ

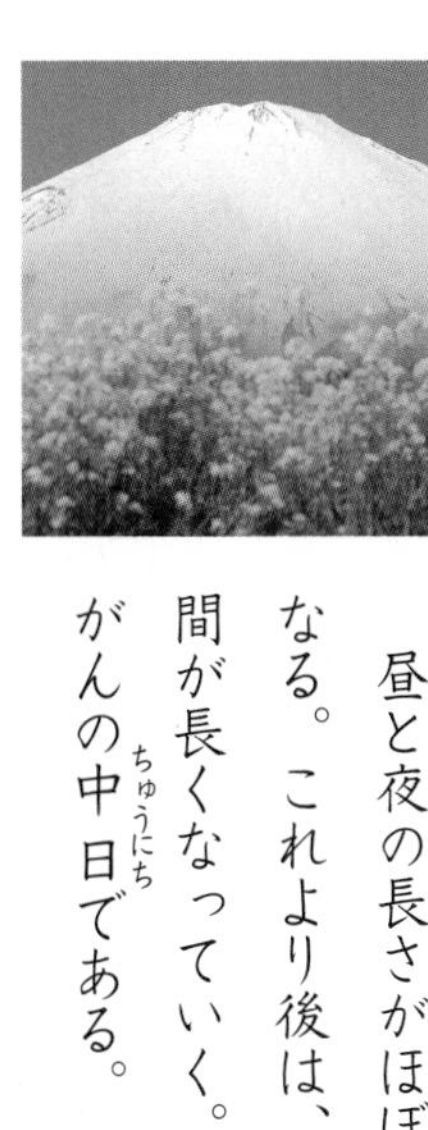

昼と夜の長さがほぼ等しくなる。これより後は、昼の時間が長くなっていく。春のひがんの中日（ちゅうにち）である。

啓蟄の虻（あぶ）はや花粉まみれかな

星野（ほしの）　立子（たつこ）

清明【せいめい】

四月五日ごろ

気候がしだいに温暖（だん）になり、すがすがしく、明るい空気に満ちあふれるころ。

掘（ほ）り返す塊（つちくれ）光る穀雨かな

西山（にしやま）　泊雲（はくうん）

穀雨【こくう】

四月二十日ごろ

いろいろな穀物をうるおし、芽を出させる春の雨という意味。これを過ぎると、いよいよ夏が近づいてくる。

日本では、こよみのうえで季節を二十四に区切っていました（二十四節気（にじゅうしせっき））。「春」といっても、時期によって、見られる風景はさまざまです。あなたの地域の今の「春」を、俳（はい）句や短歌に表しましょう。

聞いて、考えを深めよう

話の内容をとらえて、自分の考えをまとめよう

あなたは、友達の話を聞くときに、どんなことに気をつけていますか。ここでは、賛成・反対の立場からたがいに意見を出し合う場面を例に、聞き方について考えます。友達の話の内容をとらえて、自分の考えをまとめたり深めたりするには、どうすればよいでしょうか。

●確かめよう

「五年生の学びを確かめよう」 7ページ

●学習の進め方

決めよう 集めよう ◀ 準備しよう ◀ 話そう 聞こう ◀ つなげよう

1 話題を確かめ、自分の考えを整理する。

2 友達から聞きたいことを考える。

3 意見と理由に気をつけて、グループで聞き合う。

4 考えを深める。

5 話を聞くときに大事なことについて考える。

●ふりかえろう

1 話題を確かめ、自分の考えを整理しよう。

初めに、何について意見を出し合うのかを確かめましょう。それに対して、あなたはどう考えますか。賛成・反対の立場をはっきりさせて、具体的な理由とともに整理しましょう。

2 友達から聞きたいことを考えよう。

話題に対して、友達はどのように考えているでしょうか。実際に聞き合う前に、自分の考えに関わって聞きたいことを明らかにしたり、立場がちがうとどんな考えになるかを予想したりしましょう。

3 意見と理由に気をつけて、グループで聞き合おう。

グループで意見を伝え合いましょう。聞くときには、話し手が何を、どのように伝えようとしているのかに注意しましょう。

全員が発言し終えたら、意見と理由の関係が分かりにくかったり、挙げられた事例が適切ではないと感じたりしたことについて、たがいに質問しましょう。

■話題の例

- 学習では、シャープペンシルよりもえんぴつを使ったほうがよい。
- 学級文庫にまんがを置いてもよい。
- 外国の映画は、字幕で見るのがよい。
- スポーツ観戦は、テレビより競技場がよい。

など

■話を聞くときの観点

- どんな理由や事例を挙げているか。
- 自分の考えた理由と関係することはあるか。
- 自分の考えを補強する考え方はないか。

など

○映画（エイ）　字幕（マク）　○補強（ホ）

■意見の例

わたしは、学習ではえんぴつを使ったほうがいいという考えに賛成です。

それは、えんぴつのほうが、しんが折れにくく、書いているときに集中できるからです。シャープペンシルも使ったことがありますが、えんぴつに比べると、しんが折れやすかったです。また、書いているとちゅうで、しんを出すためにノックボタンをおすのは、少しの時間ですが、それまでにしていたことや考えていたことが一度中断された感じがしました。それに比べて、えんぴつは、ずっと書き続けられるので、いいと思います。

4 考えを深めよう。

グループで出た意見をもとに、自分の考えを深めましょう。他の人の意見や理由を自分のものと比べたり、みんなの意見に共通することをさがしたりしましょう。他の人の意見から、自分の意見に取り入れられそうなことも見つけましょう。

話を聞き取るときに気をつけたい表現

- つなぎ言葉……つなぎ言葉の後に続く内容が、直前の発言とどのような関係にあるのかが分かる。
- 文末表現……意見を表しているのか、理由を表しているのかを確かめることができる。また、意見や理由の強さも想像できる。

岡田さんは、えんぴつのほうが集中できると言っていた。でも、ぼくは、えんぴつの先が丸くなって、線が太くなってくると、気になってしまう。集中できる事例として、岡田さんが挙げたものは、適切なのかな。

5 話を聞くときに大事なことについて考えよう。

友達の話を聞いたり、それをもとに自分の考えを深めたりするときには、どのようなことが大事だと思いましたか。みんなで話し合いましょう。

話し手が、何を話そうとしているかを、初めにおさえることが大事だと思った。

意見の理由や、裏づけになる事例が挙げられているかを、確かめることも必要だね。

たいせつ
聞いて、考えを深める

●話し手が、目的や話題に沿って意見を述べ、その理由や事例として適切なものを挙げているかどうかを確かめる。
●自分の考えと比べる、共感したり納得したりできる点を取り入れるなどして、考えを深める。

いかそう
学級会などで話したり聞いたりするときにも、意見と理由のつながりに気をつけましょう。

ふりかえろう

□知る　理由と意見を聞き分けるときに、どのような言葉に着目しましたか。
□話す・聞く　自分の考えを深めるためには、他の人の話をどのように聞くとよいですか。
□つなぐ　自分の考えを伝えるときには、どんな話し方をしたいですか。

映 エイ うつる うつす
幕 マク バク
補 ホ おぎなう
裏 うら
沿 エン そう

○裏づけ
○沿う

298ページ

漢字の広場 1

5年生で習った漢字

町のあちこちで、いろいろな出来事が起こっています。出来事を記事にして、町の人に伝えましょう。

〈例〉お寺では、文化財である仏像を、どのように保護していくかについて話しています。

読む

筆者の主張や意図をとらえ、自分の考えを発表しよう

2

〈練習〉

笑うから楽しい

時計の時間と心の時間

情報 主張と事例

私たちの心の動きは、体や時間とどのように関わっているのでしょうか。日常生活での経験をふり返りながら、読みましょう。

これまでの学習
五年生の学びを確かめよう（説明する文章）……9ページ

練習
「時計の時間と心の時間」の学習にいかしましょう。

笑うから楽しい

中村（なかむら） 真（まこと）

初め

①　私たちの体の動きと心の動きは、密接に関係しています。例えば、私たちは悲しいときに泣く、楽しいときに笑うというように、心の動きが体の動きに表れます。しかし、それと同時に、体を動かすことで、心を動かすこともできるのです。泣くと悲しくなったり、笑うと楽しくなったりするということです。

②　私たちの脳は、体の動きを読み取って、それに合わせた心の動きを呼び起こします。ある実験で、参加者に口を横に開いて、歯が見えるようにしてもらいました。このときの顔の動きは、笑っているときの表情と、とてもよく似ています。実験の参加者は、自分たちがえがおになっていることに気づい

5

○私（わたし）
○密（ミツ）接
○呼（よ）び起こす

●筆者の考えはどの段落に書かれているだろうか。

中

ていませんでしたが、自然とゆかいな気持ちになっていました。このとき、脳は表情から「今、自分は笑っている」と判断し、笑っているときの心の動き、つまり楽しい気持ちを引き起こしていたのです。

③ 表情によって呼吸が変化し、脳内の血液温度が変わることも、私たちの心の動きを決める大切な要素の一つです。人は、脳を流れる血液の温度が低ければ、ここちよく感じることが分かっています。笑ったときの表情は、笑っていないときと比べて、鼻の入り口が広くなるので、多くの空気を取りこむことができます。えがおになって、たくさんの空気を吸いこむと、脳を流れる血液が冷やされて、楽しい気持ちが生じるのです。

終わり

④ 私たちの体と心は、それぞれ別々のものではなく、深く関わり合っています。楽しいという心の動きが、えがおという体の動きに表れるのと同様に、体の動きも心の動きに働きかけるのです。何かいやなことがあったときは、このことを思い出して、鏡の前でにっこりえがおを作ってみるのもよいかもしれません。

●筆者はどのような事例をもとに、考えを述べているだろうか。

●事例がある場合とない場合とで、読み手の理解はどう変わるだろうか。

●あなたは、この文章を読んで、どう思っただろうか。自分の経験などをふり返りながら考えよう。

●呼吸（コキュウ）

●吸（す）いこむ

中村 真　一九六二年、鳥取県生まれ。心理学者。

時計の時間と心の時間

一川誠（いちかわまこと） 文
タラジロウ 絵

①私たちは毎日、当たり前のように時間と付き合いながら生活しています。みなさんも、全く時計を見ずに過ごす日はないでしょう。そんな身近な存在である「時間」ですが、実は、「時計の時間」と「心の時間」という、性質のちがう二つの時間があり、私たちはそれらと共に生きているのです。そして、私は、「心の時間」に目を向けることが、時間と付き合っていくうえで、とても重要であると考えています。

5

みなさんが「時間」と聞いて思いうかべるのは、きっと時計が表す時間のことでしょう。私はこれを、「時計の時間」とよんでいます。「時計の時間」は、もともとは、地球の動きをもとに定められたもので、いつ、どこで、だれが計っても同じように進みます。しかし、「心の時間」はちがいます。「心の時間」とは、私たちが体感している時間のことです。みなさんは、あっというまに時間が過ぎるように感じたり、なかなか時間がたたないと思ったりしたことはありませんか。私たちが感じている時間は、いつでも、どこでも、だれにとっても、同じものとはいえません。「心の時間」には、さまざまな事がらのえいきょうを受けて進み方が変わったり、人によって感覚がちがったりする特性があるのです。

分かりやすい例が、「その人がそのときに行っていることをどう感じているかによって、進み方が変わる」というものです。みなさんも、楽しいことをしているときは時間がたつのが速く、たいくつなときはおそく感じたという経験があるでしょう。このようなことが起こるのは、時間を気にすることに、時間を長く感じさせる効果があるためだと考えられています。例えば、あなたがゲームに夢中

○存在（ソン）

になっているときには、集中しているので、時間を気にする回数が減ります。すると、時間はあっというまに過ぎるように感じます。逆に、きらいなことやつまらなく感じることには、集中しにくくなるので、時間を気にする回数が増えます。その結果、時間がなかなか進まないように感じるのです。

④一日の時間帯によっても、「心の時間」の進み方は変わります。実験①はこの変化について調べたものです。実験の参加者に、一日四回、決まった時刻に、時計を見ないで三十秒の時間を計ってもらい、そのとき「時計の時間」がどのくらい経過していたかを記録してもらいました。実験①のグラフは、それぞれの時刻ごとに、記録の平均を示したものです。グラフを見ると、感じた時間は同じ三十秒でも、朝や夜は、昼に比べて長い時間がたっていたことが分かります。つまり、昼よりも時間が速くたつように感じているということなので

実験① 時間帯による時間の感じ方の変化

計測した時刻ごとに，複数の参加者の記録を平均し，その数値(ち)をグラフとして表した。

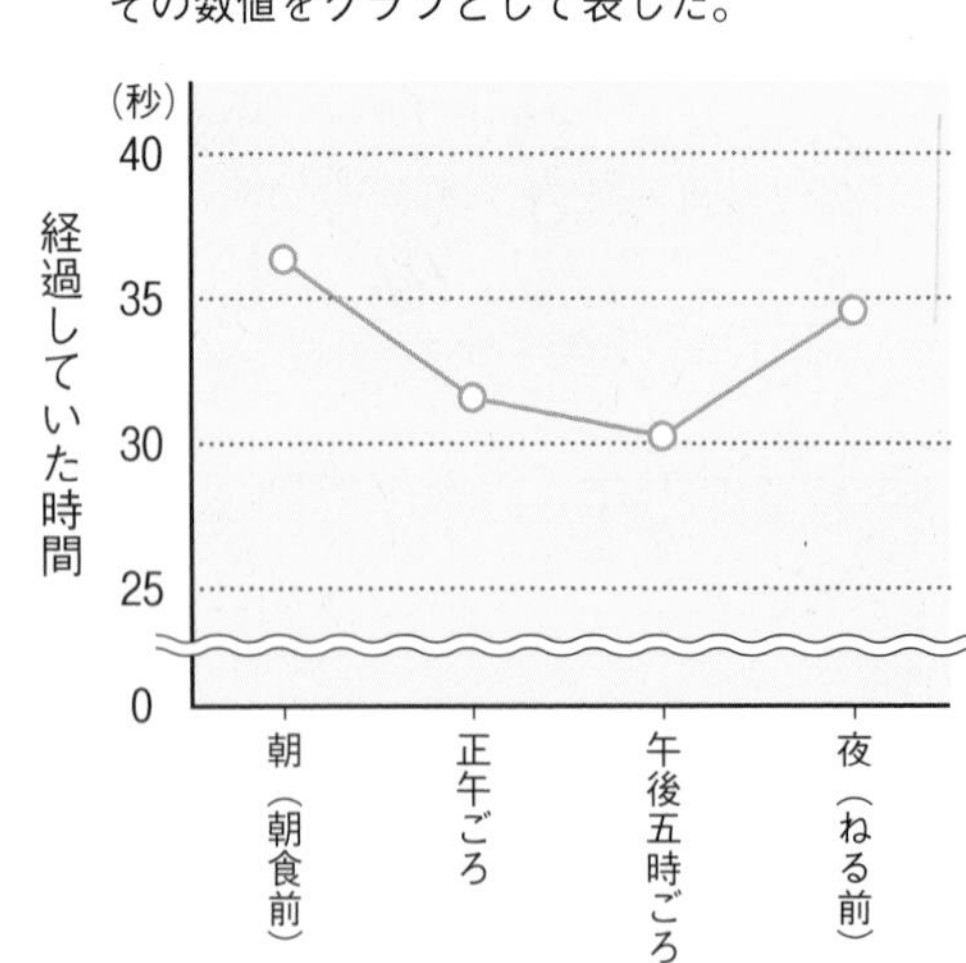

○時刻(コク)　○刺激(ゲキ)

す。これは、その時間帯の体の動きのよさと関係があると考えられています。私たちの体は、朝、起きたばかりのときや、夜、ねる前には、動きが悪くなります。すると、昼間であればすぐにできることでも、時間がかかるので、あっというまに時間が過ぎるように感じるのです。

身の回りの環境によっても、「心の時間」の進み方は変わります。これは、身の回りから受ける刺激の多さと関係があります。実験②は、円で表した刺激の数と時間の感じ方との関わりを調べたものです。複数の参加者に、さまざまな数の円を、同じ時間、映した画面を見てもらいます。そして、円の増減によって、円が表示されていた時間をどのくらいに感じたかを調べました。すると、表示時間が同じでも、円の数が増えるほど、長く映っていたように感じる傾向があったのです。このような結果から、例えば、物が少ない部屋よりも

実験② 刺激の増減による時間の感じ方の変化

灰色の画面に，刺激として白い円を表示する。円の数をさまざまに変えて，円が表示された時間が，数によってどのくらいに感じたかを調べる。

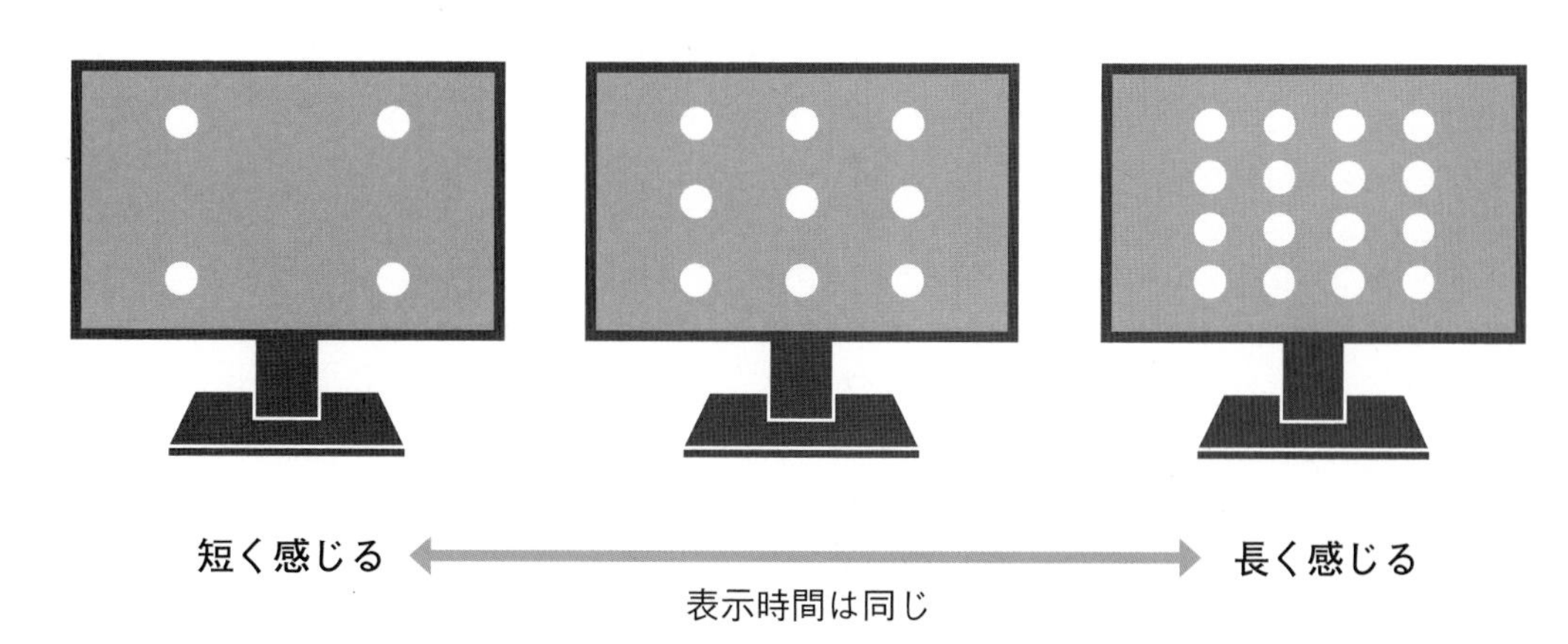

たくさんある部屋のほうが、身の回りから受ける刺激が多いので、時間の進み方がおそく感じるのではないかと考えられます。

さらに、「心の時間」には、人によって感覚が異なるという特性があります。ここで、簡単な実験をしてみましょう。机を指でトントンと軽くたたいてみてください。しばらくの間、くり返したたくうちに、自分にとってここちよいテンポが分かってくるでしょう。このテンポは人によって異なるもので、歩く速さや会話での間の取り方といった、さまざまな活動のペースと関わりがあることが分かっています。そして、このペースと異なるペースで作業を行うと、ストレスを感じるという研究もあります。みんなで同じことをしていても、私たちは、それぞれにちがう感覚で時間と向き合っているのです。

ここまで見てきたように、「心の時間」は、心や体の状態、身の回りの環境などによって、進み方がちがってきます。また、私たちはそれぞれにちがう「心の時間」の感覚をもっています。そうした、「心の時間」のちがいをこえて、私たちが社会に関わることを可能にし、社会を成り立たせているのが「時計の時間」

○簡単（カン）
○机（つくえ）

ストレス
外部からの刺激に対して生じる、心や体の反応。

なのです。このことから、「時計の時間」が、私たちにとっていかに不可欠なものであるかが分かります。それと同時に、「時計の時間」と「心の時間」には、必ずずれが生まれることにも気づくでしょう。「心の時間」の感覚のちがいもあわせて考えれば、いつも正確に「時計の時間」どおりに作業し続けたり、複数の人が長い時間、同じペースで作業を進めたりすることは、とても難しいことだと分かります。

このように考えると、生活の中で「心の時間」にも目を向けることの大切さが見えてくるのではないでしょうか。さまざまな事がらのえいきょうで、「心の時間」の進み方が変わると知っていれば、それを考えに入れて計画を立てられるでしょう。また、人それぞれに「心の時間」の感覚がちがうことを知っていれば、他の人といっしょに作業するときも、たがいを気づかいながら進められるかもしれません。私たちは、二つの時間と共に生活しています。そんな私たちに必要なのは、「心の時間」を頭に入れて、「時計の時間」を道具として使うという、「時間」と付き合うちえなのです。

○難(むずか)しい

一川 誠
一九六五年、宮崎県生まれ。心理学者。人間がどのように物事をとらえているかについて、実験を通して研究している。

見通しをもとう

筆者の主張や意図をとらえ、自分の考えを発表しよう

・筆者の主張を伝えるために、どのような言葉が使われているかを確かめよう。
・筆者の主張と、それを支える事例の関係をとらえ、自分の考えをまとめよう。

とらえよう

●筆者は、どんな「時間」を、「時計の時間」「心の時間」とよんでいるだろうか。 1

●文章全体の構成について確かめよう。
・筆者は、「心の時間」の特性について、いくつの事例を挙げて説明しているだろうか。
・筆者の主張は、どの段落で述べられているだろうか。

ふかめよう

●「心の時間」の特性に関するそれぞれの事例について、自分の経験をふり返ったり、実験の結果を確かめたりしながらくわしく読もう。

●筆者は、なぜ複数の事例を挙げながら、「心の時間」の特性について説明したのだろうか。筆者の主張との

1 言葉に着目する

筆者は、文章の中で使う、特別な意味をもつ言葉を、最初に明確にすることで、読み手に理解してもらいやすくしている。

・私はこれを、——とよんでいます。
・——とは、——のことです。

2 話し合いの例

筆者は、「時計の時間」ではなく、「心の時間」についてだけ事例を挙げているね。これは、きっと——。

筆者は、——ということを読み手に伝えたいのだから、——。

関係に着目して、その意図について話し合おう。 2

まとめよう

●筆者の主張に対して、あなたはどのように考えただろうか。自分の考えをまとめよう。

・筆者の主張のどの部分に、共感・納得(なっ)したり、疑問に思ったりしたか。

・それは、自分のどのような経験がもとになっているか。

ひろげよう

●「時計の時間と心の時間」に対する、自分の考えを発表しよう。友達の発表を聞いて、感じたことを伝え合おう。 3

3 **発表の例**

私は、「時計の時間と心の時間」を読んで、人それぞれに「心の時間」の感覚がちがうことを意識することが大切だという筆者の主張に、特に共感しました。（自分の考え）

それは、私にも、友達との「心の時間」のちがいを感じた経験があるからです。友達といっしょに給食の準備をしているとき、——。（理由や具体例）

この文章を読んで、「心の時間」という考え方を知ることができてよかったと思いました。これからは、——。（まとめ）

ふりかえろう

□知る　筆者の主張をとらえるために、どのような言葉に着目しましたか。

□読む　筆者の主張に対して、あなたや友達はどのような考えをもちましたか。

□つなぐ　事例を挙げて説明することには、どんなよさがあると思いましたか。

○疑(ギ)問

筆者の主張と、それを支える事例をとらえる

- 文章全体の構成を確かめ、主張と事例が、それぞれどの部分に書かれているかをとらえる。
- 何のためにその事例が挙げられているのか、筆者の意図を考える。
- 筆者の主張や挙げられた事例について、自分の経験や知識と関係づけながら読む。

いかそう

文章を読むときは、主張と事例がどのように結び付いているかを確かめると、内容を深く理解することができます。

この本、読もう

時間や、脳の働きの特性について、いろいろな事例を挙げて説明している本です。

時間の大研究

時間はいつから始まったのか。目には見えない時間の正体とは——。人体や自然界、宇宙に関わる時間についても考えてみよう。

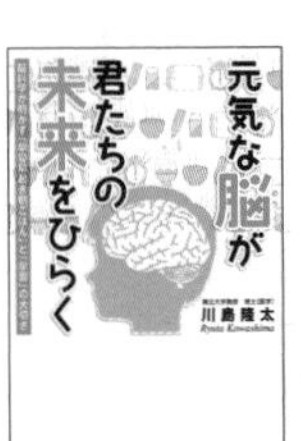

元気な脳が君たちの未来をひらく

脳の働きを、研究の結果をもとに解説。朝食、すいみん、学習法など、脳を元気にする方法が分かる。

時間ってなに？ 流れるのは時？ それともわたしたち？

時計は同じ速さで進むが、人間が感じる時間の速さは気分によってちがう。「時間」について、考えてみよう。

情報

関係をとらえよう

主張と事例

主張
「心の時間」に目を向けることが，時間と付き合っていくうえで，とても重要である。

事例から分かること
「心の時間」には，――という特性がある。

事例
分かりやすい例が、――

事例
一日の時間帯によっても、――

事例
身の回りの環境によっても、――

事例
さらに、――

「時計の時間と心の時間」では、「主張」を支える「事例」を挙げて、読み手の理解を助け、主張に説得力をもたせていました。

事例には、実験や調査によって分かったことや、実際の経験や現状にもとづいたことなどがあります。話したり書いたりするときには、相手にとって分かりやすい事例を挙げましょう。また、「主張と事例」の関係をふまえて、話や文章を構成することも大切です。

▼次の話題について、「主張と事例」の関係を明らかにしてあなたの考えを話しましょう。

・昼休みは長いほうがいいか、短いほうがいいか。

私は、昼休みは短いほうがいいと思います。それは、昼休みが短い分、学校が早く終われば、家でいろいろなことができるからです。例えば、――。

私（シ　わたくし　わたし）　密（ミツ）　呼（コ　よぶ）　吸（キュウ　すう）　存（ソン　ゾン）　刻（コク　きざむ）　激（ゲキ　はげしい）　箇（カ）　机（つくえ）
難（ナン　むずかしい）　疑（ギ　うたがう）

299ページ

言葉

話し言葉と書き言葉

大村さんは、職場体験でシェフの山口さんから聞いたことを、文章にしました。二つには、どのようなちがいがありますか。

食材にはこだわっていて、野菜も卵も地元産なんですよ。あ、牛乳もだ。これは、愛用のフライパン。店を始めたときから十年間、使っているよ。

食材は，野菜も卵も牛乳も地元産を使っている。
フライパンは，創業以来10年間，愛用している。

話し言葉

音声で表す言葉を、話し言葉といいます。

話し言葉では、声の大きさや上げ下げ、間の取り方などで、自分の気持ちを表すことができます。また、その場に相手がいることが多いので、言いまちがいをすぐに直せますし、実物を示しながらこそあど言葉で表すこともできます。相手に応じて、敬語を使うかどうか、方言と共通語のどちらにするかなど、言葉づかいも選びます。内容を考えながら話すことが多いため、「ええと」のような言葉がはさまれたり、語順が整わなかったりするのも話し言葉の特徴（ちょう）です。

「敬語」→260ページ

○卵（たまご）　○牛乳（ニュウ）　○創業（ソウ）　○敬語（ケイ）

書き言葉

文字で表す言葉を、**書き言葉**といいます。すぐに消えてしまう音声とちがい、文字は残ります。日記や手紙などを除くと、だれがいつ読むのかが分からない場合がよくあります。そのため、だれが読んでも分かるように、共通語で書き、語順や構成を整えることがふつうです。手元をはなれてしまうと、たいていは書き直せないので、誤解をあたえないよう、主語を明らかにしたり、誤字がないようにしたりするなどの注意が必要です。内容を整理して書き、見直しをしてから人に伝えるようにしましょう。

1 友達への手紙やメールなどでは、話し言葉をそのまま文字にして伝えることがあります。話し言葉と書き言葉の特徴をふまえて、次のことを話し合いましょう。

- どんな特徴があるか。
- 気をつけることは何か。

いかそう

インタビューなどで聞いた内容を、文章にして伝えるときには、読む人が分かりやすいように言葉を整えましょう。

○除く（のぞ）
○誤解（ゴ）

卵（たまご）
乳（ニュウ／ちち）
創（ソウ／つくる）
敬（ケイ／うやまう）
除（ジョ／のぞく）
誤（ゴ／あやまる）

299ページ

言葉を選んで、短歌を作ろう

たのしみは

江戸時代の歌人橘曙覧は、日常の暮らしの中に楽しみや喜びを見いだして、「たのしみは」で始まり、「時」で結ぶ短歌にしました。ここでは、その形を借りて、あなたの「たのしみ」を短歌に表しましょう。

●確かめよう

「五年生の学びを確かめよう」 8ページ

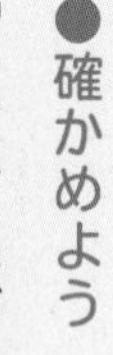

●学習の進め方

- 決めよう 集めよう　1 短歌にしたい場面を決める。
- 組み立てよう　2 短歌を作る。
- 書こう　3 表現を工夫する。
- つなげよう　4 短冊に書いて、読み合う。

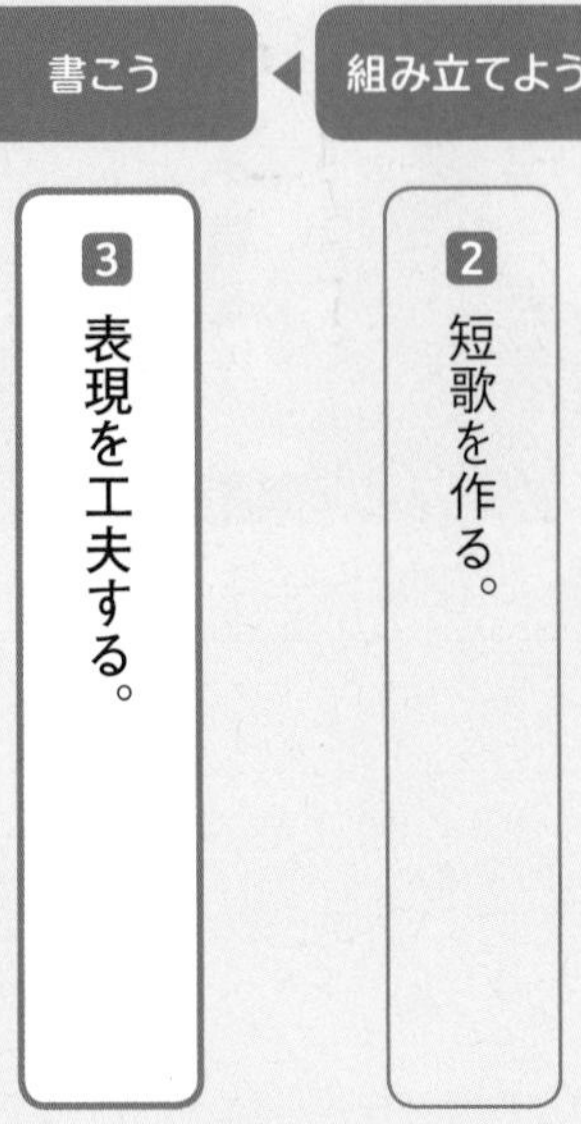

●ふりかえろう

1 短歌にしたい場面を決めよう。

橘曙覧は、次のような歌を作っています。

たのしみは妻子(めこ)むつまじくうちつどひ頭(かしら)ならべて物をくふ(う)時

私が楽しみとするのは、妻や子どもたちと仲よく集まり、並んでいっしょに何かを食べるときだ。

たのしみは朝おきいでて昨日まで無かりし花の咲(さ)ける見る時

私が楽しみとするのは、朝起きて、庭に昨日までは咲いていなかった花が美しく咲いているのを見るときだ。

あなたにも、こんなふうに、なんだか楽しくなるときや、わくわくするときがありませんか。

生活の中のさまざまな場面から、あなたの「たのしみ」を探しましょう。そして、そのときの様子や気持ちを細かく思い出し、短歌にしたい場面を決めましょう。

■題材の例

- 今朝、起きてからのこと
- この一週間のこと
- 家の人や友達のこと
- 季節のこと
- 衣食住のこと
- 趣(しゅ)味のこと

弟とよく夜空を見ているこことを、短歌にしようかな。

○暮(く)らし
○探(さが)す

2 短歌を作ろう。

あなたの「たのしみ」を、五・七・五・七・七の三十一音で表しましょう。小さな「つ」や、のばす音、「ん」も、一音と数えます。

〈例〉しょっき（三音）
おとうさん（五音）

3 表現を工夫しよう。

2で作った短歌を見直しましょう。使った言葉を別の言葉に言いかえたり、並べ方を変えたりして、自分の見つけた「たのしみ」が伝わるように、表現を工夫しましょう。

4 短冊に書いて、読み合おう。

作った短歌を短冊に書いて、グループで読み合いましょう。友達が感じている「たのしみ」は、伝わってきましたか。「すてきだな。」と思う表現はありましたか。選んだ題材や場面の切り取り方、言葉の使い方などで工夫しているところを見つけ、感想を伝えましょう。

たのしみは夜空の中に弟と
知ってる星座探し出す時

たのしみは夜空を見上げ弟と
知ってる星座見つけ合う時

弟と二人で星座を見つける楽しさが伝わるのは、二つ目のほうかな。

「見つけ合う」という言葉に、矢島さんと弟さんが二人で楽しんでいる様子が表れていると思いました。

たのしみは

時

名前

クラス全員の短歌を持ち寄って、「いいな。」と思う短歌に投票をしたり、「たのしみは」を「よろこびは」「かなしみは」など別の言葉に変えて、「時」で結ぶ短歌を作ったりしてもいいですね。

たいせつ
言葉を選んで、短歌を作る
- 伝えたい思いや、そのときの様子を思い出して、言葉を選んだり、並べ方を変えたりするなど工夫する。

ふりかえろう

□知る　言葉の使い方で気をつけたのは、どんなことですか。
□書く　表現を工夫するときに気をつけたのは、どんなことですか。
□つなぐ　少ない文字数で伝えることには、どんなおもしろさがあると感じましたか。

星○座(ザ)

暮(くれる・くらす)　探(タン・さがす)　座(ザ)

299ページ

言葉

文の組み立て

言葉の順序

右のカードを並べかえて、意味の通る文を作り、友達の作った文と見比べましょう。

木を　庭に　ぼくは　昨日　は、人によって置く場所がちがったかもしれません。

いっぽう、植えた　は、最後に置いた人が多いのではないでしょうか。「植えた」のような、文の述語に当たる言葉は、書き言葉ではふつう、文末に置きます。


このように、日本語の文には、自由に語順を決められるところと、ふつうは定まっているところがあります。

文の中の主語と述語の関係

一つの文の中に、主語と述語の関係が二つ以上出てくる場合もあります。

①枝が　のび、葉が　しげる。

②ぼくが　植えた　木が　育った。

①の文には、「枝が―のび」と「葉が―しげる」の二つの主語と述語の関係があり、対等に並んでいます。②の文にも二組の主語と述語の関係がありますが、この文で中心とな

るのは、「木が―育った」です。「ぼくが―植えた」は、この文の中心の主語である「木が」を修飾（しょく）する言葉です。

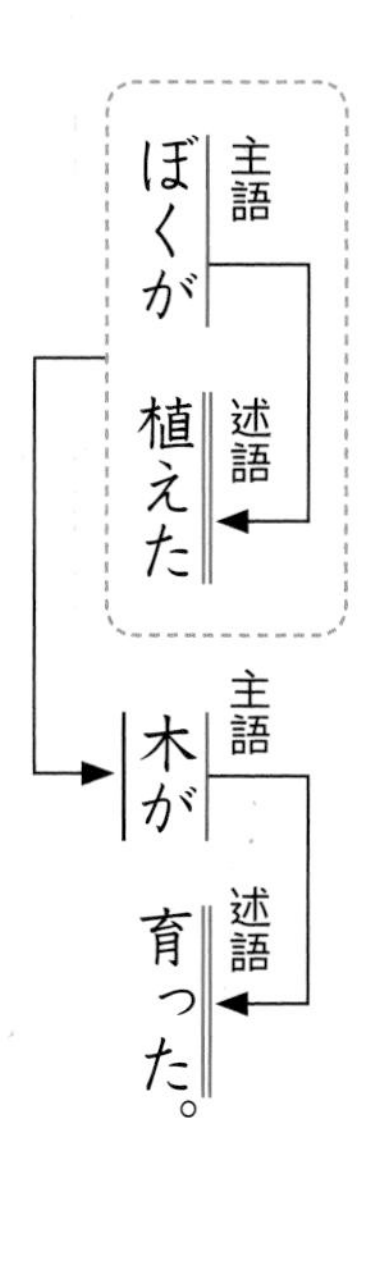

文の内容をとらえるときは、文の中の主語と述語の関係に着目しましょう。

また、②のような長い文は、短い文に分けて書き直すことで、分かりやすくなることがあります。

ぼくが木を植えた。その木が育った。

---

1 次の文の中の、主語と述語の関係を見つけましょう。

- 券売機が故障したうえに、電車がおくれた。
- 立派な警察署が完成し、住民は喜んだ。
- 祖父が通う銭湯が県庁の近くに移転した。

2 次の文を二つの文に分けて書き直し、同じ内容を表してみましょう。

- 姉がくれたカップはとてもかわいい。
- 有名な作家が訳した外国の童話を読んだ山田さんが感想を述べる。

いかそう

文を書くときは、語順や主語と述語の関係に気をつけて、分かりやすく組み立てましょう。

○券（ケン）売機　故○障（ショウ）　立○派（パ）　警（ケイ）察○署（ショ）　○銭（セン）湯　県○庁（チョウ）　○訳（ヤク）す

券（ケン）　障（ショウ）　派（ハ）　警（ケイ）　署（ショ）　銭（セン）　庁（チョウ）　訳（ヤク・わけ）

299ページ

声に出して楽しもう

天地(てんち)の文(ふみ)

福澤諭吉(ふくざわゆきち)

次の文章は、明治時代の初めに、思想家 福澤諭吉が子ども用の習字手本として作ったものの一つです。当時日本に入ってきたばかりの、時間、週日など、人々の暮らしの基本となる決め事が、調子のよい言い回しの中で言いつくされています。

天地日月(てんちじつげつ)。東西南北。きたを背に南に向かひ(い)て右と左に指させば、ひだりは東、みぎはにし。日輪(にちりん)、朝は東より次第(しだい)にのぼり、暮れはまたにしに没(ぼっ)して、夜くらし。一昼一夜(いっちゅういちや)変わりなく、界(さかい)を分けし午前午後、前後合わせて二十四時、時をあつめて日を計へ(かぞえ)、日数(ひかず)つもりて三十の数に満つれば一か月、大と小とにかかは(わ)らず、あらまし分けし四週日、一週日の名目(みょうもく)は日月火水木金土、一七日(ひとなぬか)に一新し、一年五十二週日、第一月(げつ)の一日は年たち回る時なれど、

5

天地日月　この世の中の時間の流れ。明治時代の初め、月の満ち欠けをもとにした旧暦(れき)から、西洋諸(しょ)国と同様の太陽暦に切りかえられた。諭吉は、子どもにも分かりやすいよう、おおまかな数字を用いて説明している。

春の初めは尚遅く初めて来る第三月、春夏秋冬三月づつ合わせて三百六十日、一年一年又一年、百年三万六千日、人生わづか五十年、稚き時に怠たらば老いて悔ゆるも甲斐なかるべし。

天と地、そして太陽と月。東西南北。北を背にして南に向かって右と左を指さすと、左は東、右は西である。太陽は、朝は東からしだいにのぼり、暮れには西にしずんで、夜は暗くなる。一日は午前と午後に分かれ、合わせて二十四時間である。時間を積み重ねて日がたち、三十日になると一か月である。三十一日と三十日の月はあるが、一か月はだいたい四週であり、一週は日月火水木金土で、七日ごとに週が新しくなって、一年は五十二週である。一月一日は新年で、こよみのうえでは春になるが、本当の春のおとずれは遅く、三月である。春夏秋冬三か月ずつを合わせると三百六十日になり、一年一年を積み重ねると、百年ではおよそ三万六千日となるが、人生はわずか五十年程度である。おさないときに努力を怠り、年を取ってから後悔してもしかたがない。(だから、後悔のないように、今、努力をおしまないようにするのがよい。)

情報

集めるときに使おう

情報と情報をつなげて伝えるとき

調べた情報をただ並べるだけでは、何を伝えたいのか、よく分からないことがあります。分かりやすく伝えるために、情報と情報を、次のような関係で整理しましょう。

- **Aとその具体例の関係**

例えば――
――には、――がある。

- **Aとその説明（定義）の関係**

――とは、――のことだ。

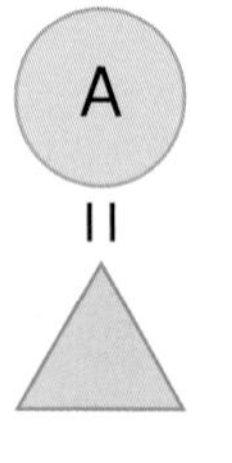

- **複数のものと、その共通点（A）という関係**

このように――
ここから考えられるのは、――
など

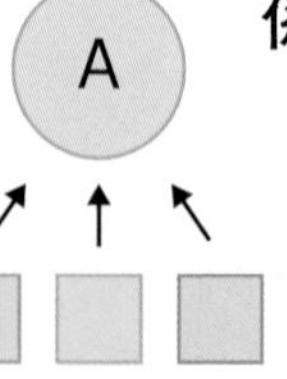

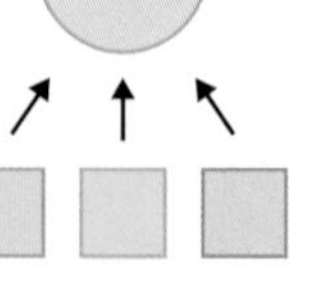

岩崎さんは、報告書を書き直すことにし、1の文章を書きました。

> **1** ブラジルは、農業がさかんな国で、アグロフォレストリーという農法が積極的に行われている。この農法では、いろいろな樹木や作物を育てている。

これに関連して、岩崎さんが集めた情報には、次の①②があります。

①アグロフォレストリーとは

生育期間が異なる樹木や作物を、同じ土地で同時に育てる農法。多様な植物が共存することで、土地への負荷が低くなり、長期間利用できる。また、そこにすむ生物も多様になる。

②アグロフォレストリーで育てているもの

- こしょう（収穫まで一、二年。数年間収穫できる。）
- 果物（収穫まで数年。その後長く収穫できる。）
- 樹木（十年以上育て、伐採して材木とする。）

▼1の文章に、①②の情報を加え、文を書き足しましょう。情報と情報を、どんな言葉を使って、どのようにつなげると分かりやすいか考えましょう。

▼岩崎さんは、日本の農業について調べたことを2のようにまとめ、二段落目に書きました。1と2の段落の共通点を見つけ、まとめの段落を二文程度で書きましょう。

> **2** 日本でも、環境を大切にした、里山での伝統的な農業が注目されている。植林や間伐などによって適切に手入れされた里山の周辺では、人間の作った田や畑と、多様な生き物が共生している。

いかそう

文章を読むときは、使われている言葉に着目し、情報と情報の関係をとらえましょう。

具体的な事実や考えをもとに、提案する文章を書こう

私たちにできること

学校では、電気や水、食料などが、家庭よりもずっと多く使われています。資源や環境を大切にするために、学校で、みなさんができることはありませんか。具体的に考えて、提案する文章を書きましょう。

●確かめよう

「五年生の学びを確かめよう」 8ページ

●学習の進め方

決めよう 集めよう
1 身の回りにある問題について考える。
2 提案のための資料を集める。

組み立てよう
3 提案する文章の構成を考える。

書こう
4 提案する文章を書く。

つなげよう
5 読み合って、感想を伝える。

●ふりかえろう

1 身の回りにある問題について考えよう。

学校の様子を見たり、環境問題に関する本を読んだりして、自分たちが取り組めそうなテーマを探しましょう。

グループで話し合って、どんなテーマについて調べて、提案するかを決めましょう。

■テーマの例

・エネルギー　・水　・ごみ　・食料　など

2 提案のための資料を集めよう。

提案するテーマが決まったら、本やインターネットで調べたり、インタビューをしたりして、問題点を明らかにし、解決策を考えましょう。それぞれの考えをもち寄って、グループで次のことを話し合いましょう。

- 提案するテーマについての、現状と問題点
- 提案の具体的な内容（解決方法、提案の効果など）

資源（ゲン）
解決策（サク）
消し忘（わす）れる

3 提案する文章の構成を考えよう。

何かを提案するときは、次のような組み立てで書くと、提案の意図や内容が読み手に分かりやすく伝わります。提案が複数ある場合は、提案ごとにまとまりを分けましょう。

1 提案のきっかけ
- きっかけとなった経験
- 現状や問題点　など

▼

2 提案
- 具体的な内容
- 提案が実現したときの効果

3 まとめ

4 提案する文章を書こう。

次のようなことに気をつけて書きましょう。

- 提案の意図や内容、その効果が読み手に分かりやすいよう、具体的に書く。

■構成メモの例

題名
節電をして，
環境にやさしい学校へ

1．提案のきっかけ
- 新聞記事のこと
- ひかり小学校の問題点

2．提案
(1) 節電情報コーナーの設置
- けいじ物の内容
- 実現したときの効果

(2) 教室の電気のスイッチの近くに，ポスターをはる

検討（トウ）

■提案するときに使う言葉

きっかけを説明する
- きっかけは、——
- 以上のことから、——

具体的に説明する
- 例えば、——
- 具体的には、——
- ——というのは、——
- 実際には、——

・内容のまとまりごとに段落を分けたり見出しをつけたりする、箇条書きにするなど、読み手が提案の内容をとらえやすい示し方を考える。

下書きを書いたら、グループで話し合って、内容や書き方を検討しましょう。

■下書きの例

2．提案

（1）節電情報コーナーの設置

1階の昇降口に，節電情報コーナーを設けて，節電に関する情報をけいじすることを提案する。「電気を消そう」とよびかけるだけでは，なぜ節電しなければならないのかが，学校のみんなに伝わらない。1年生から6年生までのみんなが，納得して節電に取り組めるよう，節電に関して調べたことをまとめて，けいじする場所を設けたい。節電情報コーナーの設置によって，みんなが日々節電を意識して過ごしてくれるようになると考える。

提案の内容と効果とで、段落を分けたほうが読みやすいね。

提案の内容は、問題点をふまえたものになっているかな。

どんな内容をけいじするのか、もっと具体的に書いたほうが分かりやすいよ。

特に伝えたいところは、箇条書きにして示そう。

(2) ポスターをはる
教室を移動するときに電気を消すようにすることをてっていする

節電をして，環境にやさしい学校へ

6年3組　岩崎，岡田，関口，矢島

1．提案のきっかけ

きっかけとなった経験

節電に関する新聞記事で，夏には，電力の使用量が増加するということを知った。あまりにも使用量が増えすぎると，電気の供給が難しくなってしまうこともあるそうだ。また，発電には，さまざまな資源が使われていて，環境に大きなえいきょうをあたえているとも書いてあった。

現状や問題点

注意して見てみると，ひかり小学校では，教室を移動する際に，電気を消し忘れていることがある。その原因の一つは，電気が限りあるエネルギーだということが，理解されていないためだと思われる。もう一つは，教室を移動するときに電気を消すようにする，というよびかけがてっていされていないことが考えられる。

以上のことから，私たちのグループでは，次の2点の提案をする。

2．提案

提案すること

(1) 節電情報コーナーの設置

電気の大切さに対する理解を深めるために，1階の昇降口に節電情報コーナーを設けることを提案する。このコーナーでは，模造紙などに，節電に関する情報をまとめてけいじしたい。

提案理由

これは，1年生から6年生までのみんなが，納得して節電に取り組めるようにしたいという理由からだ。

具体的な内容

具体的には，次のような内容をけいじすることを考えている。

- 電気の使用と，環境へのえいきょう
- 学校の，月ごとの電力使用量（グラフで示す）
- 学校や家庭でできる節電の取り組み

提案が実現したときの効果

節電情報コーナーの設置によって，電気を使うことのえいきょうや，学校の現状，自分たちにできることなどを，学校のみんなに理解してもらうことができる。そうすることで，みんなが日々節電を意識して過ごしてくれるようになると考える。

5 読み合って、感想を伝えよう。

他のグループの提案書を読み合い、「分かりやすいな。」「説得力があるな。」と思ったところを伝え合いましょう。

節電情報コーナーの内容が具体的に書いてあって、自分たちにもできそうだと思いました。

節電をよびかけるだけではなく、どうして節電するほうがよいのかを知らせているところが、効果的だと思いました。

○供給（キョウ）
○模造紙（モ）

たいせつ

提案する文章を書く

次のことに気をつけて、提案する文章を構成する。

- 現状や問題点を整理し、提案の理由を明確にする。
- 提案の内容を、具体的に示す。
- 提案が実現したときの効果を示す。

いかそう

委員会活動やクラブ活動などで、何かを提案するときには、その理由をはっきりとさせ、提案の内容をできるだけ具体的に知らせましょう。

ふりかえろう

□知る　どのような言葉を使って、提案を分かりやすく示しましたか。

□書く　提案が具体的に伝わるように、どのように構成して文章を書きましたか。

□つなぐ　友達の書いた提案書を読んで、どんなところをまねしてみたいと思いましたか。

源（ゲン・みなもと）
策（サク）
忘（わすれる）
討（トウ）
供（キョウ・そなえる・とも）
模（モ・ボ）

300ページ

季節の言葉2

夏のさかり

立春　雨水　啓蟄　春分　清明　穀雨

立夏　小満　芒種　夏至　小暑

立夏【りっか】

五月六日ごろ

こよみのうえで、夏が始まる日。新緑や若葉に、夏の気配が感じられるようになる。

小満【しょうまん】

五月二十一日ごろ

立夏から十五日目に当たる。陽気がさかんとなり、草木が成長して満ちてくるという意味。

芒種【ぼうしゅ】

六月六日ごろ

「芒」とは、いねや麦などの実のからにある、はりの形をした毛のこと。芒のある穀物の種をまく時期である。

めざましき若葉の色の日のいろの
揺れを静かにたのしみにけり

島木　赤彦

夏至【げし】

六月二十一日ごろ

一年の中で、昼が最も長く、夜が最も短い日。昔のこよみでは、夏の真ん中とされた。

短夜やあすの教科書揃へ寝る

日野草城

小暑【しょうしょ】

七月七日ごろ

つゆが終わりに近づく。この日から「暑中（夏の暑さがさかんな時期）」に入り、暑さが増してくる。

くず餅のきな粉しめりし大暑かな

鈴木真砂女

大暑【たいしょ】

七月二十三日ごろ

晴れた日が続き、一年のうちで暑さが最もきびしいころ。

「夏」といっても、時期によって、見られる風景はさまざまです。あなたの地域の今の「夏」を手紙に書いて、友達やお世話になった人に、夏の便りを送りましょう。

本は友達

私と本

六年間で、どんな本に出会ってきましたか。ここでは、テーマに着目して、本が、自分にとってどのような存在かを考えてみましょう。そして、自分と本との関わりをふまえて、友達と本をしょうかいし合いましょう。

■読書記録を読み返す

■図書館や書店で出会った本を思い出す

■学習活動をふり返る

●学習の進め方

1 自分と本との関わりを考える。
2 印象深い本について、友達と話す。

▶

3 本のテーマに着目して、読み広げる。 「森へ」83ページ

▶

4 テーマを決めて、ブックトークをする。

1 自分と本との関わりを考えよう。

どんな本を読んできたか、どのくらい本を読んでいるかなどをふり返り、自分が本とどのように関わっているかを考えましょう。

どんなとき、本を読みたくなるか。

- 知りたいことがあったとき
- 楽しみたいとき
- ひまなとき
- さびしいとき

読むと、自分にどんな変化が起きるか。

- 新しい知識を得られる
- 楽しい気持ちになる
- 特に変わらない

どのくらい本を読んでいるか。

- 月に一冊ぐらい
- 週に一冊ぐらい

どんな本が好きか。

- 写真や絵がきれいな本
- 文字だけの本
- 物語
- 科学読み物
- 伝記
- 辞典
- ファンタジー
- まんが
- SF（エスエフ）
- 詩集
- 歴史物
- 動物記
- 推理小説
- 事実にもとづいて書かれた話（ノンフィクション）

どんな読み方をしているか。

- じっくりと
- ぱらぱらと
- くり返して
- 必要なところだけ

これから読みたいのは、どんな本か。

- 宇宙開発のことが分かる本
- 職人のドキュメンタリー
- 海外のファンタジー

どこで読むか。

- 学校で
- 自宅で
- バスや電車の中で
- 公園で
- 図書館で

○一冊（サツ）　○自宅（タク）　○推理（スイ）　○宇宙（ウチュウ）

2 印象深い本について、友達と話そう。

自分と本との関わりをふり返る中で、特に心に残っていた本は何でしたか。その本がもつテーマについて、友達と話しましょう。

「バッテリー」

ぼくは、あさのあつこさんの「バッテリー」かな。野球に打ちこむ主人公たちの「友情」をテーマにしているよ。読むと、温かくて前向きな気持ちになれるんだ。

「風をつかまえたウィリアム」

私は、「風をつかまえたウィリアム」だな。独学で風力発電の装置を作った、アフリカの少年の実話をもとにした話なんだ。「国際理解」がテーマになっていると思った。

「あきらめないこと、それが冒険(ぼう)だ」

ぼくは、「あきらめないこと、それが冒険だ」が心に残っている。エベレストで清掃(そう)活動をしている、登山家の野口健(のぐちけん)さんが書いた本だよ。「自然を守ること」が、テーマの一つになっている。

○装置(ソウ)

3 本のテーマに着目して、読み広げよう。

これから読んでみたいテーマを決めて、本を探して読みましょう。

テーマと本の例

福祉・共生社会

五感の力でバリアをこえる

義足でかがやく

見えなくても だいじょうぶ？

平和

アハメドくんのいのちのリレー

ヒロシマ　8月6日、少年の見た空

武器より一冊の本をください

自然・生命

森へ

自然に学ぶくらし
①自然の生き物から学ぶ

ここで土になる

はくりょくのある自然の写真がたくさんのっている、「森へ」を読んでみよう。

この作品は、83ページから読むことができます。

他にも、「友達、人間関係」「仕事、職業」など、さまざまなテーマがあります。

「本の世界を広げよう」 265ページ

4 テーマを決めて、ブックトークをしよう。

自分で考えたテーマに沿って、友達に本をしょうかいします。それぞれの本のみりょくを分かりやすく伝えましょう。

■ブックトークの例

初め テーマを示す

ぼくは、「自然の力強さ」というテーマで、三冊の本をしょうかいします。どの本も、ぼくがこれまで出会ったことのない視点で自然の様子がえがかれていて、心を動かされたものです。

中 本のみりょくを伝える

一冊目は、「森へ」です。この本のみりょくは、なんといっても、森や生き物の生命力を写し取った写真の力強さです。また、言葉にもみりょくがあります。

特に心に残ったのは、――

…

終わり まとめる

これらのような、新たな視点をあたえてくれる本は、ぼくにとって、とても大切なものです。気になる本があったら、ぜひ、手に取って開いてみてください。

←本との関わりについて述べた部分

ブックトーク
一つのテーマに沿って、何冊かの本をしょうかいする活動。

たいせつ 自分と本との関わりについて考える

本との関わりについて考えることで、読書生活を豊かにすることができる。

- 本のテーマに着目すると、本が、自分にとってどんな存在かや、自分の考えをどう広げてきたかに気づくことができる。
- 本との関わり方を交流することで、多様な見方や考え方にふれることができる。

読んでみよう

森へ

星野(ほしの)道夫(みちお) 文・写真

81ページで取り上げた本です。自然の営みについて、どんなことを感じるでしょうか。

アラスカ
(アメリカ合衆(しゅう)国)
カナダ
日本

朝の海は、深いきりに包まれ、静まりかえっていました。聞こえるのは、カヤックのオールが水を切る音だけです。少し、風が出てきました。白い太陽が、ぼうっと現れては、消えてゆきます。ゆっくりと、きりが動いているのです。オールを止めると、カヤックは、鏡のような水面をしばらくすべり、ミルク色の世界の中で、やがて動かなくなりました。きりの切れ間から、辺りを取りまく山や森が、ぼんやり見えています。たくさんの島々の間を通り、いつのまにか深い入り江(え)のおくまで来ていたのです。ここは、南アラスカからカナダにかけて広がる、原生林の世界です。

カヤック
五、六メートルの小舟(ぶね)。元は、木や動物の骨(ほね)で組み立て、アザラシの皮をぬい付けたものであったが、今は化学素材で作られる。

原生林
人が手を加えていない、自然のままの林。

じっとしていると、カヤックをこいでいるとき気づかなかった音が、少しずつ聞こえてきました。ピロロロロ――。ハクトウワシの、小鳥のようなさえずりです。が、辺りの森を見わたしても、姿が見えません。ポチャン――と、一ぴきのサケが、海面から三十センチほど飛び上がりました。谷間から、川の音か、たきの音か、かすかな水の音がわたってきます。きりは、絶えず形を変えながら、森の木々の間を、生き物のように伝っています。水面を流れるきりは、ぼくの顔や体を、しっとりとぬらしました。そのときです、不思議な声がきりの中から聞こえてきたのは。

シューッ、シューッ、シューッ――。ぼくは体をかたくして、だんだん近づいてくるその音を待ちました。突(とつ)然、きりの中からすうっと巨(きょ)大な黒いかげが現れ、目の前を潮をふき

ハクトウワシ
頭と尾(お)が白い、大形のワシ。全長九十センチメートル、体重六キログラムほど。北アメリカの水辺にすみ、サケなどの大きな魚をつかまえて食べる。

○姿(すがた)
○潮(しお)

ながら通り過ぎていったのです。ザトウクジラ――。広い海原（うなばら）にいるはずのクジラが、どうしてこんな所にいるのだろう。やがて、クジラは尾（お）びれを高く上げ、ゆっくりときりの中に消えてゆきました。

再びカヤックをこぎ始めました。深い森の木々がおし寄せるはまべが、しだいに近づいてきました。

バサッ、バサッ――。不意に、ハクトウワシが森の中からまい上がり、頭上を飛び去ってゆきました。ぼくがこの森に近づいてくるのを、ハクトウワシはじっと見ていたのです。

やがて、カヤックが砂はまに乗り上げると、森は、おおいかぶさるようにせまっていました。見上げるような巨木や、その間にびっしりとおいしげる樹林が、ぼくがこの森に入ることをこばんでいるようでした。

ザトウクジラ 全長十五メートルほど。背中が黒く、腹が白い。

○樹（ジュ）林

はまべに沿ってしばらく歩くと、だれかが通ったように草のしげみが割れ、そのまま森の中へ続いているのに気がつきました。いったいだれが来たのだろう。ここは、人の住む場所とは遠くはなれた世界です。

巨木の間をぬけ、森に足をふみ入れると、辺りは、夕暮れのように暗くなりました。目が慣れてくると、森の姿が見え始めました。見わたすかぎりの木々が、いや、地面も岩も倒木も、びっしりと緑のコケにおおわれているのです。さまざまな地衣類が、枝から着物のように垂れ下がった木々は、そのまま歩きだしそうな気配でした。

ぼくが立っている地面は、かすかな道になり、森のおくへと続いていました。土の上に残された大きな足あとを見たとき、急に胸がどきどきしてきました。そう、クマの道だったのです。森の中から、今にもクマがやって来そうな気がしました。

周りを見回しながら、しばらく考えました。気持ちが落ち着くと、少し勇気が出てきました。ぼくはクマの道をたどり、森に入ってゆくことに決めました。

この森は、はるかな北に広がる氷河まで続いています。ずっと昔、ここは、厚い氷におおわれていました。最後の氷河期が終わり、地表が現れ、気の遠くなるような時間をかけて、森ができあがったのです。木々やコケ、そして岩や倒木までが、たがいにからみながら助け合い、森全体が、一つの生き物のように呼吸しているようでした。

森の木々が、じっとぼくを見つめているような気がしました。ときどき、気味の悪い大木を見かけました。まるで、足で立っている

○割(わ)れる

地衣類
木の幹や岩の表面にうすく広がって増える、植物のように見えるもの。

○垂(た)れ下がる

○胸(むね)

ように根が生え、その間に大きな穴が空いているのです。あれは、いったいなんなのだろう。

辺りをゆっくりと見わたし、小さな音にも耳をそばだてて歩いていると、だんだん不思議な気持ちになってきました。いつのまにか、まるで、自分がクマの目になって、この森をながめているみたいなのです。心が静まるにつれ、森は、少しずつぼくにやさしくなってくるようでした。

「もしクマが反対からやって来たら、そっと道をゆずってやればいいのだ。」そんなことも考え始めていました。

ふと気がつくと、道の真ん中に、大きな黒いかたまりが落ちていました。なんだろうと思って近づくと、それは、クマの古いふんでした。

おどろいたことに、そのふんの中から、白いキノコがたくさんのびています。あんまりきれいなので、ぼくは地面に体をふせ、クマ

のふんにぐっと顔を近づけてみました。いつか北極圏のツンドラで見た、古い動物の骨の周りにさく花々を思い出しました。厳しい自然では、わずかな栄養分もむだにはならないのです。

クマの道は、しだいに分かれ道が多くなり、いつのまにか、森の中に消えてゆくようでした。ときどきは、高いやぶをかき分けて進まなくてはなりません。そんなとき、倒木は、森にかかる橋のように歩きやすい道となりました。倒木の道には、ところどころに、アカリスがトウヒの実を食べたからが積まれています。動物たちも、この自然の道を利用しているのです。今度は、森のリスになったような気分で、倒木の上を歩きました。

水の音が聞こえてきました。しばらくすると、視界が開け、森の中を流れる川に出ました。岸に立つと、水の流れは、川底の岩の色なのか、黒くしずんで見えました。

水を飲もうと水面に顔を近づけ、びっくりしてしまいました。川底の色だと思ったのは、産卵のために川を上るサケの大群だったのです。ぼくは、はだしになって川に入りました。静かに手を水の中に入れ、やっと一ぴきのサケをつかむと、ああ、なんと強い力をもっているのでしょう。ばねのように身を大きく曲げながら、はじけるように、ぼくの手から飛びぬけてゆくのです。もうおもしろくてたまりません。ぼくは、ずぶぬれになりながら、何度も同じことをくり返しました。

ふっと前を見ると、対岸の岩の上から、クロクマの親子が、じっとぼくを見ているではないですか。ぼくは、あわてて岸をかけ上がりました。すると、なんてことでしょう。川

ツンドラ
北極海沿岸に広がる荒原。寒さのために、樹木が生育しない。

○骨
○厳しい

アカリス
カナダやアメリカの林にすむ。キチキチと鳴き、木の実やキノコを好む。

トウヒ
山に生える松の一種。幹は赤褐色で、ひび割れている。

クロクマ
ここでは、アメリカグマのこと。かたまでの高さ一メートル、体重百三十キログラムほど。

の上流にも下流にも、いつのまにか、クマがあちこちにいるのです。今、この森の川は、サケを食べに来るクマの世界でした。見上げれば、子グマが木の上でねています。どうして今まで気がつかなかったのだろう。

すでに一生を終えたサケが、たくさん流れてきています。

「サケが森を作る。」

アラスカの森に生きる人たちの古いことわざです。産卵を終えて死んだ無数のサケが、上流から下流へと流されながら、森の自然に栄養をあたえてゆくからなのです。

ぼくは、川をそっとはなれ、再び森の中に入ってゆきました。

不思議な光景に出会いました。地面に横たわる古い倒木の上から、巨木が一列に並んでのびているのです。それは、きっとこんな物語があったのでしょう。

昔、一本のトウヒの木が年老いてたおれました。その木は死んでしまいましたが、まだ、たくさんの栄養をもっていました。長い年月の間に、その幹の上に落ちた幸運なトウヒの種子たちがいました。そこに根を下ろした種子たちは、倒木の栄養をもらいながら、さらに気の遠くなるような時間の中で、ゆっくりと大木に成長していったのです。つまり、年老いて死んでしまった倒木が、新しい木々を育てたのです。

それでやっと分かりました。森の中でときどき見かけた、根が足のように生えた不思議な姿の木のことです。その根の間に空いていた穴、それは、栄養をあたえつくして消えた倒木のあとだったのです。

目の前の倒木は、たくさんの大木の根にからまれ、今なお栄養をあたえ続けているようです。が、いつかはすっかり消えてゆくのです。ぼくはこけむした倒木にすわり、そっと幹をなでてみました。

森のこわさは、すっかり消えていました。じっと見つめ、耳をすませば、森はさまざまな物語を聞かせてくれるようでした。ぼくの目には見えないけれど、森はゆっくりと動いているのでした。

星野　道夫
一九五二～九六年。千葉県生まれ。写真家。「グリズリー」「アラスカたんけん記」などの作品がある。

冊（サツ）　宅（タク）　推（スイ）　宇（ウ）　宙（チュウ）　装（ソウ）　姿（シ・すがた）　潮（チョウ・しお）　樹（ジュ）
割（わる・わり・われる）　垂（スイ・たれる・たらす）　胸（キョウ・むね）　骨（コツ・ほね）　厳（ゲン・きびしい）

300ページ

詩を味わおう

せんねん　まんねん

まど・みちお

いつかのっぽのヤシの木になるために
そのヤシのみが地べたに落ちる
その地ひびきでミミズがとびだす
そのミミズをヘビがのむ
そのヘビをワニがのむ
そのワニを川がのむ
その川の岸ののっぽのヤシの木の中を
昇(のぼ)っていくのは
今まで土の中でうたっていた清水(しみず)
その清水は昇って昇って昇りつめて

ヤシのみの中で眠る

その眠りが夢でいっぱいになると
いつかのっぽのヤシの木になるために
そのヤシのみが地べたに落ちる
その地ひびきでミミズがとびだす
そのミミズをヘビがのむ
そのヘビをワニがのむ
そのワニを川がのむ
その川の岸に
まだ人がやって来なかったころの
はるなつあきふゆ　はるなつあきふゆの
ながいみじかい　せんねんまんねん

学習

● 表現の工夫とその効果について、話し合いましょう。

この本、読もう

まど・みちお

対話の練習

いちばん大事なものは

これからの生活で、みなさんは、どんなものや考え方を大切にしていきたいと考えているでしょうか。友達と伝え合い、考えを広げていきましょう。

1 自分の考えを、ノートに書きましょう。

やっぱり、好きなサッカーをすることかな。でも、サッカーをするには、――。
そう考えると、いちばん大事なのは、いっしょに遊べる友達だな。
私にとっては、笑うことだと思う。毎日を笑って過ごすことができたら――。

2 次のような進め方で、友達と考えを交流します。たがいの考えがよく分かるように、理由や、これまでの経験などをたずね合いましょう。

① 三人一組のグループを作り、考えを聞き合う。

② メンバーを入れかえて、別のグループを作り、①と同様に考えを聞き合う。その際、前のグループでどんな話が出てきたかを伝え、共有する。

〈②を二回くり返す。〉

③ 最後に、初めのグループにもどって、ふり返る。

---

3 他の人と交流して、変わったり深まったりしたあなたの考えを、ノートにまとめましょう。書いたものを見せ合ってもいいですね。

確かに、友達が大事といっても、ただいっしょに遊ぶだけではなくて——。

いろいろな考え方を聞いて、自分の考えにいかす

- 人によって考え方はちがう。その人がなぜそのように考えるのか、理由や背景を理解する。
- 他の人と思いや考えを交流することで、自分の考えを広げたり、深めたり、新しい視点を見つけたりする。

難しい話題でも、立場のちがう多くの人の意見を聞くことで、自分なりに納得できる考えが見つかることがあります。

生活の中で読もう

利用案内を読もう

私たちは、生活の中で、施設などの利用案内や説明書、広告など、さまざまなものから情報を手に入れています。知りたいことがあるとき、それらをどのように読んだらよいのでしょうか。ここでは、図書館の利用案内を読んで、考えてみましょう。

わかば市に住んでいる、小学六年生の石井さんは、市の図書館で本を借りたいと思い、98ページにあるわかば市立図書館の利用案内を読みました。

1 石井さんが利用カードを作るためには、利用案内のどこを読むとよいでしょうか。
利用カードを作れる場所や、そのために必要なものは何かを読み取りましょう。

見出しがあるから、全部を読まなくてもよさそう。

2 石井さんが本を借りるためには、利用案内のどこを読むとよいでしょうか。利用案内から次の情報を見つけましょう。

- 借りられる資料の数と期間
- 借りたい本が見当たらない場合にすること

3 わかば市には三つの図書館があります。次のような人にとって、利用しやすい図書館はどこでしょうか。友達と話しましょう。

- 西わかば駅のそばに住んでいる人。
- おそい時間まで仕事をしている人。
- 車で図書館に行きたい人。

石井さんは、小学二年生の妹と、図書館で行われるイベントに行きたいと考えています。そこで、99ページにあるわかば市立図書館のウェブサイトを見ました。

4 みなさんが石井さんだったら、ウェブサイトを見て、どのイベントに参加したいと思いますか。理由とともに話しましょう。

▼紙の利用案内とウェブサイトとのちがいを考え、どんなときにウェブサイトを使うとよいかを話し合ってみましょう。

- 全てを読むのではなく、見出しをもとに、知りたいことが書いてあるところを選んで読む。
- 知りたいことによっては、複数の情報を組み合わせて考える。

わかば市立図書館　利用案内

2020年1月改訂

www.wakaba_city.○○

■利用カードを作る

- 資料の貸出や予約には，利用カードが必要です。利用申込書に記入し，住所と氏名が確認できる証明書（健康保険証，学生証など）といっしょに，カウンターにお持ちください。わかば市内の全ての図書館で作ることができます。
- 利用カードを作れるのは，わかば市在住・在勤・在学の方のみです。

■本を借りる

- 本や雑誌は，全ての図書館で合計２０冊まで借りられます。
- CDやDVDは，図書館によって借りられる数が異なります。
  ・中央図書館，東図書館・・・４点まで　　・西図書館・・・２点まで
- 利用カードは，わかば市の全ての図書館で使えます。
- 貸出期間は，２週間です。（１冊あたり１回に限り，１週間の期間延長ができます。）
- 利用したい資料があるかどうかは，ウェブサイトで確認できます。

■本を返す

■予約・リクエストする

- 利用したい資料が見つからないときや，貸出中の場合は，「予約・リクエスト申込用紙」に記入して，カウンターへお申し込みください。電話やウェブサイトで申し込むこともできます。
- CDは，市内にある資料の予約のみとなります。リクエストはできません。
- DVDは，予約もリクエストもできません。

●中央図書館

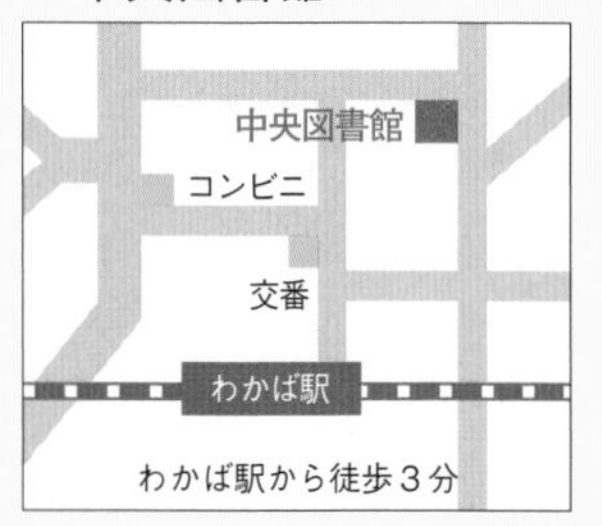

わかば市北○－○－○
TEL 1234-○○○○

開館
- 月～金
  午前９時～午後９時
- 土，日，祝日
  午前９時～午後７時

休館日
第一月曜日

●東図書館

わかば市東○－○－○
TEL 1234-○○○○

開館
- 月～金
  午前９時～午後６時
- 土，日，祝日
  午前９時～午後５時

休館日
第一月曜日，第三木曜日

●西図書館

わかば市西○－○－○
TEL 1234-○○○○

開館
- 火～土
  午前９時～午後６時
- 日，祝日
  午前９時～午後５時

休館日
毎週月曜日

勤 キン つとめる つとまる

誌 シ

延 エン のびる のべる のばす

幼 ヨウ おさない

■ウェブサイト（トップページ）

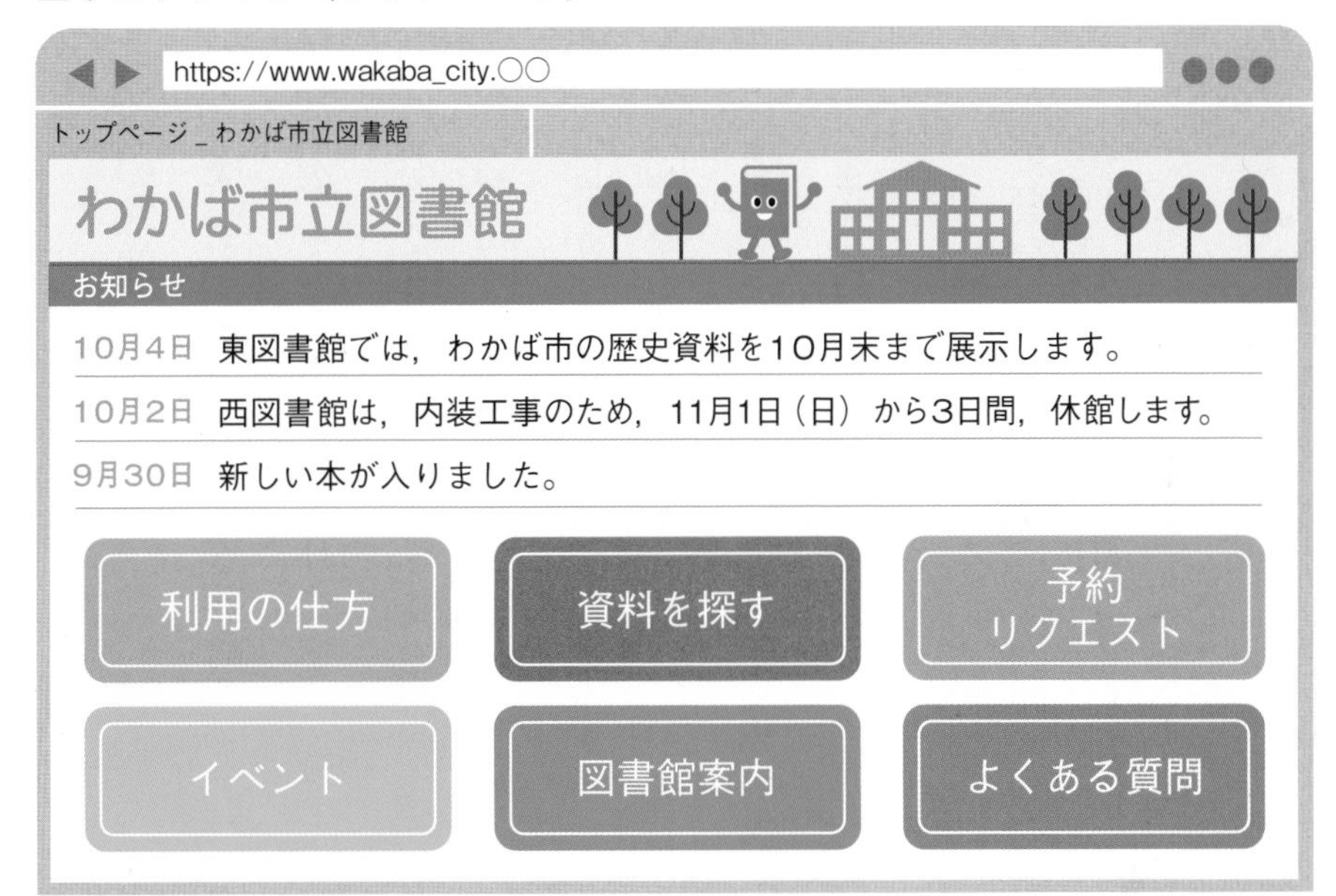

■ウェブサイト（イベントのページ）

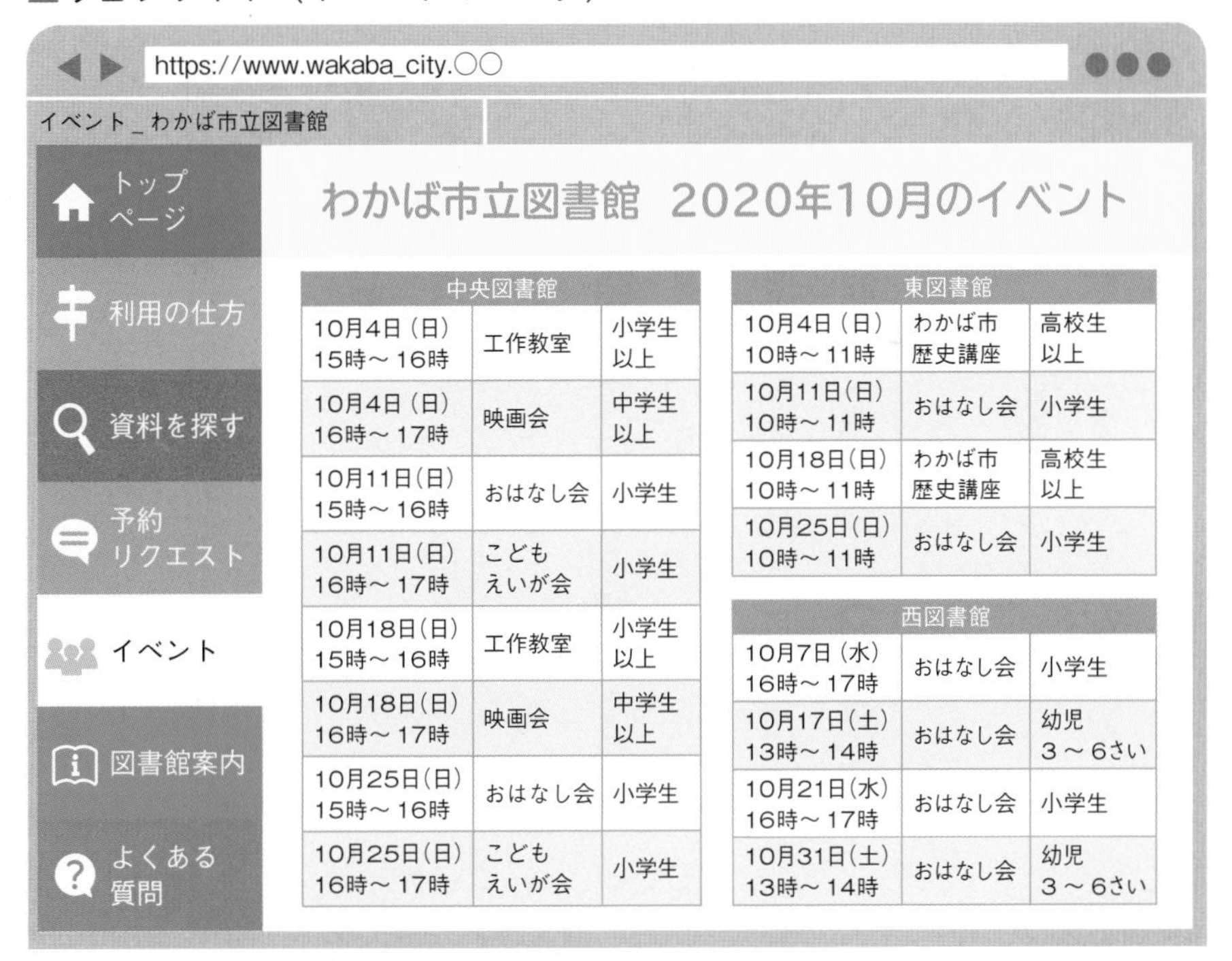

中央図書館		
10月4日（日）15時～16時	工作教室	小学生以上
10月4日（日）16時～17時	映画会	中学生以上
10月11日（日）15時～16時	おはなし会	小学生
10月11日（日）16時～17時	こども えいが会	小学生
10月18日（日）15時～16時	工作教室	小学生以上
10月18日（日）16時～17時	映画会	中学生以上
10月25日（日）15時～16時	おはなし会	小学生
10月25日（日）16時～17時	こども えいが会	小学生

東図書館		
10月4日（日）10時～11時	わかば市歴史講座	高校生以上
10月11日（日）10時～11時	おはなし会	小学生
10月18日（日）10時～11時	わかば市歴史講座	高校生以上
10月25日（日）10時～11時	おはなし会	小学生

西図書館		
10月7日（水）16時～17時	おはなし会	小学生
10月17日（土）13時～14時	おはなし会	幼児 3～6さい
10月21日（水）16時～17時	おはなし会	小学生
10月31日（土）13時～14時	おはなし会	幼児 3～6さい

在○勤キン　雑○誌シ　○延エン長　○幼ヨウ児

301ページ

言葉

熟語の成り立ち

漢字二字の熟語

二字の漢字からできている熟語の成り立ちには、次のようなものがあります。

①似た意味の漢字の組み合わせ〈収納〉

②意味が対（つい）になる漢字の組み合わせ〈縦横〉

③上の漢字が下の漢字を修飾（しょく）する関係にある組み合わせ〈山頂〉

④「――を」「――に」に当たる意味の漢字が下に来る組み合わせ〈洗顔〉

1 次の熟語は、①から④のどの組み合わせでしょう。漢字の意味を調べ、考えましょう。

・忠誠　・強敵　・養蚕　・玉石

・帰国　・苦楽　・仁愛　・温泉

三字以上の漢字から成る熟語もあります。組み合わせには、どんなものがあるでしょう。

漢字三字の熟語

三字の漢字で成り立つ熟語の多くは、一字の語と二字の語とでできています。

①二字の語の頭に一字を加えた熟語

・上の語が下の語の性質・状態などを限定するもの。

〈高｜性能〉〈低｜学年〉〈新｜記録〉

・「不」「未」「無」「非」などの上の語が、下の語を打ち消すもの。

〈不｜安定〉〈未｜解決〉〈無｜意識〉〈非｜常識〉

○熟（ジュク）語　○収（シュウ）○納（ノウ）　○縦（ジュウ）横　山○頂（チョウ）　洗●顔（ガン）　○忠（チュウ）○誠（セイ）　強○敵（テキ）　養○蚕（サン）　●玉（ギョク）石　苦●楽（ラク）　○仁（ジン）愛　温○泉（セン）

②二字の語の後ろに一字を加えた熟語

・上の語が下の語を修飾して、物事の名前になるもの。

〈銀河系〉〈加盟国〉〈運動場〉

・上の語に下の語が意味をそえて、様子や状態を表すもの。

的…「――のような」「――のような性質をもつ」という意味をそえる。

〈積極的〉〈典型的〉〈画一的〉

化…「――のようになる」という意味をそえる。

〈合理化〉〈近代化〉〈自動化〉

③一字の語の集まりから成る熟語

〈市町村〉〈松竹梅〉〈衣食住〉

漢字四字以上の熟語

四字以上の熟語も、ふつうはいくつかの語から成り立っています。

①一字の語の集まりから成る熟語

〈春夏秋冬〉〈都道府県〉〈東西南北〉

②いくつかの語の集まりから成る熟語

〈臨時列車〉……臨時－列車

〈海水浴客〉……海水浴－客

〈宇宙飛行士〉……宇宙－飛行－士

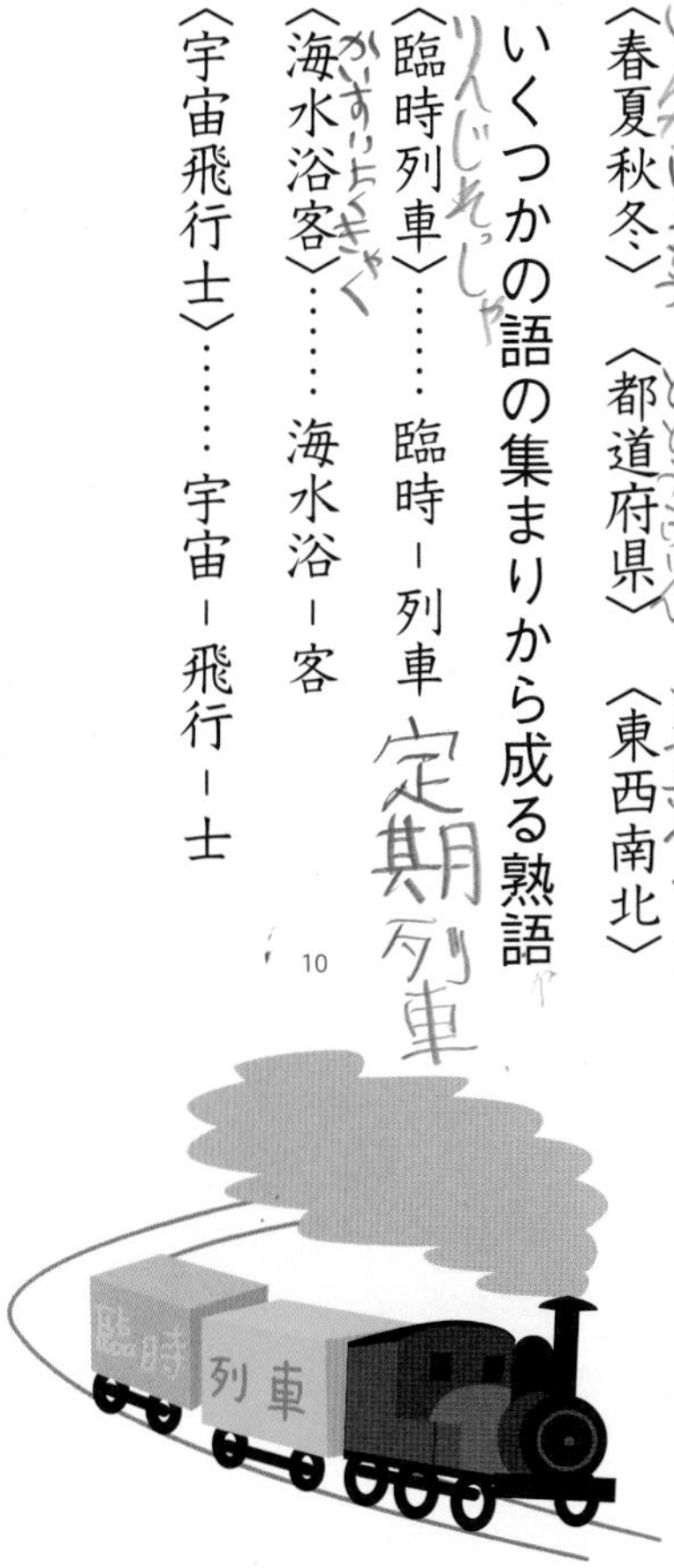

○銀河系（ケイ）
○加盟国（メイ）
●画一的（イッ）
○臨時（リン）

熟（ジュク）
収（シュウ／おさめる／おさまる）
納（ノウ／おさめる／おさまる）
縦（ジュウ／たて）
頂（チョウ／いただく／いただき）
忠（チュウ）
誠（セイ）
敵（テキ）
蚕（サン／かいこ）

仁（ジン）
泉（セン／いずみ）
系（ケイ）
盟（メイ）
臨（リン）

301ページ

漢字の広場 2

5年生で習った漢字

遊園地での人々の行動を、文章に書きましょう。

〈例〉銅像の前で、記念写真をとっています。

読む

作品の世界をとらえ、自分の考えを書こう

3

やまなし

【資料】イーハトーヴの夢

この物語を読みながら、あなたはどのような情景を思いうかべるでしょうか。宮沢賢治（みやざわけんじ）がえがく物語の世界を味わいましょう。

やまなし

宮沢（みやざわ）賢治（けんじ）作
かすや昌宏（まさひろ）絵

小さな谷川の底を写した、二枚の青い幻灯（げんとう）です。

一　五月

二ひきのかにの子どもらが、青白い水の底で話していました。

「クラムボンは　笑ったよ。」

「クラムボンは　かぷかぷ笑ったよ。」

5

二枚　○枚（マイ）

クラムボン　作者が作った言葉。意味はよく分からない。

「クラムボンは　はねて笑ったよ。」

「クラムボンは　かぷかぷ笑ったよ。」

上の方や横の方は、青く暗く鋼のように見えます。そのなめらかな天井を、つぶつぶ暗いあわが流れていきます。

「クラムボンは　笑っていたよ。」

「クラムボンは　かぷかぷ笑ったよ。」

「それなら、なぜクラムボンは　笑ったの。」

「知らない。」

つぶつぶあわが流れていきます。かにの子どもらも、ぽつぽつぽつと、続けて五、六つぶあわをはきました。それは、ゆれながら水銀のように光って、ななめに上の方へ上っていきました。

つうと銀の色の腹をひるがえして、一ぴきの魚が頭の上を過ぎていきました。

「クラムボンは　死んだよ。」

「クラムボンは　殺されたよ。」

「クラムボンは　死んでしまったよ……。」

「殺されたよ。」

「それなら、なぜ殺された。」

兄さんのかには、その右側の四本の足の中の二本を、弟の平べったい頭にのせながら言いました。

「分からない。」

魚がまたつうともどって、下の方へ行きました。

「クラムボンは　笑ったよ。」

「笑った。」

にわかにぱっと明るくなり、日光の黄金は、夢のように水の中に降ってきました。

波から来る光のあみが、底の白い岩の上で、美しくゆら

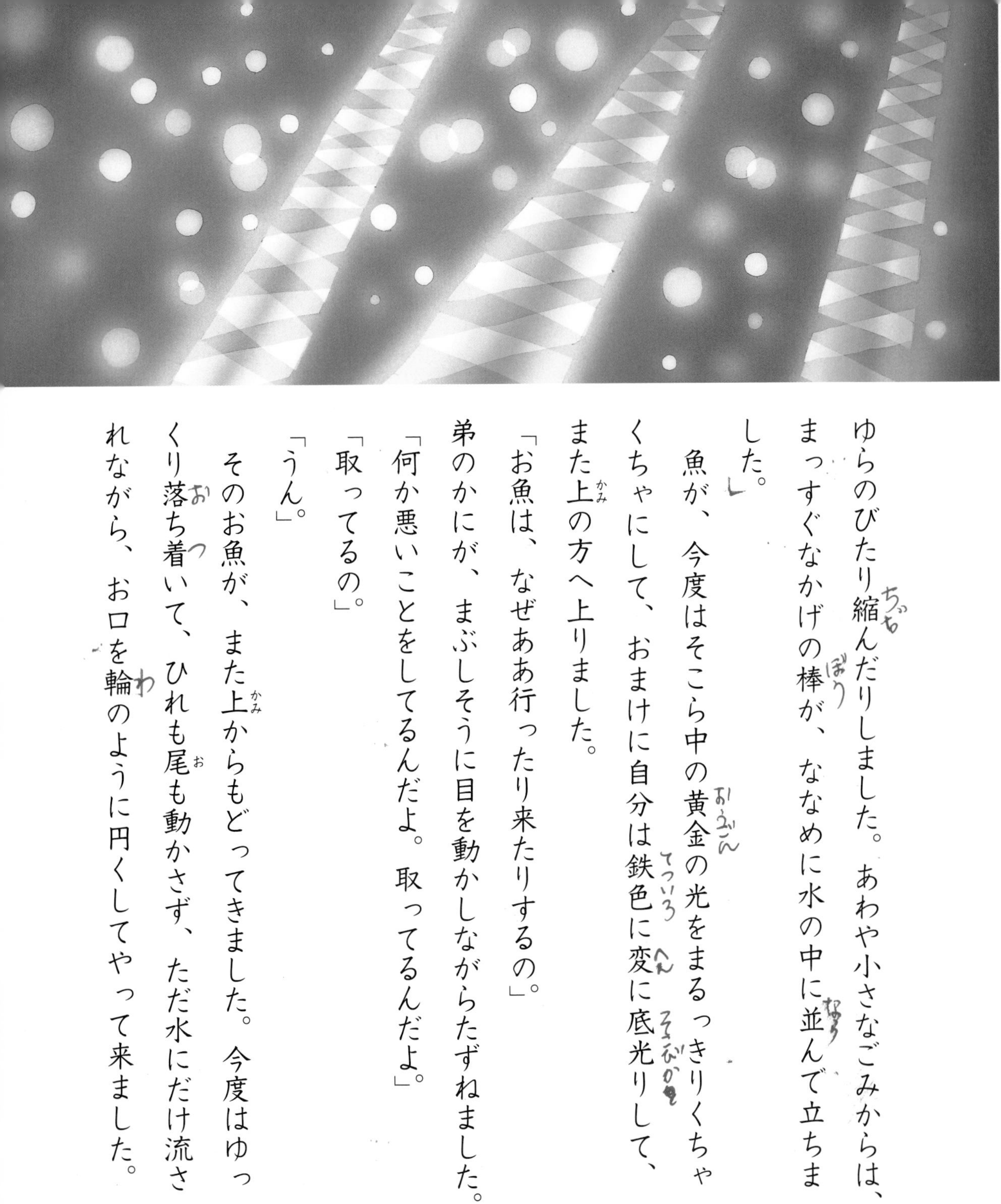

ゆらのびたり縮んだりしました。あわや小さなごみからは、まっすぐなかげの棒が、ななめに水の中に並んで立ちました。

魚が、今度はそこら中の黄金の光をまるっきりくちゃくちゃにして、おまけに自分は鉄色に変に底光りして、また上の方へ上りました。

「お魚は、なぜああ行ったり来たりするの。」

弟のかにが、まぶしそうに目を動かしながらたずねました。

「何か悪いことをしてるんだよ。取ってるんだよ。」

「取ってるの。」

「うん。」

そのお魚が、また上からもどってきました。今度はゆっくり落ち着いて、ひれも尾も動かさず、ただ水にだけ流されながら、お口を輪のように円くしてやって来ました。

○縮（ちぢ）む　○棒（ボウ）

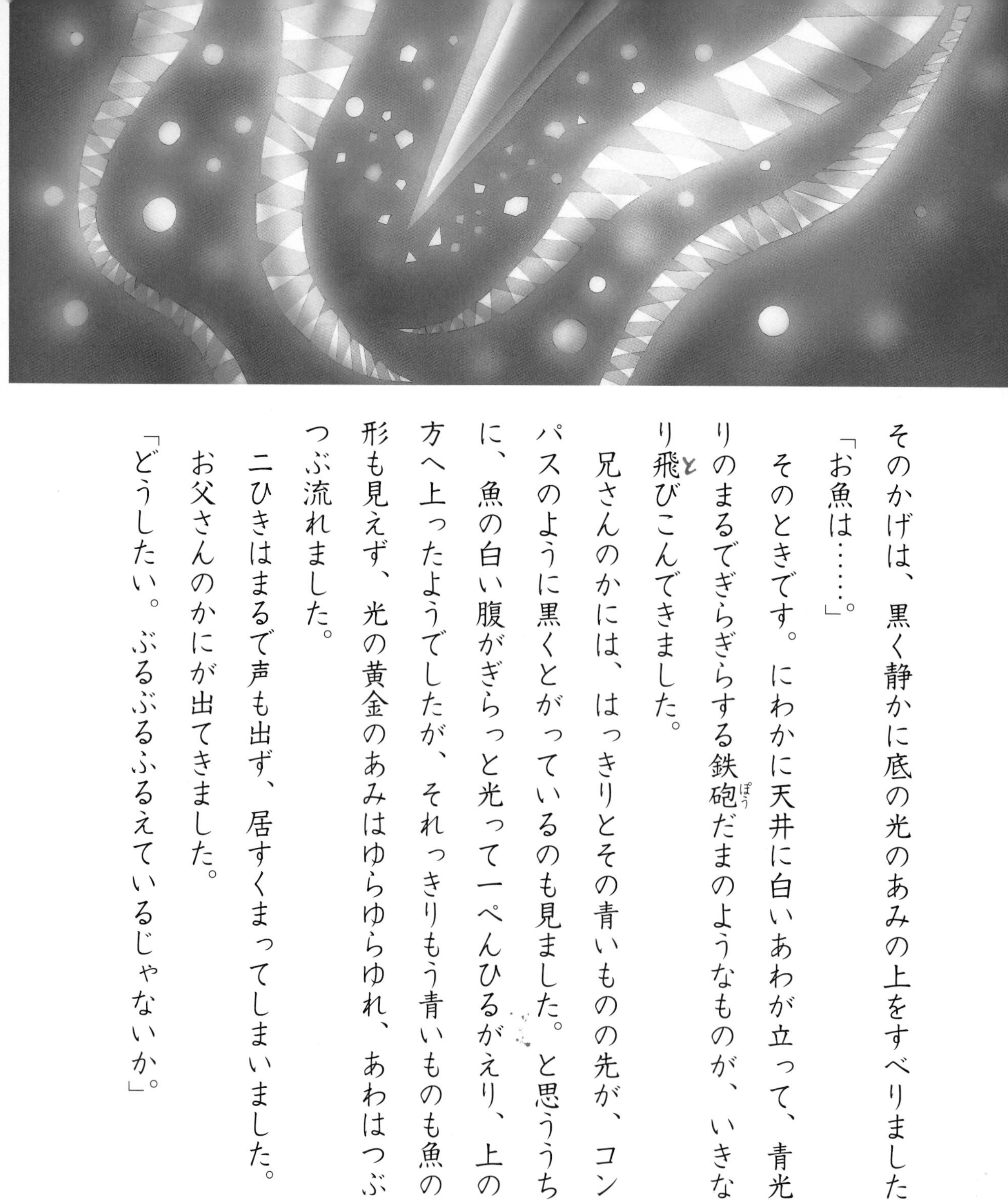

そのかげは、黒く静かに底の光のあみの上をすべりました。

「お魚は……。」

そのときです。にわかに天井に白いあわが立って、青光りのまるでぎらぎらする鉄砲だまのようなものが、いきなり飛びこんできました。

兄さんのかには、はっきりとその青いものの先が、コンパスのように黒くとがっているのも見ました。と思ううちに、魚の白い腹がぎらっと光って一ぺんひるがえり、上の方へ上ったようでしたが、それっきりもう青いものも魚の形も見えず、光の黄金のあみはゆらゆらゆれ、あわはつぶつぶ流れました。

二ひきはまるで声も出ず、居すくまってしまいました。

お父さんのかにが出てきました。

「どうしたい。ぶるぶるふるえているじゃないか。」

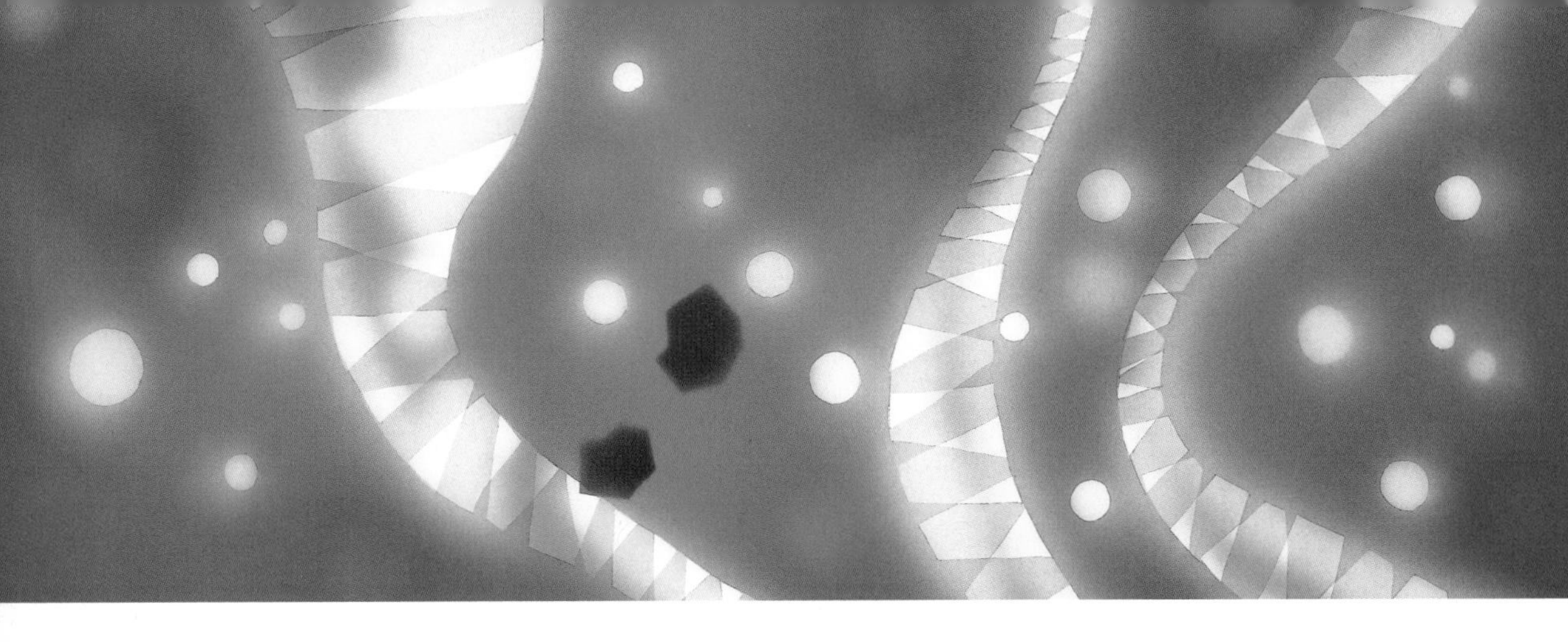

「お父さん、今、おかしなものが来たよ。」

「どんなもんだ。」

「青くてね、光るんだよ。はじが、こんなに黒くとがってるの。それが来たら、お魚が上へ上っていったよ。」

「そいつの目が赤かったかい。」

「分からない。」

「ふうん。しかし、そいつは鳥だよ。かわせみというんだ。だいじょうぶだ、安心しろ。おれたちは構わないんだから。」

「お父さん、お魚はどこへ行ったの。」

「魚かい。魚はこわい所へ行った。」

「こわいよ、お父さん。」

「いい、いい、だいじょうぶだ。心配するな。そら、かばの花が流れてきた。ごらん、きれいだろう。」

はじ　はし。物のふち、へりのこと。

かば　ここでは、山桜の一種。

あわといっしょに、白いかばの花びらが、天井をたくさんすべってきました。

「こわいよ、お父さん。」

弟のかにも言いました。

光のあみはゆらゆら、のびたり縮んだり、花びらのかげは静かに砂をすべりました。

二　十二月

かにの子どもらはもうよほど大きくなり、底の景色も夏から秋の間にすっかり変わりました。

白いやわらかな丸石も転がってき、小さなきりの形の水晶(しょう)のつぶや金雲母(も)のかけらも、流れてきて止まりました。

その冷たい水の底まで、ラムネのびんの月光がいっぱい

金雲母　黄色みをふくんだ、褐(かっ)色の雲母。

にすき通り、天井では、波が青白い火を燃やしたり消したりしているよう。辺りはしんとして、ただ、いかにも遠くからというように、その波の音がひびいてくるだけです。

かにの子どもらは、あんまり月が明るく水がきれいなので、ねむらないで外に出て、しばらくだまってあわをはいて天井の方を見ていました。

「やっぱり、ぼくのあわは大きいね。」

「兄さん、わざと大きくはいてるんだい。ぼくだって、わざとならもっと大きくはけるよ。」

「はいてごらん。おや、たったそれきりだろう。いいかい、兄さんがはくから見ておいで。そら、ね、大きいだろう。」

「大きかないや、おんなじだい。」

「近くだから、自分のが大きく見えるんだよ。そんならいっしょにはいてみよう。いいかい、そら。」

「やっぱりぼくのほう、大きいよ。」

「本当かい。じゃ、も一つはくよ。」

「だめだい、そんなにのび上がっては。」

また、お父さんのかにが出てきました。

「もうねろねろ。おそいぞ。あしたイサドへ連れていかんぞ。」

「お父さん、ぼくたちのあわ、どっち大きいの。」

「それは兄さんのほうだろう。」

「そうじゃないよ。ぼくのほう、大きいんだよ。」

弟のかにには泣きそうになりました。

そのとき、トブン。

黒い丸い大きなものが、天井から落ちてずうっとしずんで、また上へ上っていきました。きらきらっと黄金のぶちが光りました。

イサド　作者が想像して作った町の名前。

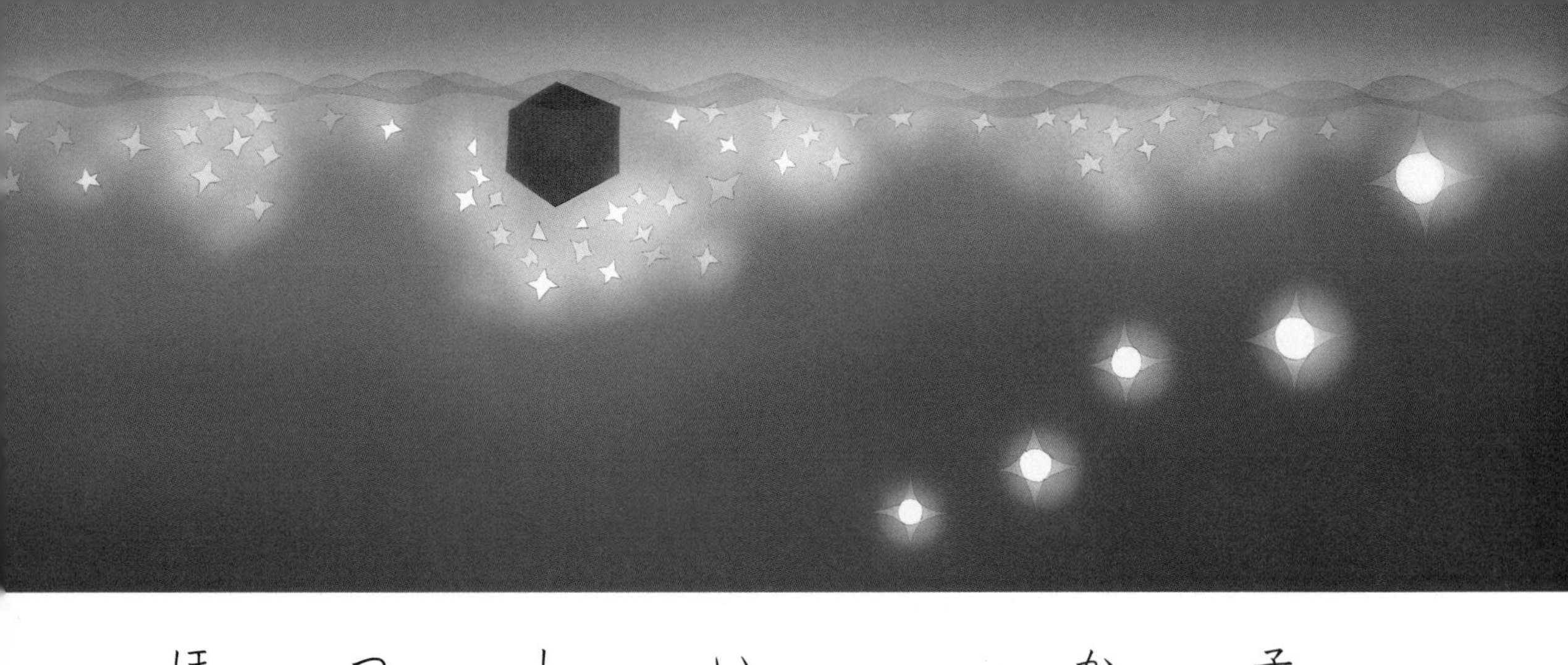

「かわせみだ。」

子どもらのかには、首をすくめて言いました。

お父さんのかには、遠眼鏡(とおめがね)のような両方の目をあらんかぎりのばして、よくよく見てから言いました。

「そうじゃない。あれはやまなしだ。流れていくぞ。ついていってみよう。ああ、いいにおいだな。」

なるほど、そこらの月明かりの水の中は、やまなしのいいにおいでいっぱいでした。

三びきは、ぼかぼか流れていくやまなしの後を追いました。

その横歩きと、底の黒い三つのかげ法師が、合わせて六つ、おどるようにして、やまなしの円いかげを追いました。

まもなく、水はサラサラ鳴り、天井の波はいよいよ青いほのおを上げ、やまなしは横になって木の枝に引っかかっ

て止まり、その上には、月光のにじがもかもか集まりました。

「どうだ、やっぱりやまなしだよ。よく熟している。いいにおいだろう。」

「おいしそうだね、お父さん。」

「待て待て。もう二日ばかり待つとね、こいつは下へしずんでくる。それから、ひとりでにおいしいお酒ができるから。さあ、もう帰ってねよう。おいで。」

親子のかには三びき、自分らの穴に帰っていきます。

波は、いよいよ青白いほのおをゆらゆらと上げました。

それはまた、金剛（ごう）石の粉をはいているようでした。

私（わたくし）の幻灯は、これでおしまいであります。

金剛石　ダイヤモンドのこと。

宮沢　賢治　一八九六〜一九三三年。岩手県生まれ。童話作家・詩人。

資料

イーハトーヴの夢

畑山（はたやま）博（ひろし）

宮沢賢治は、一八九六年（明治二十九年）八月二十七日、岩手県の花巻（はなまき）に生まれた。津（つ）波や洪（こう）水、地震（しん）と、次々に災害にみまわれた年だった。六月、三陸（さんりく）大津波。七月、大雨による洪水。八月、陸羽（りくう）大地震。そして九月には、またまた大雨、洪水。それによる伝染（せん）病の流行。次々におそった災害のために、岩手県内だけでも五万人以上がなくなるという大変な年だった。

家の職業は質（しち）店。裕（ゆう）福な暮らしだった。賢治はそこの長男。後に四人の兄弟が生まれる。

農民シャツ姿の賢治（1924年）

小学校六年生のころの賢治は、身長が百三十三・九センチメートル。体重二十九キログラム。丸顔で色白。性格はおとなしく、一人遊びが好きだった。その一人遊びは、石集め。石を観察することが大好きで、よく近くの野山に出かけては集めてきた。そのため、みんなが「石こ賢さん」とよんだ。

賢治が中学に入学した年も、自然災害のために農作物がとれず、農民たちは大変な苦し

●長男（ナン）

みを味わった。その次の年も、また洪水。

「なんとかして農作物の被害を少なくし、人々が安心して田畑を耕せるようにできないものか。」

賢治は必死で考えた。

「そのために一生をささげたい。それにはまず、最新の農業技術を学ぶことだ。」

そう思った賢治は、盛岡高等農林学校に入学する。成績は優秀。卒業のときに、教

5

授から、研究室に残って学者の道に進まないかとさそわれる。でも賢治は、それを断る。そして、ちょうど花巻にできたばかりの農学校の先生になる。二十五さいの冬だった。

「いねの心が分かる人間になれ。」

それが生徒たちへの口ぐせだった。

また、こんな言葉を覚えている教え子もいる。

「農学校の『農』という字を、じっと見つめ

5

中学に入学した当時の賢治

賢治が農業技術を学んだ盛岡高等農林学校の本館。現在は，岩手大学農学部付属の農業教育資料館になっている。

賢治が先生になった郡立稗貫農学校。後に県立花巻農学校となる。賢治は，農業だけでなく，英語や数学も教えた。

てみてください。『農』の字の上半分の『曲』は、大工さんの使う曲尺（かねじゃく）のことです。そして下の『辰（しん）』は、時という意味です。年とか季節という意味もあります。」

曲尺というのは、直角に曲がったものさしのことだ。それを使うと、一度に二つの方向の寸法が測れる。だから賢治の言葉は、「その年の気候の特徴（ちょう）を、いろんな角度から見て、しっかりつかむことが大切です」という意味になる。

黒板の前に立つ賢治

また賢治は、春、生徒たちと田植えをしたとき、田んぼの真ん中に、ひまわりの種を一つぶ植えたこともあった。すると、真夏、辺り一面ただ平凡（ぼん）な緑の中に、それが見事に花を開く。

「田んぼが、詩に書かれた田んぼのように、かがやいて見えましたよ」

と、昔の教え子たちが言う。

苦しい農作業の中に、楽しさを見つける。工夫することに、喜びを見つける。そうして、未来に希望をもつ。それが、先生としての賢治の理想だった。

暴れる自然に勝つためには、みんなで力を合わせなければならない。力を合わせるには、たがいにやさしい心が通い合っていなければならない。そのやさしさを人々に育ててもら

○寸（スン）法

うために、賢治は、たくさんの詩や童話を書いた。「風の又三郎」「グスコーブドリの伝記」「セロ弾きのゴーシュ」、そして「やまなし」。

賢治の書いた物語の舞台は、イーハトーヴという一つの同じ場所であることが多い。イーハトーヴというのは想像で作った地名だけれど、「イーワテ」というのとよく似ている。

「この岩手県が、いつか、こんな夢のようなすてきな所になったらいいな。」

きっとそう思って、賢治はそんな名前をつけたのだろう。だから、イーハトーヴは、実際の岩手県と同じ大きさをしている。そうしてそこで、大昔から今までの、さまざまな出来事が起こるのだ。

「風の又三郎」は、山の小さな分校に、ある日、突然、一人の転入生がやって来る話。その少年、又三郎は、どうやら風や雨を自分の力で動かすことができるらしい。

「グスコーブドリの伝記」は、冷夏で農作物がとれなくなったため、人工的に火山を爆発させて暖かくしようとする人々の話。でも、島の火山を爆発させに行く者は、生きて帰ってはこられない。それを、主人公のグスコーブドリが、自ら進んでやる。

「セロ弾きのゴーシュ」は、小さな町の小さなオーケストラのセロ弾きの物語。ゴーシュは、弾き方が下手で、いつも指揮者にしかられていた。もうやめようかとくさっていた。でもそんなとき、ふとしたことから、自分の音楽で、野ねずみやうさぎ、たぬきなどの病気

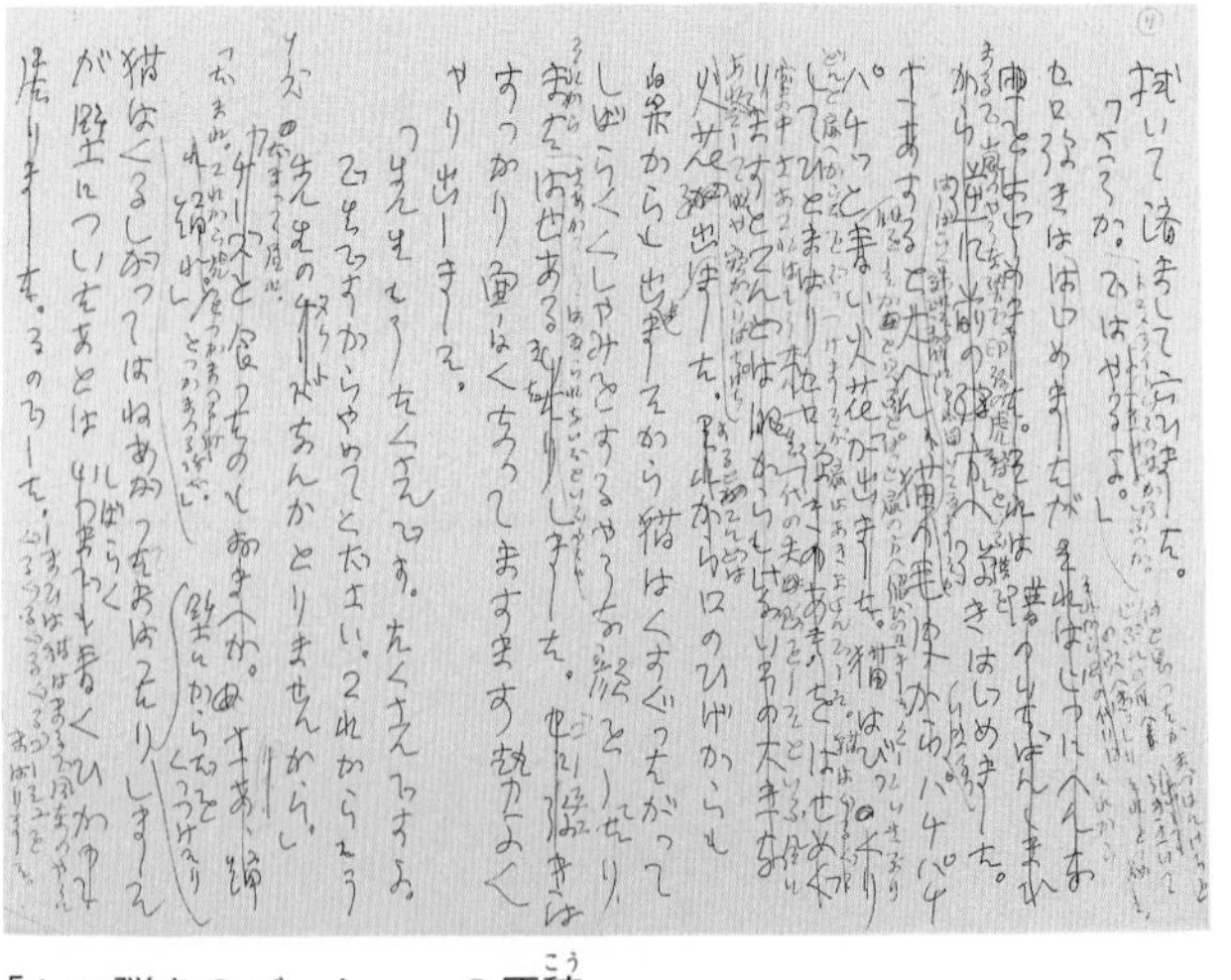

「セロ弾きのゴーシュ」の原稿

暖かい
指揮者

を治すことができるのを知る。

「北守将軍と三人兄弟の医者」という物語もある。

おかの上に仲よく並んで、三つの病院が建っている。

人間の病気を治す病院。

動物の病気を治す病院。

植物の病気を治す病院。

三つの病院は、同じ大きさで、どれも同じように大切だということが書かれている。

そんな数々の物語の舞台を地図上にまとめてみると、楽しいイーハトーヴのパノラマ地図ができあがる。

豊かに農作物を実らせる川沿いの平野。

月の光を集めて作るカステラの製造工場。

青空を作る山。

鬼語で放送をする放送局。

銀河のエネルギーを集めて発電する発電所。

グスコーブドリが爆発させた火山。

「やまなし」のかにたちがすんでいた、イサドの町近くの小さな川。

そして、賢治の作品で忘れてはならない

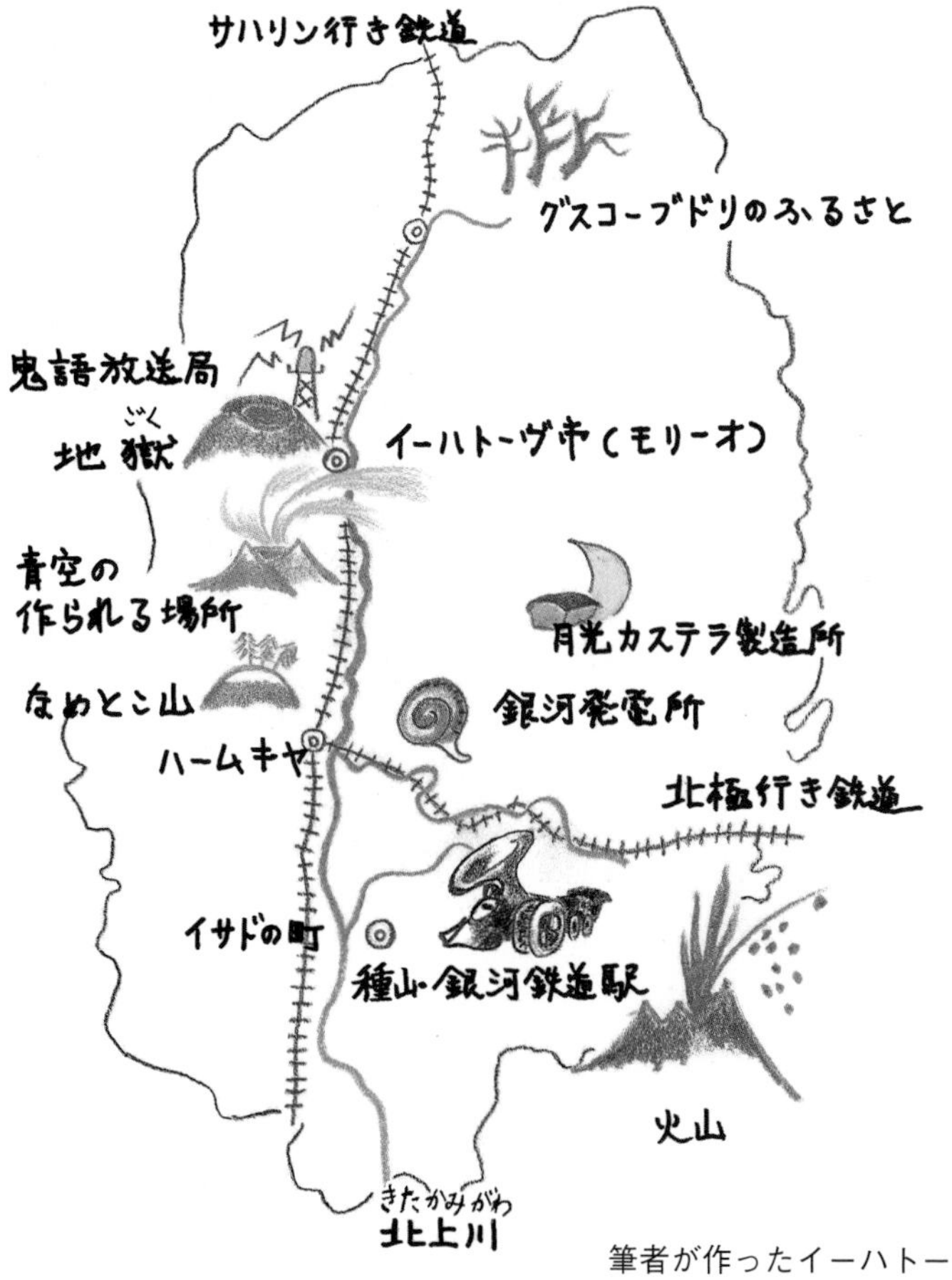

筆者が作ったイーハトーヴの地図

「銀河鉄道の夜」がある。

ある晩、事故でなくなった親友を送って、天上の国まで旅してしまう少年の物語。目をみはるほど美しい天上の風景が出てくる。これは、大切な妹トシをなくした賢治が、悲しみのどん底で書いた作品だ。物語の主人公、ジョバンニが住んでいた町は、イーハトーヴのパノラマ地図の中の種山(たねやま)付近と考えられる。

賢治がイーハトーヴの物語を通して追い求めた理想。それは、人間がみんな人間らしい生き方ができる社会だ。それだけでなく、人間も動物も植物も、たがいに心が通い合うような世界が、賢治の夢だった。一本の木にも、身を切られるときの痛みとか、日なたぼっこのここちよさとか、いかりとか、思い出とか、そういうものがきっとあるにちがいない。賢治は、その木の心を自分のことのように思って、物語を書いた。

けれども、時代は、賢治の理想とはちがう方向に進んでいた。さまざまな機械の自動化が始まり、鉄道や通信が発達した。なんでも、早く、合理的にできることがよいと思われるような世の中になった。そんな世の中に、賢治の理想は受け入れられなかった。

初めのころ、賢治は、自分が書いた童話や詩の原稿(こう)をいくつかの出版社に持ちこんだ。でも、どの出版社でも断られた。しかたなく、賢治は、自分で二冊の本を出す。童話集「注文の多い料理店」、詩集「春と修羅(しゅら)」。でも、これもほとんど売れなかった。それどころか、ひどい批評の言葉が返ってくる。自分の作品が理解されないことに、賢治は傷ついた。次に出すつもりで準備を整えていた詩集も、出すのをやめた。

○晩(バン)　○痛(いた)み　○批(ヒ)評　○傷(きず)つく

童話集「注文の多い料理店」

詩集「春と修羅」

農業に対する考え方にも、変化が起こっていた。

「一度に大勢の生徒を相手に理想を語ってもだめだ。理想と現実の農業はちがう。実際に自分も農民になって、自分で耕しながら人と話さなければ。」そう思った賢治は、三十さいのとき農学校をやめ、「羅須地人(らすちじん)協会」という協会を作る。農家の若者たちを集め、自分も耕しながら勉強する。それが賢治の目的だった。

1926年ごろ，農学校の近くに立つ賢治。このころ，学校をやめることを考えていた。

協会に集まった農村の青年は三十人ほど。そこで賢治は、農業技術を教え、土とあせの中から新しい芸術を生み出さなければならないことを語った。農民の劇団を作ったり、みんなで歌やおどりを楽しんだりした。

毎日、北上川(きたかみがわ)沿いのあれ地を耕し、真っ黒に日焼けし、土のにおいをぷんぷんさせる賢治。でもそれは、長くは続かなかった。病気のために、ねこんでしまったのだ。

羅須地人協会は、二年ほどで閉じなければ

○若(わか)者　○劇(ゲキ)団　○閉(と)じる

ならなくなった。でも次の年、病気が少しよくなると、起き出して村々を歩き回った。「あなたのこの田んぼは、こういう特徴があるから、今年は、こういう肥料をこのくらいやりなさい。」と、一人一人に教えてあげるボランティアだ。同時に、賢治は、石灰肥料会社の共同経営者になって、セールスに歩き回る。石灰肥料は土地改良に役立つものだったので、それを広めることが農民のためになると考えたのだ。岩手県内だけでなく、東北一帯を、毎日毎日飛び回った。

そのために、またまた体をこわしてしまう。三十五さい。ついに旅先で発熱。起き上がることができなくなった。もうだめかもしれないと思って、遺書を書くほどの衰弱ぶりだった。どうにかやっと自分をはげまして、花巻に帰ったけれど、それっきりとこをはなれることができなくなった。

そのまま二年間、賢治は病気とたたかうが、体はますます弱っていった。そして、一九三三年（昭和八年）九月二十一日が来る。前の晩、急性肺炎を起こした賢治は、呼吸ができないほど苦しんでいた。なのに、夜七時ごろ、来客があった。見知らぬ人だったけれど、「肥料のことで教えてもらいたいことがある。」と言う。すると賢治は、着物を着がえて出ていき、一時間以上も、ていねいに教えてあげた。

それで、最後の力を出し切ってしまったのかもしれない。翌日の朝、賢治は、はげしく血をはいてしまう。心配した家族は、全員が家の二階の病室に集まった。それで安心したの

◦遺書（イ）
◦翌日（ヨク）

羅須地人協会の教室。ここで賢治は，農民のために芸術の話などをした。

か、賢治は少し落ち着いた。みんなはまた階下にもどっていった。母親のイチだけが残った。その母に、賢治は、

「お母さん、すまないけど、水を一ぱいください。」

と言った。そして、母が差し出した水を、おいしそうに飲んだ。

それから、オキシドールを消毒綿に付けて、手をふき、首をふき、体全体をきれいにふいた。

「ああ、いい気持ちだ。ああ、いい気持ちだ。」

それが最後の言葉だった。

午後一時三十分。死のとことなった部屋のかたすみには、生きているうちには、ついに本になることのなかった名作の数々、その原稿がうずたかく積まれ、静かに、秋の日ざしの中で、光っていた。

畑山 博　一九三五〜二〇〇一年。東京都生まれ。小説家。「教師 宮沢賢治のしごと」「ひらけごま」などの作品がある。

県立花巻農業学校に移され，復元された羅須地人協会の建物。

羅須地人協会の伝言板。今も，賢治が近くの畑にいるようだ。

詩「雨ニモマケズ」を書いた手帳。賢治の死後，発見された。

見通しをもとう

作品の世界をとらえ、自分の考えを書こう

・作者の独特な表現を味わおう。
・作品にえがかれた世界を、表現や構成から自分なりにとらえよう。

とらえよう

●最初に、「小さな谷川の底を写した、二枚の青い幻灯です。」とある。どこから見た、どのような風景がえがかれているだろう。本文から谷川の様子が分かるところを見つけ、簡単な絵や図に表そう。

●資料「イーハトーヴの夢」を読み、作者である宮沢賢治の生き方や考え方を知ろう。

5

ふかめよう

●「やまなし」には、作者の独特な表現が多く用いられている。心を引かれる表現に線を引き、情景を想像しよう。1

●「やまなし」は、「五月」と「十二月」の二つの場面で構成されている。次の点を、使われている言葉に着目して対比し、感じたことや考えたことをまとめよう。2

10

1 作者の独特な表現

〈言葉のひびきで様子を表す表現の例〉

・クラムボンは　かぷかぷ笑ったよ。（104ページ6行目）

・つぶつぶ暗いあわが流れていきます。（105ページ4行目）

〈たとえの表現の例〉

・日光の黄金は、夢のように水の中に降ってきました。（106ページ12行目）

5

2 色を表す言葉

どちらの場面にも、色を表す言葉が多く使われている。場面を比べるときに着目してみよう。

・何度も使われている色
・それぞれの色があたえる印象

10

・かにの会話や様子
・水や光の様子
・上から来たもの

●なぜ、作者は、「十二月」にしか出てこない「やまなし」を題名にしたのだろう。理由を考えてみよう。

まとめよう

●作者がこの作品にこめた思いについて考え、どのような点からそう考えたのかを明らかにして文章にまとめよう。3

ひろげよう

●友達の書いた文章を読み、感想を伝えよう。
・自分の考えと似ているところ
・自分の考えとはちがうけれども納得したところ　など

3 考えをまとめるとき

くわしく読んだことをもとに、次のようなことから考えをまとめよう。
・独特な表現から受ける印象
・「五月」と「十二月」を比べて
・題名から想像されること
・宮沢賢治の生き方や考え方をふまえて　など

〈書きだしの例〉
・作者は、読者に——を伝えたかったのだと思う。
・作者は、この作品で、——を表現したかったのではないかと考える。
・私は、——の部分に、作者の思いが最も表れていると思う。それは、——ということだ。

ふりかえろう

□知る　「やまなし」の中で、どのような言葉や表現に心を引かれましたか。
□読む　どのような点に着目して、作品にえがかれた世界をとらえましたか。
□つなぐ　これから本を読むとき、作品の世界をより深く味わうために、どんな読み方をしたいですか。

作品の世界をとらえる

●内容とともに、次のような点からも、作者が作品にこめた思いを考える。
・題名のつけ方
・構成
・表現のしかたや言葉の使い方
●作者の表現によって、どのような作品世界が生まれているかを考える。
●作者の生き方や、他の作品の書かれ方と関連させて、考えを深める。

いかそう

物語を読むときには、構成や表現のしかた、使われている言葉などに着目し、作品の世界を想像して読み深めましょう。

この本、読もう

宮沢賢治と同じ時代に生まれた作家の作品の中には、今も読みつがれているものが少なくありません。

構成や表現、その時代を感じる言葉などに着目して、作品の世界を味わってみましょう。

小川未明（おがわみめい）
一八八二〜一九六一年。新潟県生まれ。小説を書きつつ、多くの童話を発表した。「野ばら」「青いランプ」などの作品がある。

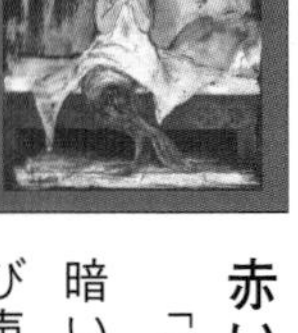

赤い蠟燭（ろうそく）と人魚
「どうして遠くに売ってしまったの」。暗い波間から、人魚たちの悲しいさけび声が聞こえてくる。

坪田(つぼた)譲治(じょうじ)

一八九〇～一九八二年。岡山県生まれ。童話作家の育成にも熱心に取り組んだ。「風の中の子供」「子供の四季」などの作品がある。

ビワの実

金十(きんじゅう)は、道ばたの草の中で、金色の実を見つける。美しくて、よいにおいがする実を大切に家に持ち帰ると――。

浜田(はまだ)広介(ひろすけ)

一八九三～一九七三年。山形県生まれ。約千編の童話を書いた。「泣いた赤おに」「りゅうの目のなみだ」などの作品がある。

ひとつのねがい

街外れに立っていた一本の街灯は、長い間、一つの願いをもち続けていた。その願いはかなうだろうか。

壺井(つぼい)栄(さかえ)

一八九九～一九六七年。香川県生まれ。小説や児童文学、随(ずい)筆などをはば広く書いた。「二十四の瞳(ひとみ)」「石臼(うす)の歌」などの作品がある。

二十四の瞳

分教場の一年生は十二人。新しい担(たん)任の先生は、洋服を着て自転車に乗ってやって来た。子どもたちと先生の、深いきずなの物語。

- 枚 マイ
- 縮 シュク　ちぢむ　ちぢまる　ちぢめる　ちぢれる　ちぢらす
- 棒 ボウ
- 寸 スン
- 暖 ダン　あたたか　あたたかい　あたたまる　あたためる
- 揮 キ
- 晩 バン
- 痛 ツウ　いたい　いたむ　いためる
- 批 ヒ
- 傷 ショウ　きず
- 若 わかい
- 劇 ゲキ
- 閉 ヘイ　とじる　しめる　しまる
- 遺 イ
- 翌 ヨク

301ページ

言葉

言葉の変化

時代による言葉のちがい

今から千年ほど前には、「すばらしい」のように何かをほめたくなる気持ちを、「めでたし」という言葉で表していました。この「めでたし」は、しだいに喜ばしい思いを表す意味が強くなりました。今でも「めでたい」という言葉として使われています。

他にも、昔と今とで使い方にちがいが見られる言葉は、たくさんあります。

〈例〉

(昔)すさまじ ⬇ 不調和でおもしろくない。

(今)すさまじい ⬇ 程度や勢いがひどく激しい。

(昔)あはれ(わ)なり ⬇ 喜び、楽しみ、悲しみなどを感じ、しみじみと感動する。

(今)あわれだ ⬇ かわいそうである。

今、私たちが使っている言葉は、昔の言葉をもとにしながらも、時代の流れの中で、人々の生活や考え方など、さまざまなえいきょうを受けて変わってきたものなのです。

世代による言葉のちがい

　同じ時代であっても、世代によって異なる言葉を使う場合があります。

　同じものを指すときに、みなさんと、みなさんのひいおじいさんや、ひいおばあさんくらいの世代の人たちでは、使う言葉にちがいがあることはありませんか。「ノート」と「帳面」や、「マフラー」と「えりまき」など、下の世代では外来語で、上の世代では漢語や和語でよぶことが多くあります。

　また、世代に特有の言葉や言葉づかいもあります。これらには、その世代の人たちの親近感やつながりを強めるという面があります。その反面、世代のちがう人には通じなかったり、誤解を生んでしまったりすることもあります。

1 次のものは、世代によってちがう言葉で表されることがあります。家の人にきいたり、本で調べたりして、ちがう言い方を探してみましょう。

- スプーン
- キッチン
- シーツ
- スーツ
- コート

いかそう

　世代のちがう人と話すときや、大勢の人の前で話すときなどは、だれにでも分かりやすい言葉を使うようにしましょう。

立春（りっしゅん）
雨水（うすい）
啓蟄（けいちつ）
春分（しゅんぶん）
清明（せいめい）
穀雨（こくう）
立夏（りっか）
小満（しょうまん）
芒種（ぼうしゅ）
夏至（げし）
小暑（しょうしょ）

季節の言葉3

秋深し

立秋【りっしゅう】

八月八日ごろ

こよみのうえで、秋が始まる日。まだ残暑は厳しいが、ふく風に、秋が近いことが感じられるようになる。

処暑【しょしょ】

八月二十三日ごろ

暑さがやむという意味。立秋から十五日目に当たる。このころからすずしくなり始める。

白露【はくろ】

九月八日ごろ

草木の葉につゆが結ぶころ。このころから、だんだん秋らしい感じが増してくる。

とことは（わ）に吹（ふ）く夕暮（ぐれ）の風なれど
秋立つ日こそ涼（すず）しかりけれ

藤原公実（ふじわらのきんざね）

秋分【しゅうぶん】

九月二十三日ごろ

昼と夜の長さがほぼ等しくなる。これより後は、夜の時間が長くなっていく。秋のひがんの中日(ちゅうにち)である。

寒露【かんろ】

十月八日ごろ

冷気に当たって、つゆもこおりそうになるころ。木々の葉も、紅葉(こうよう)したり、落葉したりするようになる。

霜降【そうこう】

十月二十三日ごろ

しもが降りるころ。虫の音が減り、寒さが増して、冬が近づいてきたことを感じられるようになる。

白露(しらつゆ)や茨の刺(とげ)に一つづ(ず)つ

与謝(よさ)蕪村(ぶそん)

鶏頭(けい)に霜(しも)見る秋の名残(なごり)かな

正岡(まさおか)子規(しき)

「秋」といっても、時期によって、見られる風景はさまざまです。あなたの地域の今の「秋」を、俳句(はい)や短歌に表しましょう。

目的や条件に応じて、計画的に話し合おう

みんなで楽しく過ごすために

六年生は、学校や地域の行事などで、中心になって活動を行うことがありますね。ここでは、一年生との交流で、どんな遊びをするかということを例に、話し合いのしかたを学んでいきましょう。そして、みなさんも、クラスで議題を決めて、グループごとに話し合いましょう。

●確かめよう

「五年生の学びを確かめよう」 7ページ

「いちばん大事なものは」 94ページ

●学習の進め方

決めよう 集めよう ◀ 準備しよう ◀ 話そう 聞こう ◀ つなげよう

1 議題を確かめ、目的や条件をはっきりさせる。

2 進行計画を立てる。

3 自分の考えを明確にする。

4 進行計画に沿って、グループで話し合う。

5 話し合ったことをクラスで共有し、感想を伝え合う。

●ふりかえろう

1 議題を確かめ、目的や条件をはっきりさせよう。

自分たちが中心となって行う活動について、何を決める必要があるのか、議題を確かめましょう。活動に参加するみんなが満足できるように、活動の目的や条件を考え、話し合いの見通しをもちましょう。

2 進行計画を立てよう。

グループの中で、司会や記録係などの役割を決めて話し合います。次の例を参考に、時間配分を決めて、進行計画を立てましょう。

■進め方の例

①一人ずつ意見を出し合う。
②たがいに質問し合い、疑問などを明らかにする。
③目的や条件に照らして話し合い、仮の結論を決める。
④実際に遊びをためして、問題点がないかを確かめる。
⑤必要に応じてさらに話し合い、最終決定する。

考えを広げる話し合い（①②）

考えをまとめる話し合い（③④⑤）

議題
交流週間に、一年生とどんな遊びをしたらよいかを班ごとに考える

目的
楽しく遊んで仲よくなる

条件
・遊ぶ時間は、水曜日の五時間目
・一年生にも難しくない遊び
・一年生も六年生も楽しめる遊び
・危険のない遊び

○危険（キ）　○班（ハン）　結○論（ロン）

3 自分の考えを明確にしよう。

1 で考えた目的や条件に合わせて、自分の考えを整理しましょう。主張や理由、根拠をはっきりさせましょう。

主張

- 目的と条件に合う意見や、議題に対する自分の立場
「――がよいと思う。」「――に賛成（反対）だ。」

理由

- なぜその主張がよいと考えるか
「――だから」「――と考えられるため」

根拠

- 主張を支える事実や体験などの、具体的な事例
「――は――である。」「――に――と書かれている。」「――といわれている。」「――ということがあった。」

4 進行計画に沿って、グループで話し合おう。

話し合うことの優先順位や、一つの話し合いにかける時間を意識しながら、話し合いましょう。次の点が明確になるように、グループの考えを広げたりまとめたりします。話し合いの過程をみんなで共有できるように、記録を取りながら進めましょう。

■考えをノートに書き出した例

主張	理由	根拠
さわられても、じゃんけんで勝てばおににならない「じゃんけんおにごっこ」がよいと思う。	・おにごっこは、一年生にとってもルールが分かりやすいから。 ・じゃんけんをすることで、足の速さに関係なく、みんなが楽しめると思うから。	自分がようち園のときに、小学生といっしょにやって楽しめた。

みんなで楽しめそうな
遊びが他にないか、調べ
てみようかな。

○優先（ユウ）

・**話し合いの目的**

話し合いを通して何を決めようとするのか。

・**それぞれの考えの共通点や、異なる点**

たがいに歩み寄れる点はどこか。

・**それぞれの考えの利点や問題点**

話し合いで解決すべき点は何か。

●考えを広げる話し合い

・発言するときは、結論や主張を先に言う。

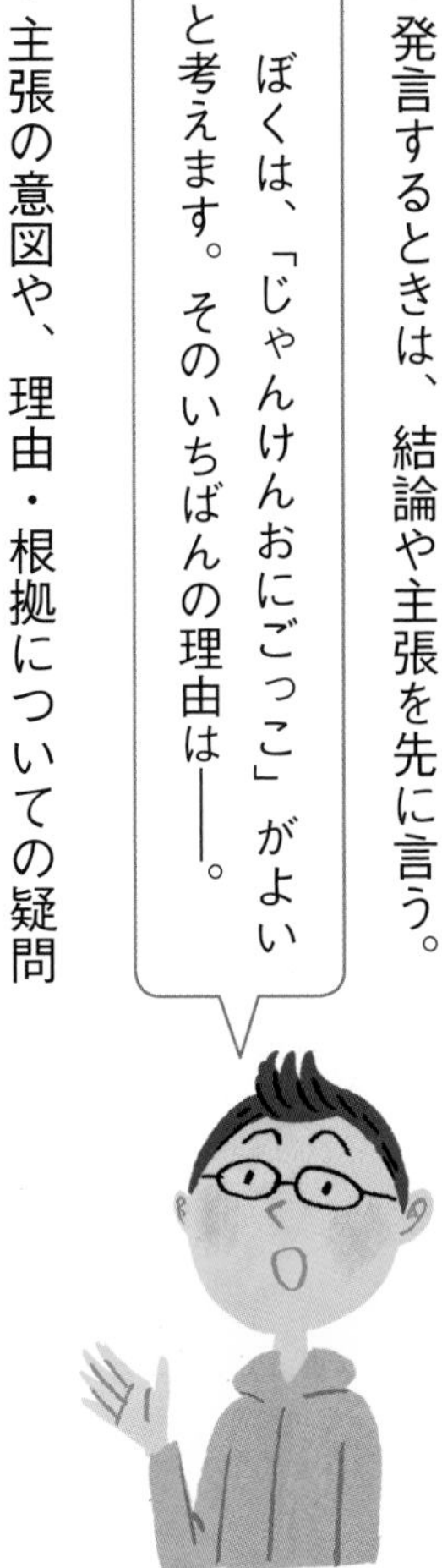

ぼくは、「じゃんけんおにごっこ」がよいと考えます。そのいちばんの理由は――。

・主張の意図や、理由・根拠についての疑問点などをたずねる。

じゃんけんをするというルールで、足の速さは本当に関係なくなるのでしょうか。

「言葉の宝箱（たから）」→307ページ

■記録用紙の例

	主張	理由	根拠
関口	じゃんけんおにごっこ	・１年生でも簡単。 ・じゃんけんをするので，学年や足の速さに関係なく楽しめる。	ようち園のときにしたことがある。 ・ようち園の子でもできる。 ・みんなが楽しめた。
岡田			

「考えを図で表そう」→254ページ

●考えをまとめる話し合い

・共通点や異なる点を明確にする。

どの意見も、一年生でもできそうな遊びが中心になっています。異なっているのは、——。

・問題点と改善点を明確にする。

じゃんけんを入れても、一年生がおにの場合、六年生には追いつくのは難しいから、——。

・改善点をふまえ、目的と条件に照らして、仮の結論を決める。

「伝えにくいことを伝える」 138ページ

では、一年生も六年生も楽しめるように、「六年生は走らない」というルールを加えて、「じゃんけんおにごっこ」に決定します。

岩崎さんたちは、決まった遊びを実際にためしてみましたが、うまくいきませんでした。そこで、次のことについて、話し合いを続けました。

・うまくいかなかった原因は何か。

・元のルールをどう改善すればいいか。

みなさんも、必要に応じてさらに話し合いましょう。

■記録用紙の例

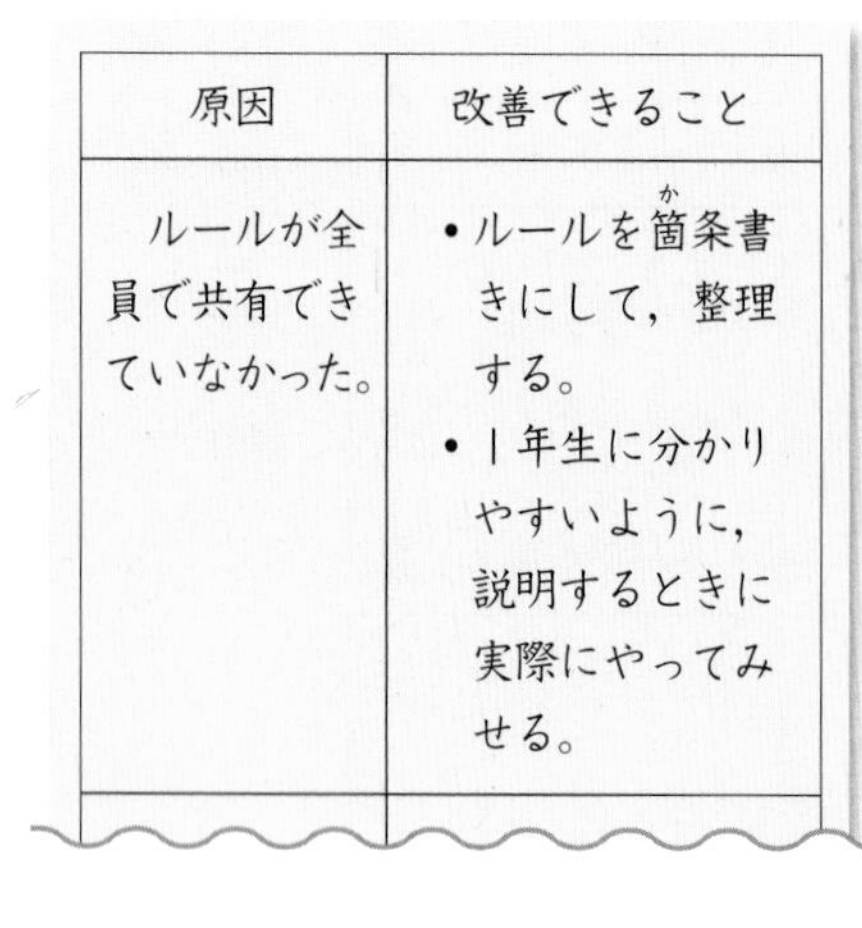

改善できること	原因
・ルールを箇(か)条書きにして，整理する。 ・１年生に分かりやすいように，説明するときに実際にやってみせる。	ルールが全員で共有できていなかった。

5 話し合ったことをクラスで共有し、感想を伝え合おう。

グループでの話し合いの結果と感想を報告し合いましょう。

青木さんが別の遊びを例に改善案を出してくれたので――。

みんなの主張がばらばらだったので、初めは共通点を見つけるのに苦労しましたが、――。

たいせつ 目的や条件に応じて、計画的に話し合う

- 目的や条件を確かめて進行計画を立てる。
- 自分の主張や理由、根拠を明らかにして話し合いにのぞむ。
- 目的や条件に照らして、たがいの考えをよく聞く。
- 考えを広げる話し合いと、まとめる話し合いをくり返して、結論に向かう。

いかそう

自分たちが中心になって活動を進めるときには、目的や条件をはっきりさせて話し合いましょう。

ふりかえろう

□知る　考えを明確に示すために、どんな言葉を使うとよいと思いましたか。

□話す・聞く　考えを広げたりまとめたりするときに、いちばん大事だと思うのはどんなことですか。

□つなぐ　話し合いがうまくいかないときは、どうすればよいと思いますか。

改善(ゼン)点。

5

10

伝えにくいことを伝える

私たちの日常生活では、話し合いで、相手の考えに対して否定的な意見を言うときなど、少し伝えにくいことを伝えなければならないときがあります。
ここでは、ボールの使い方に関する場面を例に、考えてみましょう。

ボールはクラスに一つしかないのに、いつも使う人が決まっている。みんなで使ったほうがいいと思うんだけど、どう言ったらいいだろう。

5

1 どのように言えば、自分の伝えたいことが相手に正しく伝わるでしょうか。次のように言うと、相手はどう感じるでしょうか。

いつも自分たちだけがボールを持っていくのはずるい。自分勝手だよ。

いいなあ。ぼくもボールで遊びたいなあ。

他にもボールを使いたい人がいるんじゃないかな。使い方のルールを決めようよ。

○否（ヒ）定的

伝えにくいことを伝えるときには、相手に正確に伝わり、また、冷静に受け止めてもらえるように、言葉や表現を選ぶ必要があります。伝えるときの表情や口調なども考えましょう。また、自分の伝えたいことを伝えるだけではなく、相手の主張を聞き、話し合うことも大切です。

2 どのような表情や口調で言えば、伝えたいことが相手に受け止めてもらえると思いますか。

3 次のような場面で、あなただったらどのように自分の考えや事情を伝えますか。一つ選び、となりの人と二人一組になって、やり取りをしてみましょう。

- 燃えるごみ専用のごみ箱に、びんを捨てているところを見かけた。
- 友達が、暑いからと、教室の窓を開けたが、自分は寒いと感じている。
- 至急、委員会に出席するように言われたが、習い事の時間に重なって行けない。
- 友達の家で、砂糖がたっぷり入った紅茶を出してくれたが、あまいものは苦手だ。

●口調（ク）
○専用（セン）
○捨（す）てる
○窓（まど）
○至（シ）急
○砂糖（トウ）
○紅（コウ）茶

論（ロン） 班（ハン） 危（キ・あぶない） 優（ユウ） 善（ゼン・よい） 否（ヒ） 専（セン） 捨（シャ・すてる） 窓（ソウ・まど）
至（シ・いたる） 糖（トウ） 紅（コウ・べに）

302ページ

漢字の広場 3
5年生で
習った漢字

絵の中のまほう使いは、どんなぼうけんをするのでしょう。
作家になったつもりで、物語を書きましょう。
〈例〉　ある日、まほう使いのもとに、友達から招待状がとどきました。

読む　書く

表現の工夫をとらえて読み、それをいかして書こう

これまでの学習

4

『鳥獣戯画（ちょうじゅうぎが）』を読む

情報　調べた情報の用い方

日本文化を発信しよう

筆者は、『鳥獣戯画』を、どのように読んでいるでしょうか。「『鳥獣戯画』を読む」の表現の工夫をいかして、あなたも日本の文化について説明しましょう。

『鳥獣戯画』を読む

高畑　勲

はっけよい、のこった。秋草の咲き乱れる野で、蛙と兎が相撲をとっている。蛙が外掛け、すかさず兎は足をからめて返し技。その名はなんと、かわず掛け。おっと、蛙が兎の耳をがぶりとかんだ。この反則技に、たまらず兎は顔をそむけ、ひるんだところを蛙が――。

墨一色、抑揚のある線と濃淡だけ、のびのびと見事な筆運び、その気品。みんな生き生きと躍動していて、まるで人間みたいに遊んでいる。けれども、こんなに人間くさいのに、何から何まで本物の生き物のまま。耳の先だけがぽちんと黒いのは、白い冬毛の北国の野ウサギ。蛙はトノサマガエル。まだら模様があって、

5

外掛け
かわず掛け
どちらも、相撲の足技の一つ。

返し技
相手の技を外すと同時に切り返して掛ける技。

いく筋か背中が盛り上がっている。ただの空想ではなく、ちゃんと動物を観察したうえで、骨格も、手足も、毛並みも、ほぼ正確にしっかりと描いている。だから、この絵を見ると、さっきまで四本足で駆けたり跳びはねたりしていた本当の兎や蛙たちが、今ひょいと立って遊び始めたのだとしか思えない。

この絵は、『鳥獣人物戯画』甲巻、通称『鳥獣戯画』の一場面。『鳥獣戯画』は、「漫画の祖」とも言われる国宝の絵巻物だ。なぜ漫画の祖とよばれているのか、この一場面を見ただけでもわかる。線のみで描かれ、大きさがちがうはずの兎と蛙が相撲をとっている。どこか、おかしくて、おもしろい。すごく上手だけれど、たしかに漫画みたいだ。でも、それだけではない。ためしに、ぱっとページをめくってごらん。

5

10

いく筋◦
盛り上がる◦

甲巻◦

『鳥獣人物戯画』甲巻
『鳥獣人物戯画』は全四巻から成る。甲巻はその第一巻。この文章では、筆者は『鳥獣（人物）戯画』のみ二重かぎ（『』）を用い、他のかぎ（「」）と区別している。

国宝◦

絵巻物●

どうだい。蛙が兎を投げ飛ばしたように動いて見えただろう。アニメの原理と同じだね。『鳥獣戯画』は、漫画だけでなく、アニメの祖でもあるのだ。漫画ならコマ割りをすればいいし、紙芝居（しばい）でも、こんなふうに絵をさっと引きぬけば、同じことができる。それぞれ手法はちがうけれど、どれも、動きを生み出したり、場面をうまく転換（かん）したりして、時間を前へと進めながら、お話を語っていく。それを、『鳥獣戯画』などの絵巻物では、長い紙に絵を連続して描くことでやった。この二枚の絵も、本当はつながっているのを、わかりやすいように、わざと切りはなして見てもらったのだ。実際に絵巻物を手にして、右から左へと巻きながら見ていけば、取っ組み合っていた蛙が兎を投げ飛ばしたように感じられる。

もう少しくわしく絵を見てみよう。まず、兎を投げ飛ばした蛙の口から線が出ているのに気がついたかな。いったいこれはなんだろう。けむりかな、それとも息かな。ポーズだけでなく、目と口の描き方で、蛙の絵には、投げ飛ばしたとたんの激しい気合いがこもっていることがわかるね。そう、きっとこれは、「ええい！」とか、「ゲロロッ」とか、気合いの声なのではないか。まるで漫画のふき

アニメ
アニメーションの略。複数の絵などをさつえいし、映写して動くように見せる技術。また、その技術を使った映画やテレビ番組。

コマ割り
漫画の一つ一つの場面の絵をコマといい、コマをどのような大きさで、どのように配置するかをコマ割りという。

出しと同じようなことを、こんな昔からやっているのだ。
　もんどりうって転がった兎の、背中や右足の線。勢いがあって、絵が止まっていない。動きがある。しかも、投げられたのに目も口も笑っている。それがはっきりとわかる。そういえば、前の絵の、応援していた兎たちも笑っていた。ほんのちょっとした筆さばきだけで、見事にそれを表現している。たいしたものだ。
では、なぜ、兎たちは笑っていたのだろうか。蛙と兎は仲良しで、この相撲も、対立や真剣勝負を描いているのではなく、蛙のずるをふくめ、あくまでも和気あいあいとした遊びだからにちがいない。
　絵巻の絵は、くり広げるにつれて、右から左へと時間が流れていく。ではもう一度、この場面の全体を見

てみよう。まず、「おいおい、それはないよ」と、笑いながら抗(こう)議する応援の兎が出てきて、その先を見ると、相撲の蛙が兎の耳をかんでいる。そして、その蛙が激しい気合いとともに兎を投げ飛ばすと、兎は応援蛙たちの足元に転がって、三匹(びき)の蛙はそれに反応する。一枚の絵だからといって、ある一瞬(しゅん)をとらえているのではなく、次々と時間が流れていることがわかるだろう。この三匹の応援蛙のポーズと表情もまた、実にすばらしい。それぞれが、どういう気分を表現しているのか、今度は君たちが考える番だ。

　この絵巻がつくられたのは、今から八百五十年ほど前、平安(へいあん)時代の終わり、平家(へいけ)が天下

を取ろうとしていたころだ。『鳥獣戯画』だけではない。この時代には、ほかにもとびきりすぐれた絵巻がいくつも制作され、上手な絵と言葉で、長い物語を実に生き生きと語っている。そして、これら絵巻物に始まり、江戸時代には、絵本（絵入り読み物）や写し絵（幻灯芝居）、昭和時代には、紙芝居、漫画やアニメーションが登場し、子どもだけでなく、大人もおおいに楽しませてきた。十二世紀から今日まで、言葉だけでなく絵の力を使って物語を語るものが、とぎれることなく続いているのは、日本文化の大きな特色なのだ。

十二世紀という大昔に、まるで漫画やアニメのような、こんなに楽しく、とびきりモダンな絵巻物が生み出されたとは、なんとすてきでおどろくべきことだろう。しかも、筆で描かれたひとつひとつの絵が、実に自然でのびのびしている。描いた人はきっと、何物にもとらわれない、自由な心をもっていたにちがいない。世界を見渡しても、そのころの絵で、これほど自由闊達なものはどこにも見つかっていない。描かれてから八百五十年、祖先たちは、幾多の変転や火災のたびに救い出し、そのせいで一部が失われたり破れたりしたにせよ、この絵巻物を大切に保存し、私たちに伝えてくれた。『鳥獣戯画』は、だから、国宝であるだけでなく、

人類の宝なのだ。

自由闊達 物事にこだわらず、自分の思うままに行動するさま。

●宝

高畑 勲 一九三五～二〇一八年。アニメーション映画監督。

この文章は、二〇〇八年に書かれ、二〇一二年に改稿された。

『鳥獣戯画』と同じ時代に生まれた絵巻物

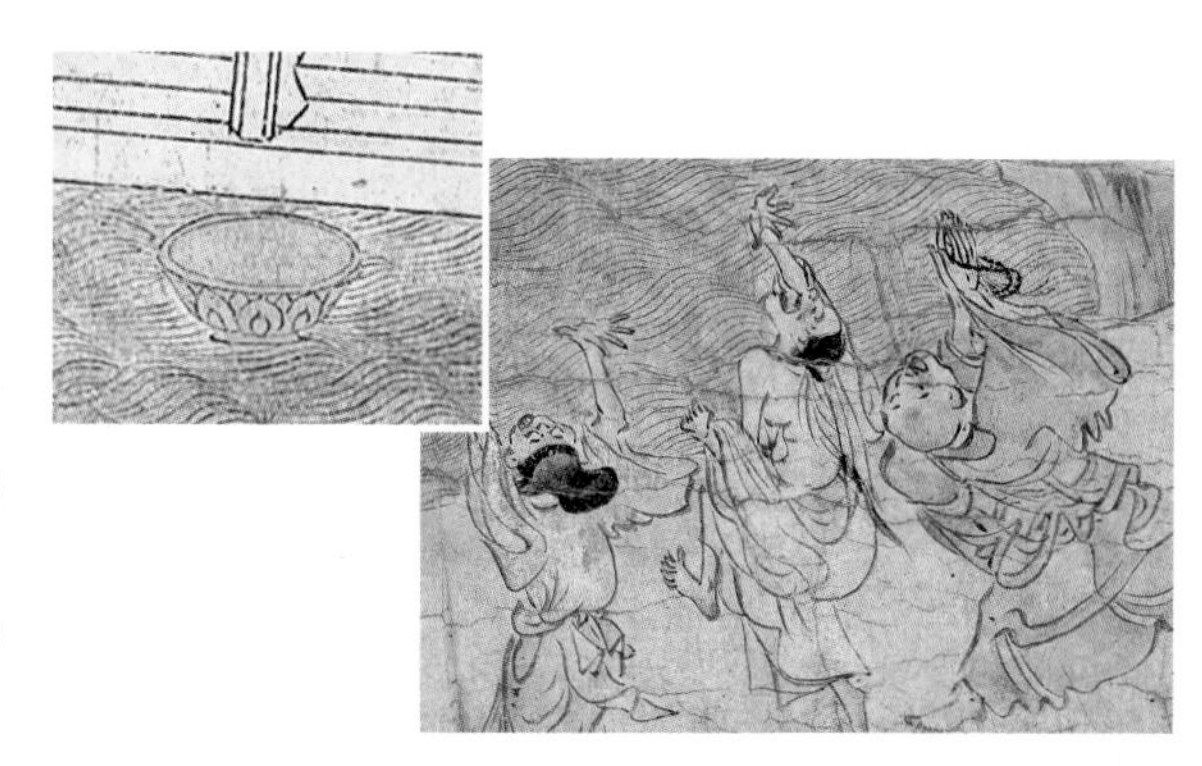

「信貴山縁起絵巻」飛倉の巻より

倉が動き，鉢が転がり出る。それにおどろいた人々が上を見上げながら裏戸を走り出てくる。その行く手に，鉢に乗って倉が空を飛んでいく。人々はこの不思議な出来事を追いかけているのである。

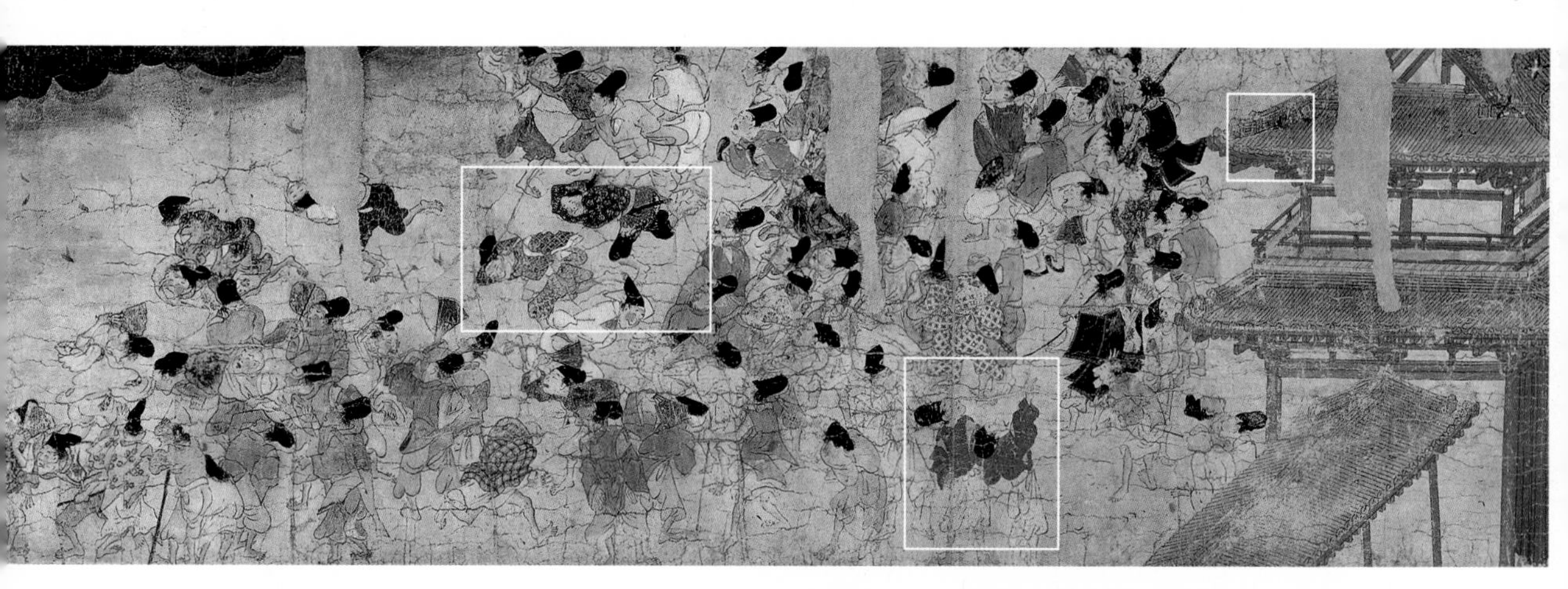

「伴大納言絵巻」上巻より

人々が大きな門に駆けこんでいく。門の屋根に飛び火が見える。それに気づいた男が指をさしている。門の中は左上の方を見上げるやじ馬でいっぱい。走っていく人やもどってくる人。何事だろう。絵の左上に黒いけむりが。実は，さらにこの絵の続きに，燃えさかる大火事が描かれているのである。

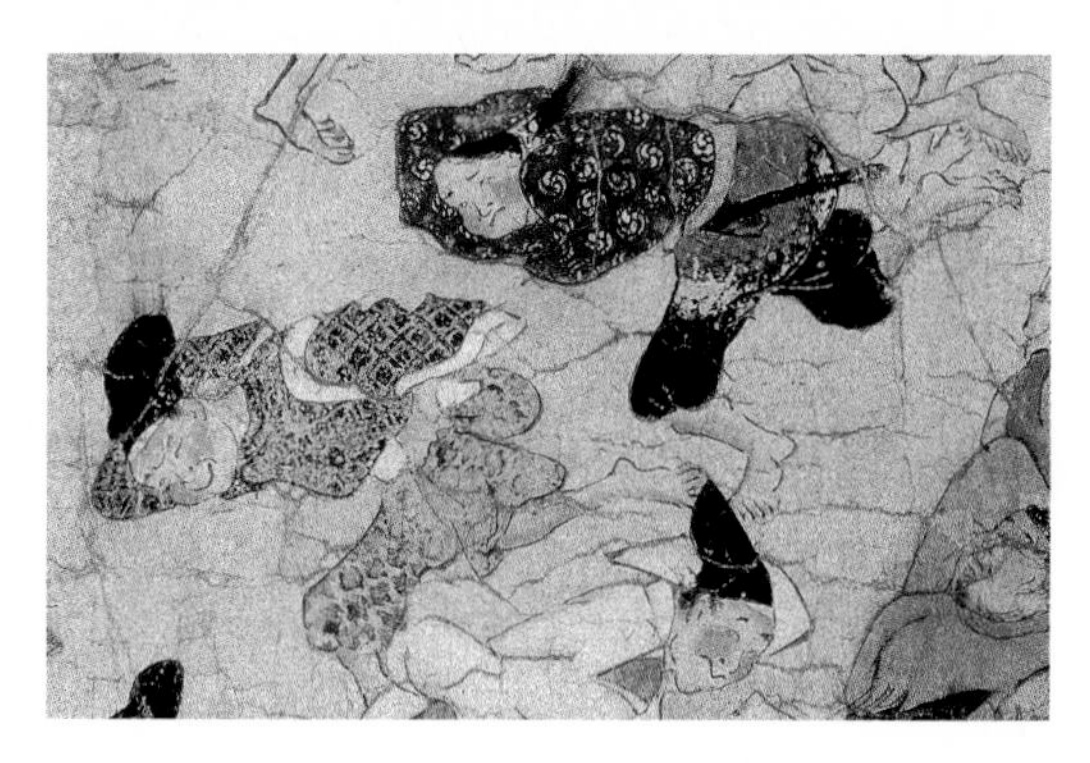

学習

見通しをもとう

表現の工夫をとらえて読み、それをいかして書こう

• 論の展開や表現の工夫、絵の示し方に気をつけて読もう。
• 日本文化について調べ、よさが伝わるように、表現を工夫して書こう。

○貴重（キ）

とらえよう

● 絵と文章を照らし合わせながら、次のことを読み取ろう。
• 筆者は、絵全体の中で、どの部分を取り上げているか。
——どの兎か、兎のどこかなど
• 取り上げた対象の、何に着目しているか。
——形、大きさ、色、格好など

ふかめよう

● 筆者は、「絵」と「絵巻物」の二つの事がらについて、自分の評価を述べている。
• 「絵」のどこが、どのようによいと考えているのか。筆者の評価が書かれている表現を見つけよう。
• 「絵巻物」について、筆者はどのようなものだと説明し、どう評価しているだろうか。

1 筆者の工夫について考えるための観点の例

〈論の展開について〉
• 絵巻物の説明をするときに、漫画やアニメのことを出した理由。

〈表現の工夫について〉
• 文末を「——だ。」などとせず、「返し技。」「かわず掛け。」とすることで生まれる効果。

〈絵の示し方について〉
• つながっている絵を、143ページと145ページとに分けて示した効果。また、146・147ページで、再度示した理由。

「世界を見渡しても、——見つかっていない。」と書いてあると、貴重さがよく伝わってくるな。

●筆者は、自分の見方を読者に伝えるために、どのような工夫をしているだろう。気づいたことを書き出そう。 1

・論の展開について
・表現の工夫について
・絵の示し方について

まとめよう

●学校図書館などを利用し、日本文化について書かれた本を読もう。「『鳥獣戯画』を読む」で学んだことをもとに、次の点についてまとめよう。 2

・よさを説明したり、評価を述べたりしているところで、まねしたいところ。
・写真や絵の使い方、説明のしかたで効果的だと思った点。

ひろげよう

●まとめたことについて、グループで報告し合おう。友達が見つけた表現の工夫などで、自分も使ってみたいものはあるだろうか。

2 日本文化について書かれた本

ニッポン紹介（しょうかい）

世界遺産になった食文化

花火の大図鑑（かん）

和楽器

たいせつ　筆者の考えと表現の工夫をとらえる

●筆者の伝えたいことと、絵などの資料の使い方との関わりを考えて読む。
●取り上げたものに対して、何に着目し、どのような言葉で説明や評価をしているかをとらえる。

情報

調べるときに使おう

調べた情報の用い方

調べた情報を適切に用いよう

説明したり、考えを述べたりするときに、調べた情報を用いると、正確さや説得力を高めることができます。これまでに学んできた情報の用い方をふり返りましょう。

●**引用する**

①かぎを付けたり、本文よりも少し下げたりして、引用部分が他と区別できるようにする。
②元の文章を、そのままぬき出す。
③何から引用したのか、出典を示す。

●**出典を示す**

調べるときに使った本などを書く。本は、「筆者」「書名」「発行年」「出版社」を示す。

> 和食の特長は、季節感を大切にすることだ。「和食のひみつ事典」では、「季節の食材を使うことを重視する」とされている。
>
> 〈参考〉
> 木村良子「和食のひみつ事典」
> ひかり図書、二〇二〇年

だれかが一生けんめい考えて作った作品だから、ルールを守って、使うことが大事だね。

著作権を尊重しよう

人のまねではなく、自分で工夫して考えや思いを表現した文章や音楽、絵などを、著作物といいます。あなたの作品も、著作物です。

著作物を作った人には、著作権という権利があります。適切に引用し、出典を示す場合を除いて、著作物を使うときには、作った人の許可が必要です。許可なしに無断で使用したり、変えたりしてはいけません。調べた情報を自分の表現に用いるときには、気をつけましょう。

○著作権（チョ・ケン）
○尊重（ソン）

著作権 → 309ページ

日本文化を発信しよう

「『鳥獣戯画』を読む」では、筆者は、絵と文章を組み合わせたり、効果的な表現を用いたりして、私たちに『鳥獣戯画』のみりょくを伝えていました。ここでは、日本文化について調べ、そのよさが読み手に伝わるように構成や絵、写真の見せ方を工夫して、パンフレットにまとめましょう。

1 題材を決めて、構想を練ろう。

文章の読み手を確かめて、グループでどのような日本文化を取り上げるかを決めましょう。取り上げるものが決まったら、どんなパンフレットを作るか、おおまかな内容を考えましょう。

●学習の進め方

1 題材を決めて、構想を練る。
2 くわしく調べる。
▶
3 パンフレットの構成を決める。
4 割り付けを決め、下書きを書く。
▶
5 パンフレットを完成させる。
▶
6 感想を伝え合う。

2 くわしく調べよう。

本や新聞、インターネットなどを活用して、情報を集めましょう。実際に見学に行ったり、インタビューをしたりしてもいいですね。

3 パンフレットの構成を決めよう。

集めた情報を整理して、パンフレットの構成を決め、だれがどのページを書くか分担しましょう。

4 割り付けを決め、下書きを書こう。

絵や写真の使い方を考えて、ページの割り付けを決めましょう。最も伝えたいことを明確にして、それにふさわしい割り付けを考えます。割り付けが決まったら、どのように文章を構成するかを考えて、下書きをします。書いたものはグループで読み合い、記事の内容や表現を検討しましょう。

■パンフレットの構成の例

・素材をいかした食文化 和食のみりょく	〔表紙・目次〕
・新鮮な食材の持ち味をいかす	〔2〕
・栄養バランスのよさ	〔3〕
・季節と自然の美しさ	〔4〕
・和食と行事	〔5〕
・日本各地の伝統食	〔6・7〕
・私たちの地域の伝統食／参考	〔裏表紙〕

■文章構成の例

●**みりょくを伝えたい。**
↓理由や事例を挙げて説明する。

●**歴史をしょうかいしたい。**
↓出来事を時代順に述べたり、出来事が起きた原因と結果の関係で整理したりして示す。

●**読み手が疑問に思いそうなことを説明したい。**
↓「初め」に「問い」を書き、それに答えながら説明する。

いくつか事例を挙げて、和食の栄養バランスのよさを伝えようと思うんだ。

「一汁三菜(じゅうさんさい)」のところは、写真を使って説明したらどうかな。

■下書きの例

見出し

~~和食は、栄養満点~~ 和食を食べて健康に

小見出し

「うまみ」をいかして

和食のおいしさの秘密は、なんといっても「うまみ」~~です~~。和食の基本となるだしや、しょうゆやみそなどのはっこう食品には、たくさんの「うまみ」がふくまれています。

5

単に「栄養満点」というより、「健康」という言葉を使ったほうが、和食のよさが伝わるな。

「『うまみ』。」と言い切った形にすると、強調できる。

○秘(ヒ)密　○分担(タン)

5 パンフレットを完成させよう。

下書きに従って記事を清書し、紙面を完成させましょう。全員の分が完成したら、一冊にまとめましょう。

■紙面の例

和食を食べて健康に

伝統的な和食は、栄養バランスのよさが特長です。健康的な食生活のために、和食を取り入れてみてはどうですか。

一汁三菜でバランスよく

一汁三菜のこんだて

❶主食(ご飯など)：炭水化物
❷汁物(みそ汁など)：適度な水分
❸主菜(魚・肉など)：たんぱく質
❹副菜(野菜など)：ビタミンなど

「一汁三菜」は、和食の伝統的なこんだてです。一汁三菜の組み合わせでこんだてを考えると、かたよりなく多様な食材がとれ、栄養バランスがよくなります。

「うまみ」をいかして

和食のおいしさの秘密は、なんといっても「うまみ」。和食の基本となるだしや、しょうゆやみそなどのはっこう食品には、たくさんの「うまみ」がふくまれています。この「うまみ」のおかげで、油分が少なくても、満足感が得られるのです。

主役はご飯

どんなおかずにもぴったり
ご飯は、魚、肉、野菜など、どんなおかずとも相性ばつぐん。主食がご飯だから、さまざまな食品をこんだてに取り入れられるのです。

理想的な主食
ご飯は、パンと比べて、ゆっくり消化されるので、腹もちのよい主食といえます。また、体を作るアミノ酸も、バランスよくふくまれています。

3

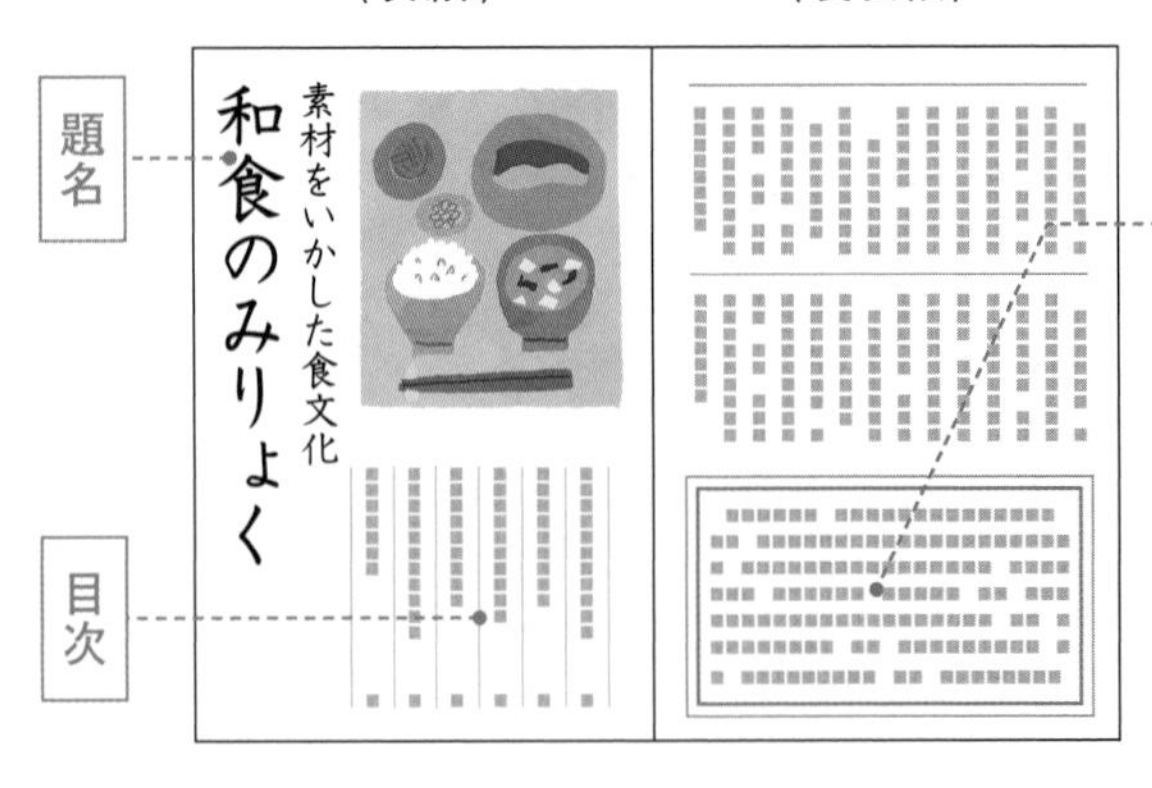

〈参考〉
- 中川高史「日本の食文化」ひかり社，2017年
- 細川かおり「みんなが知らない和食のひみつ」山村図書，2020年

6 感想を伝え合おう。

友達が作ったページや、他のグループのパンフレットを読んで、工夫されていると感じたことを伝え合いましょう。

写真を使って図解されているから、「一汁三菜」がどんなものかよく分かった。

たいせつ

伝えたいことに合わせた構成を考える

- 伝えたいことを明確にし、それが効果的に伝わる文章構成を考える。
- 絵や写真などと文章との組み合わせを工夫して、読み手を引きつける。

いかそう

パンフレットなどを作るときには、構成や絵、写真などの使い方を考えましょう。

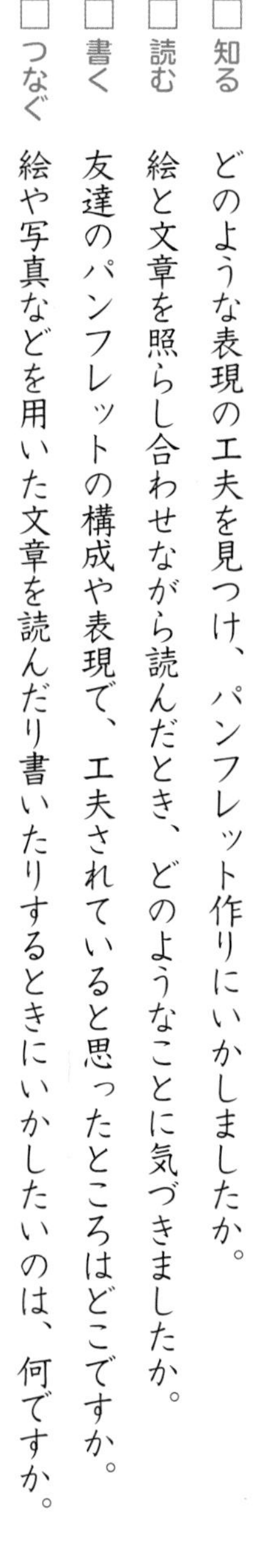

ふりかえろう

- □知る　どのような表現の工夫を見つけ、パンフレット作りにいかしましたか。
- □読む　絵と文章を照らし合わせながら読んだとき、どのようなことに気づきましたか。
- □書く　友達のパンフレットの構成や表現で、工夫されていると思ったところはどこですか。
- □つなぐ　絵や写真などを用いた文章を読んだり書いたりするときにいかしたいのは、何ですか。

○従（したが）う

筋（キン・すじ）　盛（もる）　巻（カン・まく・まき）　宝（ホウ・たから）　貴（キ）　著（チョ）　権（ケン）　尊（ソン・たっとい・たっとぶ・とうとい・とうとぶ）　担（タン）

秘（ヒ）　従（ジュウ・したがう・したがえる）

303ページ

伝えられてきた文化

古典芸能の世界――演じて伝える

昔の人が楽しんだ演劇には、今も続いているものがあります。それぞれの特色を見てみましょう。

狂言

狂言は、室町時代に行われるようになった演劇で、その内容は観客を笑わせる喜劇です。多くの作品が、二、三人の登場人物で上演され、せりふやしぐさを中心としたものになっています。

また、狂言は、何もない舞台の上で演じられます。そのため、役者自身が、動物の鳴き声や鐘の音などを声に出して表現します。観客は、そこから様子を想像して楽しむのです。

「狂言　柿山伏」163ページ

能

能も、狂言と同じく、室町時代に行われるようになった演劇ですが、その内容は主に悲劇です。登場人物の他に、歌や楽器の担当など、十数人が登場します。

さらに、主人公の多くは、能面を用います。顔の向きを変えることで表情を変化させることができ、観客は、そこから登場人物の気持ちを想像して、楽しみます。

能と狂言は、同じ舞台で演じられ、能の間に狂言が演じられることが多くあります。

能「羽衣」で使われている能面
演者は，顔の向きによって，表情のちがいを見せる。

歌舞伎（かぶき）

歌舞伎は、江戸（えど）時代に誕生（たんじょう）した、音楽やおどり、登場人物のせりふやしぐさといった要素を合わせた演劇です。歌舞伎には、独特な演出や演技があります。

隈取（くまどり）……………筋肉などを強調した表現で、表情や役がらを印象づける化粧（けしょう）のしかた。

見得（みえ）を切る…見せ場で体の動きを止めて、目を大きく開いてにらむ動き。

隈取

見得を切る

人形浄瑠璃（じょうるり）（文楽（ぶんらく））

人形浄瑠璃は、江戸時代に生まれました。せりふや場面の様子などを語る「太夫（たゆう）」、伴奏（ばんそう）の「三味線（しゃみせん）」、人形をあやつる「人形つかい」によって演じられます。一つの人形を、顔と右手を動かす「主（おも）づかい」、左手を動かす「左づかい」、両足を動かす「足づかい」の三人で動かします。

この本、読もう

道成寺（どうじょうじ）

かたつむり

▼知りたくなったことや、見てみたいと思ったものについて、友達と話したり調べたりしましょう。

カンジー博士の
漢字学習の秘伝

カンジー博士は、弟子（でし）たちに漢字を学習する秘伝をさずけようとしています。あなたも、弟子たちといっしょに、漢字博士を目ざしましょう。

演奏が<u>じょうたつ</u>する。

「たつ」という漢字の、横の線は何本かな。

秘伝その一

複雑な形や、見慣れない形の漢字は、次のような点に注意すること。

- 線の数　・点があるかないか
- つき出すかつき出さないか　など

郵<u>便</u>局が遠くて<u>便</u>りを出すのが不<u>便</u>だ。

——線は、全てちがう読み方じゃ。分かるかな。

秘伝その二

複数の音訓をもつ漢字は、読み方ごとに熟語や例文を作ると、身につきやすい。

演奏（ソウ）○
郵（ユウ）便局○
拡（カク）大○

生産の拡大をこころみる。

秘伝その三

漢字を学習するときには、送り仮名もいっしょに書くなど、工夫すること。

究極の秘伝

自分が苦手とする漢字を知り、学習にいかすこと。

奏 ソウ　郵 ユウ　拡 カク　操 ソウ　絹 きぬ　俵 ヒョウ たわら　拝 ハイ おがむ　聖 セイ　賃 チン

孝 コウ　預 ヨ あずける あずかる　覧 ラン　鋼 コウ　亡 ボウ

303ページ

1 ――線の言葉を、漢字で書きましょう。

(1) 体操のこうしゅうに参加する。
(2) はくぶつ館で、絹の歴史を学ぶ。
(3) 米俵を荷台につむ。
(4) はつ日の出を拝む。

2 ――線は、それぞれ何と読むでしょう。

(1) 火花・聖火　(2) 家路・作家・家賃
(3) 行列・孝行　(4) 金具・預金・黄金

3 送り仮名に気をつけて、――線の言葉を、漢字で書きましょう。

(1) 持ち物を一覧表にしてたしかめる。
(2) 鉄鋼の輸出量がふえる。
(3) 死亡事故の原因をあきらかにする。

体◦操(ソウ)　◦絹(きぬ)　米◦俵(だわら)　◦拝(おが)む　◦聖(セイ)火　家◦賃(チン)　◦孝(コウ)行　◦預(ヨ)金　●黄(オウ)金　一◦覧(ラン)表　鉄◦鋼(コウ)　死◦亡(ボウ)

漢字の広場 4

5年生で習った漢字

テレビ局で見学したことについて、家の人に分かりやすく伝える文章を書きましょう。

〈例〉
第一スタジオでは、国際情勢をテーマにした番組のさつえいをしていました。

読む

伝統文化を楽しもう

5 狂言（きょうげん）「柿山伏（かきやまぶし）」について

狂言は、室町（むろまち）時代に行われるようになった、演者のかけ合いによる劇です。現代でも楽しまれている伝統文化にふれるとともに、昔の人のものの見方・感じ方について知りましょう。

狂言

柿山伏

狂言は、せりふやしぐさを主とした劇で、能舞台の上で演じられます。主役を「シテ」、その相手役を「アド」といいます。せりふは昔の言葉のままで、独特の調子があります。観客に自己しょうかいをしたり、物音を言葉で表したりするというような工夫もされています。

狂言には、大名、大名に仕える家臣、山伏、農民、神、かみなり、おになどさまざまな人物が登場し、それぞれが引き起こす失敗やまちがいが楽しく愉快に演じられます。

みなさんも、登場人物のせりふややり取りから、狂言のおもしろさを味わってみましょう。

▼役割を決め、音読をしましょう。せりふに合ったふりを付けたり、演じたりしてもいいでしょう。

山伏
こんごうづえやほら貝などを持って、山中で修行する者。

自己

貝をも持たぬ…うそをふく
ほら貝を持っていないので、口笛をふこうと言っている。

出羽の羽黒山
今の山形県にあり、

登場人物
シテ　山伏
アド　柿主

山伏　貝をも持たぬ山伏が、貝をも持たぬ山伏が、道々うそをふこうよ。（と歌う。）これは出羽（でわ）の羽黒山（はぐろさん）よりいでたる、かけ出（山で修行を終えたばかりの）の山伏です。このたび大峯（おおみね）・葛城（かつらき）をしまい、ただいま本国へまかり下る（帰る。）。まず急いで参ろう。

（歩きだして）いやまことに、行（ぎょう）は万行（まん）ありとは申せども、とりわき（とりわけ）山伏の行は、野に伏（ふ）し山に伏し、岩木をまくらとし、難行苦行をいたす。その奇特（きどく）には、空飛ぶ鳥をも目（ま）の前へいのり落とすが、山伏の行力（ぎょうりき）です。

これはいかなこと（どうしたことか。）。今朝、宿を早々立ったれば、ことの外ものほしゅうなった（腹が減った。）。辺りに人家はないか知らぬ。いや、あれに見事な柿がなっている。さらばこの刀で、かち落といて（打ち落として）食（た）びょう（食べよう。）。えいえい、やっと（よいしょ）な、えいえい、やっとな。なかなか届くことではない。何（なに）といたそう。いや今度はつぶて（石）を打とう。これに、幸い手ごろな石がある。さらば（それならば）、これを打とう。えいえい、やっとな。なかなかそばへも行かぬ。また、これによい石がある。さらば、これを打と

昔から山伏の修行場として有名。「出羽」は、現在の秋田県・山形県を合わせた地域。

大峯・葛城をしまい　大峯（奈良県）、葛城（和歌山県と大阪府、奈良県と大阪府の境付近）で修行を終えて。

行は万行あり　修行の道は数多くある。

奇特　不思議な効き目。

行力　修行を積んで得た力。

ことの●外（ほか）

届（とど）く。

う。えいえい、やっとな。なかなか当たることではない。何といたそう。いや、これへ上って食えと言わんばかりの上々の上り所がある。さらばこれへ上って食びょう。えいえい、やっとな。（葛桶（かずらおけ）の上に上がる。）さてもさても、下で見たとはちごうて、格別見事な柿じゃ。これはどれにいたそうぞ。いや、これにいたそう。やっとな。（取るしぐさをする。）さらば食びょう。（食べるしぐさをする。）

5
10

さてもさてもうまい柿じゃ。いま一つ食びょう。やっとな。（食べるしぐさをする。）食ぶれば食ぶるほど、うまい柿じゃ。いま一つ食びょう。やっとな。（取って）やあ、これはちと青いが、しぶうなければよい。まず食うてみょう（みよう。）。（口から種をはき出すようにして）ああ、しぶや、しぶや、うまい（うまいものを食べた口が、さんざんなことになった。）口をさんざんにいたいた。腹も立つ、口直しにいま一つ食びょう。

柿主　（山伏が柿を食べ始めるころに登場して、名のる。）これはこの辺りに住まいいたす者でござる。それがし（私）樹木をあまた（たくさん）持ってござるが、当年は、とりわき柿が大（おお）なりいたいてござるによって、毎日見まう（見回る）ことでござる。また今日（こんにち）も見まおうと存（ぞん）ずる。まず、

5
10
15

葛桶　狂言で小道具として使われる、黒いうるし塗（ぬ）りの容器。

そろりそろりと参ろう。（歩きだし）いやま
ことに、総じて柿の色づく時分は、えて（とかく）、
とび・からすの付きたがるものでござるに
よって、少しも油断のならぬことでござる。
（山伏の落とした柿の種が頭に当たって）はて、
合点（がてん）のいかぬ。空から柿の種が落つるが、
何としたことじゃ知らぬ（分からない。）。（山伏のいる方を
見て、）これはいかなこと。いかめな（いかめしい）山伏が、
上って柿を食ろう。さてさてにくいやつで
ござる。

柿主　やい、やい、やい、やい。

山伏　そりゃ、見つけられたそうな。かくれ
ずはなるまい。（と、顔をかくす。）

柿主　さればこそ、顔をかくいた（かくした。）。あの柿の
木のかげへかくれたを、ようよう（よくよく）見れば、

人ではないと見えた。

山伏　まず落ち着いた（安心した。）。人ではないと申す。

柿主　あれは　からすじゃ。

山伏　やあ、からすじゃと申す。

柿主　からすならば鳴くものじゃが、おのれは鳴かぬか。

山伏　これは鳴かずは　なるまい。

柿主　おのれ、鳴かずは人であろう。その弓矢をおこせ（よこせ）、一矢（ひとや）に射殺いてやろう。

5

山伏　こかあ、こかあ、こかあ、こかあ。

柿主　（笑って）さればこそ、鳴いたり鳴いたり。また、あれをようよう見れば、からすではのうて　さるじゃ。

山伏　やあ、今度はさるじゃと申す。

柿主　さるならば、身せせり（毛づくろい）をして鳴くものじゃが、おのれは鳴かぬか。

山伏　身せせりをして、鳴かずは　なるまい。

柿主　おのれ、鳴かずは人であろう。その

5

やりを持て（持って）こい、つき殺いてやろう。
山伏　（手でこしをかくようにしながら）きゃあ、
きゃあ、きゃあ、きゃあ。
柿主　（笑って）鳴いたり鳴いたり。さてさて
きゃつ（あいつ）は、物まねの上手なやつじゃ。何ぞ、
困ることはないか知らぬ。おおそれそれ、
また、あれをようよう見れば、からすでも
さるでものうて、とびじゃ。
山伏　やあ、今度はとびじゃと申す。
柿主　とびならば、羽(は)をのして（のばして）鳴くものじゃ
が、おのれは鳴かぬか。
山伏　羽をのして、鳴かずはなるまい。
柿主　おのれ、鳴かずは人であろう。その鉄
砲(ぽう)をおこせ、一撃(う)ちにしてやろう。
山伏　（おうぎを開いて、両方のそででははたく

ようにしながら）ひいよろよろ、ひいよろ、
ひいよろ、ひいよろ。
柿主　（笑って）鳴いたり鳴いたり。さて、最
前からよほど間(ま)もござるによって、もはや
飛びそうなものじゃが、飛ばぬか知らぬ。
山伏　これはいかなこと。この高い所から飛
べと申す。
柿主　ちとうかいて（うかれさせて）やろう。（おうぎで左手を
打ち、ひょうしを取りながら）はあ、飛ぼう
ぞよ。
山伏　ひい。
柿主　（だんだん速く）飛びそうな。
山伏　ひい。
柿主　飛ぼうぞよ。
山伏　ひい。

○困(こま)る

柿主　飛びそうな。

山伏　ひい、ひい、ひい、ひい、ひいい。よろ、よろ、よろ。（足を縮めて飛び下りて、転ぶ。）あ痛、あ痛、あ痛。

柿主　よいなりの（よい格好だな）、よいなりの。急いでもどろう。（と、行きかける。）

山伏　やいやい、やいそこな（そこにいる）やつ。

柿主　（ふり返って）やあ。

山伏　やあとは、おのれ、にくいやつの。最前から、この尊い山伏を、鳥類畜類にたとうる（たとえる）のみならず、あまっさえ（そのうえさらに）とびじゃと言う。総じて山伏の果ては、とびにもなるというによって、それがしも、はや（早くも）とびになったかと思うて、あれ、あの高い所から飛うだれば（飛んだところ）、まだうぶ毛も生えぬ（経験の浅い）山伏を飛

山伏の果ては、とびにもなるという　てんぐが空を飛ぶときにとびに化けるという言い伝えから、山伏も行力を得てとびになれるだろうと思った。

ばせおって、こしの骨をしたたか（ひどく）に打たせた。さあさあ、おのれが宿（家）へ連れていて、看病せい。

柿主　看病するはやすけれど（たやすいけれど）、おのれがよう（おまえのように）に柿をぬすんで食ろう山伏を、たが（だれが）看病するものか。

山伏　そのつれ（そのようなつまらないこと）を言うて看病せずは、ために（おまえのために）悪かろう。

柿主　ために悪かろうと言うて、何とする。

山伏　目にものを見しょう（ひどいめにあわせよう）。

柿主　それはたれが。

山伏　みども（自分）が。

柿主　そちが分として、深しいことはあるまいぞ（おまえくらいの者なら、たいしたことはないだろう。）。

山伏　ていと（確かに）そう言うか。

柿主　おんでもない（言うまでも）こと。

山伏　おのれ、くやもうぞよ。

柿主　なんの。くやむものか。

山伏　たった今、目にものを見しょう。

山伏　それ、山伏と言っぱ（いうのは）、山に起き伏すによっての、（と、じゅもんを唱える。）山伏なり。何と殊勝（しゅしょう）なか（たいしたものであろう。）。

柿主　殊勝そうな。

山伏　（続けて、じゅもんを唱える。）ときんと言っぱ、一尺ばかりの布切れを真っ黒に染め、むさと（むぞうさに）ひだを取っていただく（頭にのせる）によっての、ときんなり。数珠（じゅず）と言っぱ、いらたかの数珠、ではのうて、むさとしたる（つまらぬ）草の実をつなぎ集め、数珠と名づく。この数珠にてひといのりいのるならば、などか（どうして効き目が）奇特の

看病（カン）

ときん
山伏がかぶる、黒い布をうるしで固めた小さいずきん。

一尺（シャク）

一尺
「尺」は長さの単位。一尺は三〇・三センチメートル。

染（そ）める

いらたか
玉が平たくて、角のある数珠。もむと高い音を立てる。

なかるべき（ないことがあろう。）。（数珠をすりながら）ぼろんぼろ、ぼろんぼろ、ぼろんぼろ。橋の下のしょうぶは、たが（だれが）植えたしょうぶぞ、折れども折られず、刈（か）れども刈られず。ぼろんぼろ、ぼろんぼろ。

柿主　このような所に長居は無用（長くいないほうがよい。）。急いでもどろう。（歩きだすが）や、これはいかなこと。いのりもどさるるそうな。（と、いのりが効いたふりをして、後ろ向きに山伏のところにもどる。）

柿主　やいやい、ぜひにおよばぬ（しかたがない。）。宿へ連れていて看病しょうほどに、これへ負われい。

（山伏の前に背を向け、ひざをつく。）

山伏　心得た。

柿主　きっと、とらえていよ（しっかりと、つかまっていなさい。）。

山伏　心得た。（背負われる。）
柿主　えいえい、やっとな。（立ち上がる。）
やい聞くか。
山伏　何事じゃ。
柿主　うちへ連れていて、看病するはやすけれど、おのれがように（全くこのように）柿をぬすんで食ろう山伏は、まっこうしておいたがよい。（山伏をふり落として退場。）
山伏　あ痛、あ痛、あ痛。（起きて）やいやいやいやいやい、この尊い山伏をこのように打ちたおいて、生来（しょうらい）がようあるまい。あの横着者（けしからんやつ）、とらえてくれい。やるまいぞ（にがさないぞ）、やるまいぞ。やるまいぞ、やるまいぞ。（柿主を追って退場。）

生来　性格・性質。
退場（タイ）。

己　コ
届　とどける　とどく
困　コン　こまる
看　カン
尺　シャク
染　そめる　そまる
退　タイ　しりぞく　しりぞける

304ページ

「柿山伏」について

山本東次郎（やまもと　とうじろう）

次の文章を読んで、昔の人のものの見方や感じ方を知り、狂言の楽しみ方を広げましょう。

狂言は日本の古典芸能です。古典とは、人々の大切な心の財産として、長い間受けつがれてきたものです。そして、それは私たちに、人間とは何かを教え、生き方について考えるヒントをあたえてくれるお手本のようなものです。

狂言の「柿山伏」は、空腹のあまり、他人の柿の木に登って、勝手に柿を食べてしまった山伏が、その持ち主にこらしめられるお話です。山伏は厳しい修行を積みましたが、生きている以上、やはりおなかもすきます。多くの力や術を身につけたといばっていますが、手品のように食べ物を出すことはできません。山伏もふつうの人間と変わりないのです。狂言は、特別な人の身の上に起こった特殊（しゅ）な事件ではなく、だれの身にも起こり、だれもが経験しそうな出来事をえがいています。見る人々がそれぞれ、自分のこととして考えるとよいのです。

柿の持ち主にからかわれた山伏は、木の上で、言われるままに、必死になってからす・さる・とびのまねをします。それは、だれもが、そうした立場になれば自分の罪をおおいかくそうとする姿を、こんな形で表しているのです。この山伏のこっけいな姿から、自分がやった悪いことを認めたり反省したりせずに、あくまでも知らないと言い張ってごまかそうとする人たちを思いうかべる人もいるでしょう。

しかし、狂言は、そのおろかさを責めたり、追いつめたりするようなことはしません。人間はかしこさもおろかさも、みな同じようにもっているのです。それを理解していれば、だれもみな、ゆったりと広い心をもって、いたわり合いながら、仲よく楽しく生きていけると、狂言はいっているのです。

また、柿くらい食べさせてやってもいいではないかと思う人もいるでしょう。今の日本には食べ物があふれるようにありますが、狂言の生まれた時代は、そうではなかったのです。柿の実は大切な食料で、柿の持ち主はそれをとても大事にして、毎日見回りに行っていたくらいなのです。それを、断りもなく勝手に食べられてはたまりません。柿の持ち主は、決して心がせまいのではないのです。狂言は、いつの時代にも変わらない人間の姿をえがきますが、そのお話が生まれたころは、現代と少し事情のちがうこともあるのだということも、頭に入れておいていただきたいと思います。

山本　東次郎
一九三七年、東京都生まれ。狂言師。人間国宝。

大切にしたい言葉

書き表し方を工夫して、経験と考えを伝えよう

みなさんは、この六年間で、どんな言葉に出会いましたか。その言葉に出会って、ものの見方はどのように変わりましたか。あなたが大切にしたい言葉について、経験と結び付けて書きましょう。

●確かめよう

「五年生の学び確かめよう」 8ページ

●学習の進め方

決めよう 集めよう ▶ 組み立てよう ▶ 書こう ▶ つなげよう

1 座右の銘(めい)にしたい言葉を決める。

2 構成を考える。

3 下書きをし、読み合って推敲(こう)する。

4 書き表し方を工夫して書く。

5 読み合って、感想を伝える。

●ふりかえろう

1 座右の銘にしたい言葉を決めよう。

座右の銘とは、いつも身近において、自分をはげましたり、自分の目標としたりする言葉のことです。だれかに言ってもらったり、新聞や本を読むなどして見つけたりした言葉の中から、自分の座右の銘にしたい言葉を一つ選びましょう。選んだ言葉と、それに結び付く経験について思い出し、友達に話しましょう。

2 構成を考えよう。

どのくらいの字数で書くかを決めましょう。その字数の中で、伝えたいことが伝わるように、簡単な構成を考えましょう。

みんなの文章を、卒業文集にのせたい。一人八百字ぐらいで書くと、全員分のせられそう。

体操の大会で優勝した川野歩実選手の言葉かな。新聞記事を読んで、とても心に残ったんだ。

私は、ヘレン＝ケラーの伝記にあった言葉を、座右の銘にしたい。児童会に立候補することを迷った経験と結び付くんだ。

■構成メモの例

八百字程度（原稿用紙二枚程度）

初め
- 選んだ座右の銘。

中
- 座右の銘についての説明。
- 座右の銘に結び付く経験。

終わり
- 今後、座右の銘を大切にしながら、どのように生活していくか。

3 下書きをし、読み合って推敲しよう。

下書きをしたら友達と読み合い、次のことを話し合いましょう。書き直したほうがいいと思うところを、赤字で書きこみましょう。

- 読みにくいところや、分かりにくいところはないか。
- くわしく書くとよいところと、簡単に書くとよいところはどこか。
- 考えたことや感じたことにぴったりの言葉かどうか。

「言葉の宝箱（たから）」307ページ

私が座右の銘にしたい言葉は、「日々の積み重ねが自信をつくる」だ。これは、二〇二〇年十月二十四日のひかり新聞でのインタビュー記事の中で私が読んだ、体操選手の川野歩実さんの言葉だ。（文を分ける。）

本番が終わってから残念に思った。うまくいかなかったのは、自分に自信がなかったからだ。同じ場面の登場人物を演じた花村さんは、大きな声で、いきいきと演じていた。（くわしく書く。言葉を選ぶ。）

「これは、二〇二〇年——」の文は、長いね。二文に分けたら、読みやすくなると思う。
「残念に思った」は、どう残念だったのかをくわしく書いたらどう。
「残念」よりもふさわしい言葉があるかもしれないね。

推敲
一度書いた文章をよりよくするために、修正などをすること。

309ページ

4 書き表し方を工夫して書こう。

話し合ったことをもとに書き方を考え、清書しましょう。

　私が座右の銘にしたい言葉は、「日々の積み重ねが自信をつくる」だ。これは、体操選手の川野歩実さんの言葉である。二〇二〇年十月二十四日のひかり新聞でのインタビュー記事の中にあった。

　私が、この言葉を選んだのは、自分の自信のなさをどうにかしたいからだ。秋の発表会で劇をすることになったとき、初めてせりふの多い役を担当した。家で何度も練習をしたつもりだったが、うまく演じる自信がなかったため、リハーサルでも本番でも、小さい声で、覚えたせりふを言うだけになってしまった。本番が終わってから、「どうして堂々と演じられないんだろう。」と、悲しい気持ちで家に帰った。同じ場面の登場人物を演じた花村さんは、大きな声で、いきいきと演じていた。私も花村さんのように演じられたらよかったのにと、うらやましかった。

　その後、川野歩実さんの「日々の積み重ねが自信をつくる」という言葉に出会った。大きな大会でなかなか結果が出せなかった川野さんは、これ以上ないほどの練習をしてのぞんだ大会で、優勝した。そのときに、「日々の積み重ねが自信をつくる」ことを実感したと、インタビューで語っていた。私が自分に自信がなかったのは、自信がもてるまで練習を積み重ねていなかったからだ。私には、どこか、「このくらいでいいかな。」と満足してしまうところがある。思い出してみると、劇の練習も、せりふを覚えたところで満足して、練習をやめていた。花村さんは、休み時間や放課後に、覚えたせりふを何度も声に出して練習していた。花村さんが本番で力を出せたのは、練習の積み重ねが自信につながっていたからだろう。練習もせずに、花村さんをうらやましく思った自分が、はずかしくなった。

　私も、川野さんや花村さんのように、練習を積み重ねて本番にいどめる人になりたいと思う。中学校に行っても、日々の積み重ねを大切にしたい。「日々の積み重ねが自信をつくる」。これを、これからの座右の銘にしたい。

5 読み合って、感想を伝えよう。

できあがったら、みんなで読み合いましょう。心を動かされた内容や表現について伝え合いましょう。

選んだ言葉と経験の結び付きが、とてもよく伝わってきた。
劇でうまくいかなかったときの気持ちがくわしく書かれていて、共感したな。

たいせつ

考えたことや感じたことを伝える

- 自分の経験と、そのときの自分の気持ちが伝わるように、くわしく書くとよいところはどこか考える。
- 自分が考えたことや、感じたことにふさわしい言葉を選んで書く。

いかそう

経験をもとに何かを伝えるときには、経験と伝えたいことの結び付きを考えて、言葉を選びましょう。

ふりかえろう

- □知る　考えたことや感じたことを表すのに、どのような言葉を使いましたか。
- □書く　自分の伝えたいことが伝わるように、どんな部分をくわしく書きましたか。
- □つなぐ　友達の書いた文章を読んで、どんな表現をまねしてみたいと思いましたか。

漢字の広場 5年生で習った漢字 5

商店街の通りやお店の中の様子を、文章に書きましょう。会話も、想像して入れましょう。

〈例〉弁当屋では、半額セールが始まりました。
さっそく、「二つください。」と注文が入りました。

冬のおとずれ

立春（りっしゅん）　雨水（うすい）　啓蟄（けいちつ）　春分（しゅんぶん）　清明（せいめい）　穀雨（こくう）　立夏（りっか）　小満（しょうまん）　芒種（ぼうしゅ）　夏至（げし）　小暑（しょうしょ）

立冬【りっとう】

十一月七日ごろ

こよみのうえで、冬が始まる日。まだ秋の気配は残っているが、しだいに冬に近づいていく。

小雪【しょうせつ】

十一月二十二日ごろ

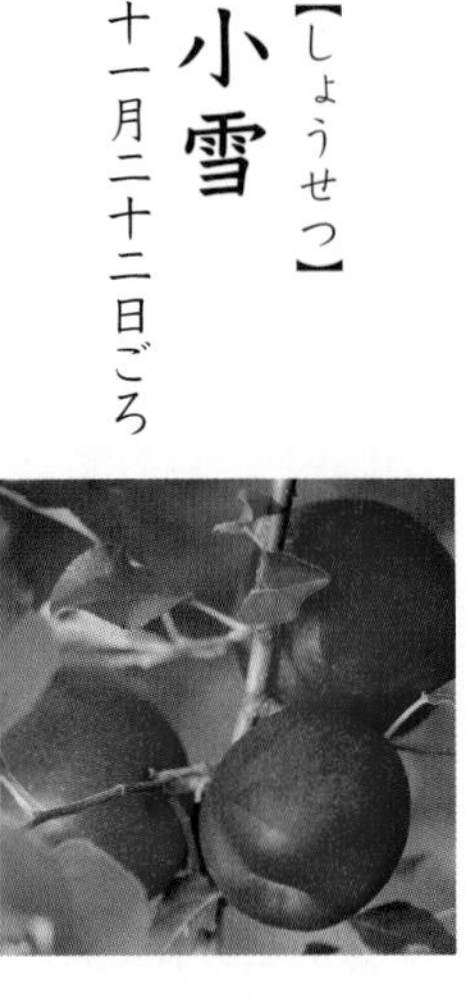

寒さはまだ深まっておらず、雪もそれほど多くはないころ。冬の気配は進んでくる。

大雪【たいせつ】

十二月七日ごろ

寒気（かんき）が増し、雪も激しくなってくるころ。この日を過ぎると、いっそう冬らしくなる。

あたらしく冬きたりけり鞭（むち）のごと
幹ひびき合ひ（い）竹群（たかむら）はあり

宮柊二（みやしゅうじ）

冬至【とうじ】
十二月二十二日ごろ

一年の中で、昼の時間が最も短く、夜が最も長い日。かぼちゃなど、特定の物を食べる習わしがある。

グラタンの熱しと食ぶる冬至かな
阿波野 青畝

小寒【しょうかん】
一月五日ごろ

この日から立春になるまでの期間を「寒」といい、小寒は「寒の入り」ともいわれる。

寒に入る夜や星空きらびやか
長谷川 素逝

大寒【だいかん】
一月二十日ごろ

一年の中で最も寒い時期。「寒」が明けて立春になると、春が近づいてくる。

「冬」といっても、時期によって、見られる風景はさまざまです。あなたの地域の今の「冬」を手紙に書いて、友達やお世話になった人に、冬の便りを送りましょう。

詩の楽しみ方を見つけよう

詩を朗読してしょうかいしよう

〈ぽくぽく〉

八木重吉（やぎじゅうきち）

ぽくぽく
ぽくぽく
まりを　ついていると
にがい　にがい　いままでのことが
ぽくぽく
ぽくぽく
むすびめが　ほぐされて
花がさいたようにみえてくる

動物たちの恐（おそ）ろしい夢のなかに

川崎洋（かわさきひろし）

犬も
馬も
夢をみるらしい
動物たちの
恐ろしい夢のなかに
人間がいませんように

○朗（ロウ）読

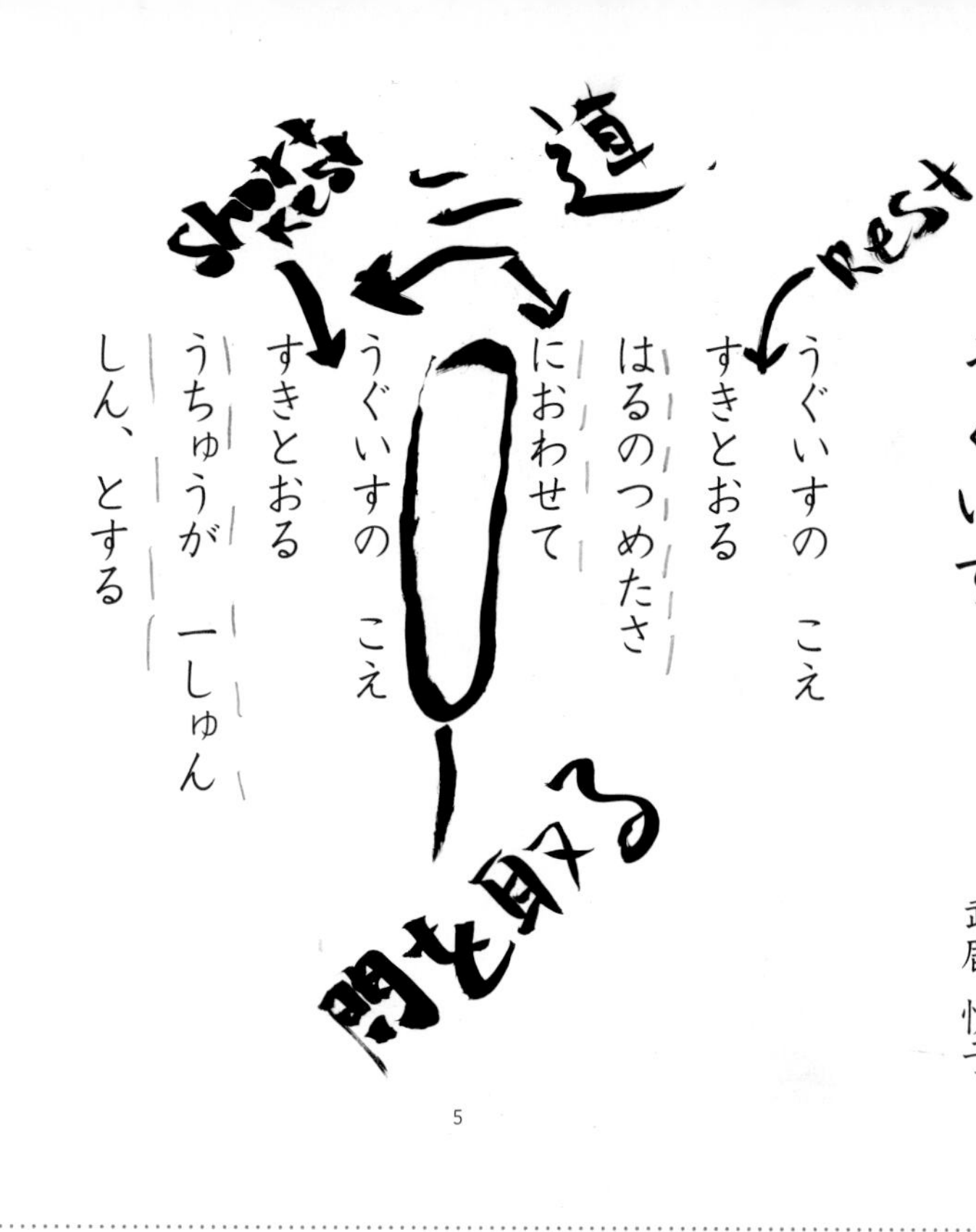

うぐいす

武鹿悦子（ぶしかえつこ）

うぐいすの　こえ
すきとおる
はるのつめたさ
におわせて

うぐいすの　こえ
すきとおる
うちゅうが　一しゅん
しん、とする

▼詩を読んで感じたことを、友達に伝えましょう。

①これまでに読んだことのある詩や、詩集などから、お気に入りの詩を選びましょう。

②詩にえがかれたことと、自分の気持ちとで、重なるところはあるでしょうか。読んで、考えましょう。

③お気に入りの詩を朗読して、友達にしょうかいしましょう。あなたが感じたことや考えたことも、あわせて伝えましょう。

この本、読もう

元気がでる詩6年生　子どもへの詩の花束

朗
ロウ

304ページ

言葉

仮名（かな）の由来

みなさんは、次のような文字が使われているのを見たことはありますか。

（右）「うなぎ」と書かれた看板
（左）「おそば」と書かれた看板

日本には、もともと文字がありませんでした。そこで、やまと言葉（和語）を書き表すために、中国（ちゅうごく）から伝わった漢字を利用する方法が考え出されました。

漢字は、一字一字が形・音・意味をもっています。

形	音	意味
波	ハ	なみ
布	フ	ぬの

「波」の「ハ」、「布」の「フ」という音は、中国での発音に由来する音です。仮名がない時代には、日本語の発音を表すために、漢字

の音を借りて表すなどの工夫がなされました。

はる（春）―波留（ハル）　なつ（夏）―奈都（ナツ）
あき（秋）―安吉（アキ）　ふゆ（冬）―布由（フユ）

このような使い方の漢字を、「万葉仮名（まんようがな）」といいます。

平安（へいあん）時代になると、漢字を元にして平仮名・片仮名が作られました。

平仮名は、万葉仮名をくずして書くところから生まれました。

安―「あ」―あ　以―「い」―い
奈―「な」―な　保―「ほ」―ほ

いっぽう、片仮名の多くは、万葉仮名の形の一部を取って書くところから生まれました。

阿―「ア」―ア　伊―「イ」―イ
奈―「ナ」―ナ　保―「ホ」―ホ

平仮名も片仮名も、初めは一つの発音を表すのにいくつかの書き方がありましたが、現在では一通りの書き方に統一されました。しかし今でも、生活の中で、ふだん私たちが書くものとは異なる仮名を見ることがあります。

いかそう

仮名の由来を知ると、字の形を整える手がかりになります。

○片（かた）仮名

片 かた

平仮名の起こり

安 あ	以 い	宇 う	衣 え	於 お
加 か	幾 き	久 く	計 け	己 こ
左 さ	之 し	寸 す	世 せ	曽 そ
太 た	知 ち	川 つ	天 て	止 と
奈 な	仁 に	奴 ぬ	祢 ね	乃 の
波 は	比 ひ	不 ふ	部 へ	保 ほ
末 ま	美 み	武 む	女 め	毛 も
也 や		由 ゆ		与 よ
良 ら	利 り	留 る	礼 れ	呂 ろ
和 わ	為 ゐ		恵 ゑ	遠 を
无 ん				

片仮名の起こり

阿 ア	伊 イ	宇 ウ	江 エ	於 オ
加 カ	幾 キ	久 ク	介 ケ	己 コ
散 サ	之 シ	須 ス	世 セ	曽 ソ
多 タ	千 チ	川 ツ	天 テ	止 ト
奈 ナ	二 ニ	奴 ヌ	祢 ネ	乃 ノ
八 ハ	比 ヒ	不 フ	部 ヘ	保 ホ
万 マ	三 ミ	牟 ム	女 メ	毛 モ
也 ヤ		由 ユ		与 ヨ
良 ラ	利 リ	流 ル	礼 レ	呂 ロ
和 ワ	井 ヰ		恵 ヱ	乎 ヲ
(尓) ン				

( )の付いているものは、元の字がはっきりしていないもの。

ゐ・ゑ／ヰ・ヱ
古代には、ア行の「い・え」と、ワ行の「ゐ・ゑ」の発音が区別されていたため、それに対応する仮名があった。

304ページ

筆者の考えを読み取り、社会と生き方について話し合おう

6

メディアと人間社会

大切な人と深くつながるために

【資料】プログラミングで未来を創る

二つの文章と資料には、それぞれの筆者が、これからの社会を生きていくうえで大切だと考えていることが述べられています。あなたは、どう考えるでしょうか。

これまでの学習

メディアと人間社会

池上彰(いけがみあきら)

私たち人間は、一人では生きられません。だれもが、社会の中で、他の人と情報をやり取りしながら生きています。たがいに情報のやり取りを行う動物はいますが、さまざまなメディアを使って高度な情報伝達を行うのは、人間だけでしょう。人間は、「思いや考えを伝え合いたい。」「社会がどうなっているのかを知りたい。」という欲求をもっています。そのような欲求が、メディアを発達させ、高度な情報化社会を作ってきたのです。

情報を伝えるための手段として、古くから用いられてきたのは、文字です。文字のない時代には、遠くの相手と思いや考えを伝え合いたいと思っても、難しいものでした。文字の誕生によって、時間や空間をこえて情報を伝えることができるようになったのです。伝えたい内容を文字にして相手に届ければ、手紙となります。おもしろい物語や話を文章にして残せば、本となります。社会の出来事を書いて知らせれば、新聞になります。しかし、文字を使った情報伝達は、書いた

○欲求(ヨッ)
○誕生(タン)

ものを人が持って移動する必要があるため、伝えるのに時間がかかります。

電波を使った通信の発明は、情報を早く伝えたいという思いに応えるものでした。初めは、遠くの海を航海する船で重宝されましたが、やがてラジオ放送が始まると、多くの人々に広く同時に情報を伝えるメディアとして、大きな力をもつようになりました。ラジオでは、効果音なども工夫されるようになり、聞き手に豊かに想像させるドラマなども多数生み出されました。一九三八年には、アメリカでドラマ「宇宙戦争」を聞いた人々が、本当に火星人がやって来たとかんちがいし、パニックになるという出来事がありました。これは、メディアが、社会を混乱させてしまうほどにえいきょう力をもったことを示す事例といえます。

やがて、電波を使って映像を送るテレビ放送が始まります。テレビは、ラジオとはちがい、いちいち言葉や効果音で説明しなくても、映された場所の様子、人物の服装や顔立ちなどが瞬(しゅん)時に理解されます。また、遠くはなれた世界の映像も同時に中継(けい)することができます。テレビは、情報をありありと伝えたい、理解したいという人々の思いに応えるものだったのです。人々は、テレビから伝えられる内容の豊富さに圧倒(とう)され、ラジオ以上に、放送されたものが動きようのない事実だと受け取られるようになりました。社会に対するえいきょう力も、さらに大

「宇宙戦争」
イギリスの作家H.G.ウェルズの科学小説「宇宙戦争」を原作としたラジオドラマ。本物のニュース番組のように作られていたことが、社会の混乱を招いたとされる。

きなものになったのです。

そして、二十世紀の終わりが近づくと、インターネットが発明されます。かつては、情報を広く発信したいと思っても、それができるのは限られた人だけでした。インターネットの登場で、ごくふつうの人々が手軽に情報を発信できるようになり、これまで報じられなかったような、社会や個人に関わる情報が伝えられるようになったのです。しかし、手軽であるということは、誤った内容も簡単に広まるということでもあります。また、わざとうその情報をまぎれこませることも容易になりました。現在では、こうした情報で社会が混乱することも起こっています。

メディアは、「思いや考えを伝え合いたい。」「社会がどうなっているのかを知りたい。」という人間の欲求と関わりながら進化してきました。その結果、今、私たちは、大量の情報に囲まれる社会に生きています。今後も新しいメディアが生まれ、社会に対してえいきょう力をもつでしょう。しかし、どんなメディアが登場しても重要なのは、私たち人間がどんな欲求をもっているか、そして、その結果メディアにどんなことを求めているのかを意識し、メディアと付き合っていくことなのではないでしょうか。

5　10　15

池上　彰
一九五〇年、長野県生まれ。ジャーナリスト。

大切な人と深くつながるために

鴻上(こうかみ)尚史(しょうじ)

あなたが友達と、いっしょに遊びに行く相談をするとします。本当の気持ちを言わないで周りに合わせているだけなら、あなたはだれとでも仲よくできます。でも、あなたが、本当に行きたい場所、したいことを言いだしたら、だれかとぶつかります。それは悪いことではありません。それは当たり前のことで、それでいいのです。そういうとき、人は、なんとかうまく自分の意見を言って、相手と話し合い、コミュニケーションしようとします。

さて、あなたは、コミュニケーションが得意ですか。それとも苦手ですか。「コミュニケーションが得意」とは、だれとでも仲よくなれることだと、一般(ぱん)的には思われています。でも、「コミュニケーションが得意」とは、相手ともめてしまったとき、それでも、なんとかやっていける能力があるということです。

私たちは一人一人ちがうので、遊びの相談をしていても、おたがいの希望がぶ

つかります。例えば、あなたが遊園地に遊びに行きたいと言い、友達は買い物に、別の友達は山か海に行きたいと言う。そういうとき、かっとしたり、だまったり、無視したり、だれかががまんしたりするのではなく、おたがいが少し不満だけど、とりあえずやっていける解決を見いだせるのが、「コミュニケーションが得意」ということなのです。

もちろん、それは簡単なことではないです。でも、あなたに大切な人がいたら、その人とはちゃんと理解し合いたいと思うでしょう。この人にだけは、分かってほしいと思うでしょう。コミュニケーションの技術が上達すればするほど、あなたは大切な人とつながることができるのです。

では、コミュニケーションが得意になるためには、どうしたらいいのでしょう。コミュニケーションは、おたがいがうまく折り合いをつけるための技術です。スポーツの場合、テクニックをみがく方法を知っていますか。そう、何回も何回も練習しますね。コミュニケーションも同じです。相手とぶつかり、むっとしたり、苦手だなあと思ったりしても、いろんな相手といろんな場所で何度もコミュニケーションしていくうちに、話し方や断り方、アドバイスのしかた、要求のしかたが得意になっていくのです。

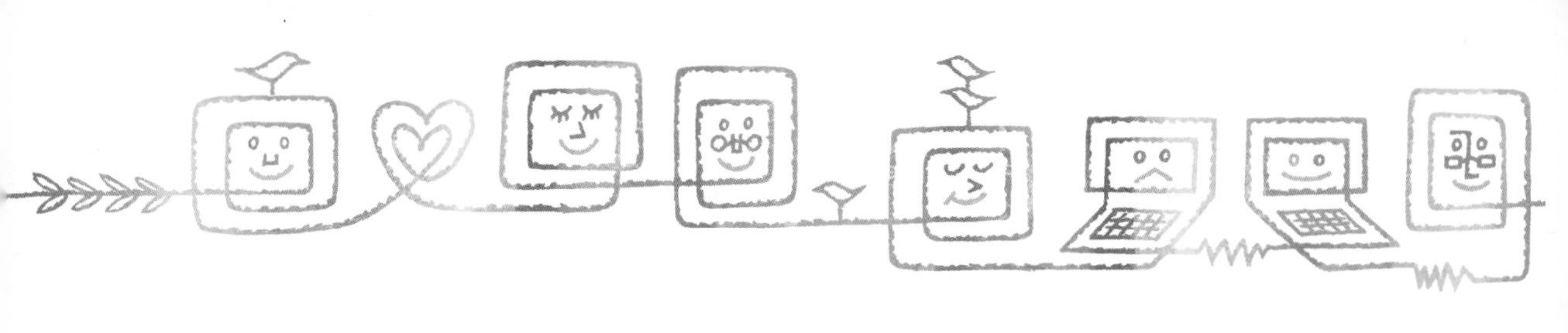

昔は、話し相手や遊び相手は人間しかいませんでしたから、ぶつかり、きそい、交渉（しょう）する中で、コミュニケーションの技術はみがかれました。でも、最近はインターネットが発達して、人は人と直接話さなくても、時間が過ごせるようになりました。大人たちは、メールやゲームをしたり、ウェブサイトを見たりする時間が増えて、どんどん人間との直接のコミュニケーションが苦手になっています。
あなたはどうですか。人と会話する時間は増えていますか。減っていますか。
本当に自分の言いたいことを言い、本当にしたいことをしようと思ったら、あなたは人とぶつかります。それが、あなたがあなたの人生を生きるということです。
そういうときは、悲しむのではなく、「コミュニケーションの練習をしている」と思ってください。最初は苦しいですが、だいじょうぶ。スポーツと同じで、やればやるだけまちがいなく上達します。そうして、あなたは大切な人と出会い、深くつながっていくのです。

ナツコ・ムーン 絵

鴻上 尚史　一九五八年、愛媛県生まれ。作家・演出家。

学習

見通しをもとう

筆者の考えを読み取り、社会と生き方について話し合おう

・筆者の論の展開のしかたや、表現のしかたに着目しよう。
・二つの文章をもとに、これからの社会でどう生きていくかについて話し合おう。

とらえよう

●それぞれの文章で、筆者が最も伝えたいことは何だろうか。それは、文章のどこに書かれているか。
●それぞれの文章を読んで、あなたが最初に感じたのは、どんなことか。

ふかめよう

●筆者はどのようにして、読者に自分の考えを伝えようとしているだろうか。次の点から二つの文章を比べ、それぞれの特徴(ちょう)について考えよう。 1
・論の展開や構成で、工夫されているところはどこか。
・どのような事例を挙げているか。
・どんな表現の特徴があるか。
●二人の考えには、どのような共通点があるだろう。

1 文章の特徴を考える

鴻上さんの文章を読むと、語りかけられているような感じがする。どんな書き方がされているからなんだろう。

2 考えをまとめるときの観点

・これからの社会を生きていくために、どのようなことが大切になると考えるか。
・これから自分ができること、すべきことは何か。

まとめよう

●それぞれの文章から、次のようなことについて考え、ノートに書き出そう。
・自分の知識や経験と比べて気づいたこと。
・自分の考えとの共通点や異なる点。
●「これからの社会でどう生きていくか」ということについて、筆者の考えを示しながら、自分の意見をまとめよう。資料「プログラミングで未来を創る」（199ページ）も参考にしよう。 2

ひろげよう

●まとめた内容をもとに、グループで話し合おう。考えが広がったことについてクラスで共有し、感想を伝え合おう。 3

3 話し合いの例

池上さんが――と書いているのを読んで、――が大事になると思いました。
技術の進化と社会の変化について、石戸さんも――。

ぼくは、その問題の解決につながる視点が、鴻上さんの文章にあるのではないかと感じました。人と人との関係では、――。

ふりかえろう

□知る　論の展開や表現で、特徴的だと思ったのはどんなことですか。
□読む　社会や生き方について、あなたの考えはどのように広がりましたか。
□つなぐ　複数の文章を読んだ感想や考えを伝え合うときには、どんなことに気をつけたいですか。

欲 ヨク
誕 タン

複数の文章を読んで考えたことを交流する

- それぞれの文章の論の展開や、表現の特徴に気をつけて、考えや述べ方の共通点や異なる点を見つける。
- 筆者の主張をとらえ、自分の経験や知識と重ね合わせながら自分の考えをもつ。
- さまざまな人や文章と対話し、その考えにふれると、自分の考えが深まる。

いかそう

同じテーマに関するさまざまな人の考えにふれ、物事を多面的にとらえるようにしましょう。

この本、読もう

本を読んで、未来の社会や生き方について考えましょう。

地球環境から学ぼう！ 私たちの未来 第3巻 日本の問題・世界の問題

紛争、格差社会、海洋汚染、無関心――。日本や世界の課題を考える。

瑠璃色の星 宇宙から伝える心のメッセージ

「瑠璃色の　地球も花も　宇宙の子」。この俳句にこめられた、筆者の宇宙、命、生きることに対する思いを伝える。

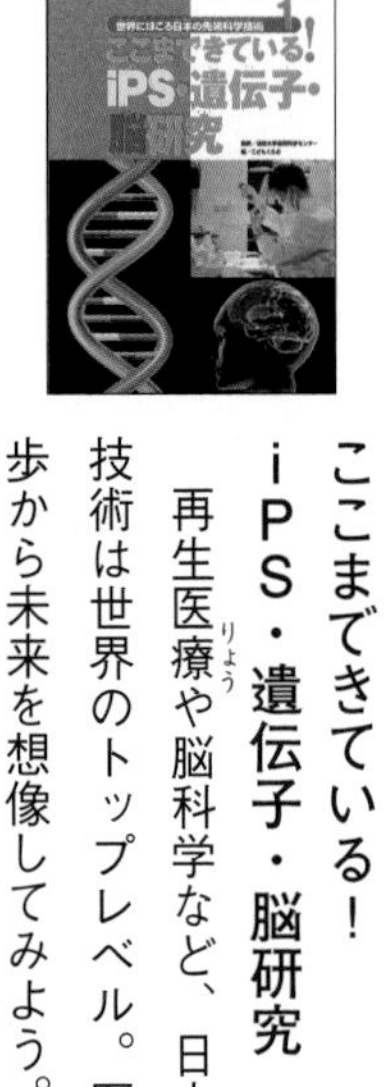

ここまできている！ iPS・遺伝子・脳研究

再生医療や脳科学など、日本の医療技術は世界のトップレベル。医学の進歩から未来を想像してみよう。

304ページ

資料

プログラミングで未来を創る

石戸(いしど) 奈々子(ななこ)

みなさんが大人になるころには、今ある多くの職業はなくなっているかもしれません。コンピュータにとって代わられてしまう仕事があるからです。二〇四五年には、AI（人工知能）が人間の能力をこえるという説もあります。

機械の登場により、これまでにも多くの仕事がなくなりました。自動車の発明で馬車を引く仕事は失われました。自動改札ができ、駅で切符(ぷ)を切る人は減りました。今後もその流れは変わらず、仕事によってはAIが担(にな)っていくかもしれません。

これからは、あらゆる場面でコンピュータが使われるようになります。電車や信号機など社会全体に関わるものだけでなく、台所やふろなど家の中のものも、コンピュータで動くようになるのです。時には、それらがインターネットでつながり、AIによって自ら学習し、判断していくようになるでしょう。そして、それらは全て、コンピュータを動かす命令である「プログラム」によって動いているのです。

そのような社会で豊かな人生を送るには、「コンピュータとはどのようなものか。」「どんなプログラムによって、コンピュータがどう動くのか。」といった知識が重要になります。

AI（人工知能） コンピュータを使って、人間の知的な機能の働きを人工的に実現したもの。

それは、決して一部の人だけが知っていればよいものではありません。例えば、一見、コンピュータとは関係がうすそうな農業でも、ビニールハウス内の温度や湿度を一定に保つプログラムを活用することで、より効率よく、安定した作物の生産が可能になりました。作曲をするときにも、スポーツの作戦を立てるときにも、その目的に合わせて、さまざまなプログラムが使われています。

しかし、プログラムもツールにすぎません。大事なことはそれを作る「プログラミング」によって何を表現し、何を創り出すかです。未来を創るのは自分自身なのです。

自動車は、タクシーやバスで人を運ぶ仕事を生みました。インターネットやスマートフォンは、人々が交流するためのSNSを作ったり、インターネットで買い物を楽しめるようにしたりしました。新しい技術の登場は、これまで存在しなかった仕事を生み続けています。AIやロボットを使う新しい職業も生まれていくでしょう。みなさんは、どんな未来や人生をえがきますか。自ら想像して、創造していきましょう。

ツール　道具のこと。

SNS　「ソーシャルネットワーキングサービス」の略語。インターネットを通じて、会員どうしで交流できる機能を提供するサービスのこと。

石戸　奈々子
一九七九年、東京都生まれ。NPO法人を設立し、子どもたちにプログラミングについて教えている。

言葉

漢字を正しく使えるように

どの漢字を使うか迷ったり、誤った漢字を使ってしまったりしやすいものに、「同じ読み方をする漢字」があります。

どの漢字を使うか迷ったときには、次のように考えてみましょう。

① 訓読みの場合

漢語で言い表してみる。

・穀物を収納庫にうつす。（移す・写す）

この「うつす」は「移動する」と言いかえられるな。だから、＿＿。

別の訓読みで言い表してみる。

・部屋の窓をあける。（明ける・開ける）

「窓をあける」というのは、「窓をひらく」と言いかえることができる。ということは、＿＿。

5

○穀物（コク）

その漢字を使った熟語を考えてみる。

•延長戦の末、やぶれる。（敗れる・破れる）

「敗退」「敗北」、「破損」「連破」——。試合に負けるという意味を表す言葉に使われているのは——。

②音読みの場合

その漢字の訓読みを考えてみる。

•ショウ人数で学習をする。（小・少）

「小」の訓読みは「ちいさい」、「少」の訓読みは「すくない」。「ショウ人数」は、「すくない人数」ということだから、——。

1 ①と②のいずれかの方法を使い、——線の言葉を正しい漢字で表しましょう。

•正月は、母の郷里にかえる。（帰る・返る）

•株式会社につとめる。（勤める・努める・務める）

•温かいスープがさめる。（覚める・冷める）

•諸国を旅して、見ブンを広める。（聞・分）

•試合再カイのアナウンスに、観衆は喜んだ。（会・開）

2 次の——線は、読み方が同じであるために書きまちがえた漢字の例です。正しい漢字を使って書きましょう。

•すずしい小かげで休む。

•独り事をつぶやく。

•チーム一丸となって、成課を上げる。

•興味や感心は、十人十色だ。

漢字を正しく使うためには、自分が書こうとしている言葉の意味と、使おうとする漢字の意味を、いつも考えるようにしましょう。

○郷•里（キョウリ）　○株（かぶ）式会社　○諸（ショ）国　観○衆（シュウ）　一•丸（ガン）　十人•十（と）色

覚えておきたい言葉

いろいろな教科や社会生活の中で使われる言葉です。意味をよく理解して使いましょう。

〈国語〉
段落　意図　要約　要旨（し）　推敲（こう）
構成　表現　討論

〈算数〉
平行　面積　体積　円柱　側面
比例　割合　約数　倍数

5

〈理科〉
呼吸　消化　導線
磁石　発芽　養分　蒸発　化石

〈社会〉
天皇　皇后　陛下　憲法　法律
選挙　政党　国会　内閣　裁判所
権利　義務　納税　教育　労働
貿易　国際　資源　輸出入
条約　改革　宗教

5

磁●石（ジシャク）　天○皇（ノウ）　皇○后（ゴウ）　○陛（ヘイ）下　○憲（ケン）法　政○党（トウ）　内○閣（カク）　改○革（カク）　○宗（シュウ）教

穀（コク）　郷（キョウ）　株（かぶ）　諸（ショ）　衆（シュウ）　磁（ジ）　皇（コウ・オウ）　后（コウ）　陛（ヘイ）

憲（ケン）　党（トウ）　閣（カク）　革（カク）　宗（シュウ）

304ページ

言葉

言葉について考えよう

人を引きつける表現

書いてある内容は同じでも、どう表現するのかによって、味わいはちがってきます。いくつかの作品をもとに、表現の工夫について考えてみましょう。

つき

でたでた　つきが
まるいまるい　まんまるい
ぼんのような　つきが

「つき」という歌の歌詞を見てみましょう。どのような表現の工夫があるでしょうか。

まず、言葉の順番が、ふつうとはちがっていることに気づきます。「でた」が先に、「つきが」が後になっています。先に言うことで、月が「でた」ことが強調されています。

歌
○詞シ

また、「でたでた」のようなくり返しも、大切な表現の工夫です。くり返すことで、そのことが強く印象づけられるとともに、調子のよいリズムも生まれます。

さらに、満月の「まるい」形が、「ぼんのような」とたとえられています。このように、似ているものにたとえる表現を、比喩とよびます。「まるいぼん」が「まるい月」の比喩となっていることで、身近な印象をあたえるとともに、「まんまるい」形をしていることがよく伝わってきます。「月が顔を出す」という表現を見かけることがありますが、「月」に対して「顔を出す」という言葉を使うのも、比喩的な発想の表現ですね。

宮沢賢治の「やまなし」に、次のような表現があります。

> まもなく、水はサラサラ鳴り、天井の波はいよいよ青いほのおを上げ、やまなしは横になって木の枝に引っかかって止まり、その上には、月光のにじがもかもか集まりました。

この部分では、やまなしの周りの水音が「サラサラ」とえがかれ、やまなしの周りの水の流れに月の光が当たる様子が、「月光のにじがもかもか集まる」とえがかれています。水が流れる音を「サラサラ」というのはめずらしくない表現ですが、光の様子を「もかもか」とするのは独特の表現といえます。

最後に、上の歌詞について考えてみましょう。どんな工夫があるでしょうか。

全体が、七音と五音の組み合わせになっていることに気づいたのではないでしょうか。このように、音の数をそろえるとリズムができます。

「中空を」となっていることにも注目したいところです。実は、「道を歩く」「空を飛んでいく」のように、「を」を使うと、通るところを表します。そのため、「中空を泳ぐ」という表現には、移動の感じがよく出ています。もし、「プールで泳ぐ」のように、「中空で泳ぐ」としたら、どのような感じがするでしょうか。ちょっとした言葉の選び方によっても、読み手にあたえる印象は変わってくるのです。

鯉(こい)のぼり

甍(いらか)の波と　雲の波
重なる波の　中空(なかぞら)を
橘(たちばな)かおる　朝風に
高く泳ぐや　鯉のぼり

このように、表現の工夫を味わうことは楽しいものです。また、自ら表現を工夫して言葉を選び、作品を作ることも楽しいものです。物語や詩はもちろん、商品の宣伝や本の題名など、身近なところにも、さまざまな工夫があるはずです。さまざまな作品から表現の工夫を見つけ、自分の表現にも取り入れてみましょう。

気に入った表現について説明しよう

① 教科書にある物語や詩、文章から、心が引かれる表現を見つけ、書き写す。
② 選んだ表現について、次のことを書く。
- どのような表現の工夫があるのか。
- どのような効果があり、自分はどう感じるのか。

③ 書いた文章を友達と読み合う。

5 10

○宣(セン)伝

詞(シ) 宣(セン)

305ページ

書く

伝えたいことを明確にして書き、読み合おう

思い出を言葉に

入学してからこれまでの学習や行事、委員会活動など、学校生活の中で、いちばん印象に残っていることは何ですか。そのときの出来事や心情を、表現を工夫して書きましょう。そして、クラスで思い出を共有しましょう。

●確かめよう

「たのしみは」 60ページ

「人を引きつける表現」 204ページ

●学習の進め方

決めよう 集めよう ◀ 組み立てよう ◀ 書こう ◀ つなげよう

1 伝えたいことを明確にして、思い出す。

2 形式を決める。

3 表現を工夫して書く。

4 思い出をえがいた作品を読み合う。

●ふりかえろう

1 伝えたいことを明確にして、思い出そう。

クラスやグループで、印象に残っていることを出し合いましょう。

あなたは、何について書きたいですか。自分にとっての意味や価値、読む人に伝えたいことを考えながら決めましょう。

書きたいことについてくわしく思い出し、そのときの出来事や、自分や周りの人のしたことや言ったこと、自分の思いなどを書き出していきます。思い出したことのうち、何を中心に取り上げるのかも考えましょう。

2 形式を決めよう。

表現する形式を、俳句・短歌・詩などから選びましょう。

みんなの作品をどのような形でまとめるのかなど、全体像も確かめておきましょう。

入学式で、一年生と手をつないだとき、六年生になったんだと思った。

くわしく思い出す。
← 伝えたいことをふまえて整理する。

- 日記や記録、写真などを見返す。
- いっしょにいた人にきく。
- その場所に行く。

など

六年生としての自覚が生まれたときのことを伝えたいから、——。

○価値（チ）
○俳句（ハイ）

3 表現を工夫して書こう。

伝えたいことを意識しながら、1で書き出したことをもとに、内容を簡単に書き表しましょう。

効果的に伝わるよう、次のような工夫をして、選んだ形式に仕上げていきます。

- 様子や心情に、より適した言葉を選ぶ。
- 比喩やくり返しなどを使う。
- 言葉や文の順序を変える。
- 言葉のリズムを整える。

「言葉の宝箱」 307ページ

書き終わったら、文字や言葉にまちがいがないか、見直しましょう。声に出して読み、調子のよさも確かめましょう。

そして、読みやすい字で、ていねいに清書しましょう。

■作品の例

〈入学式〉◎自覚

一年生が小さくておどろいた。ぼくも、こんなに小さくて、手をつないでもらっていたのかと思った。手から、きんちょうが伝わってきた。六年生になったのだから、一年生にやさしくしようと思った。

一年生の小さな手から
どきどきが伝わった
ぼくもこんなに
小さかったのかな
ぼくも六年生の手を
にぎりしめていたのかな
ぼくがやさしくしようと決めた
六年生になったばかりの入学式

「思った」よりも「決めた」のほうが、自覚したことが伝わりそう。

一年生に対して感じたことを強調するために、同じ言葉をくり返してみようかな。

4 思い出をえがいた作品を読み合おう。

友達の作品について、どの表現から、どんな思いが伝わってきたのかが分かるように、感想を伝えましょう。

「ぼくも――」「ぼくが――」とくり返す中で、六年生としての決心が芽生えた様子が伝わってきたよ。

たいせつ

伝えたい思いを明確にして書く

- 材料となることを集め、伝えたいことを意識しながら整理する。
- どのような形式や表現を使うと、思いがよく伝わるのかを考える。
- 読んだ人に、自分の思いが伝わっているかを確かめる。

いかそう

キャッチコピーや見出しなど、伝えたいことを短い言葉で表すときには、表現を工夫しましょう。

ふりかえろう

□知る　効果的に伝えるために、どんな形式を選び、どのように表現を工夫しましたか。

□書く　思い出したことの中から、どのような理由で書くことを選びましたか。

□つなぐ　友達の表現の工夫で、自分も使ってみたいものはどれですか。

値　ねチ

俳　ハイ

305ページ

資料を使って、効果的なスピーチをしよう

今、私は、ぼくは

小学校生活を終えようとする今、あなたは何を思いますか。学んだこと、体験したこと、出会った人――。

これまでをふり返り、これからを思いえがいて、あなたの今の思いをクラスのみんなに伝えるスピーチをしましょう。

●確かめよう

「五年生の学びを確かめよう」 7ページ

●学習の進め方

決めよう 集めよう
1 スピーチの話題を決め、内容を整理する。

準備しよう
2 構成を考えて、スピーチメモを作る。
3 資料を準備する。
4 練習をする。

話そう 聞こう
5 スピーチをする。

つなげよう
6 感想を伝え合う。

●ふりかえろう

1 スピーチの話題を決め、内容を整理しよう。

将来、どんな自分でありたいか、今のあなたの考えをまとめましょう。また、その考えをもつようになったきっかけや、そのときに感じたことを整理しましょう。

①考えていること
- 将来の夢
- 大切にしていきたいこと

②きっかけ
- 実際の思い出や出来事
- 見たことや聞いたこと

③感じたこと
- ②のときに感じたこと
- 今ふり返って思うこと

2 構成を考えて、スピーチメモを作ろう。

思いを伝えるために必要な内容や、構成のしかたを考えて、スピーチメモを作りましょう。

■矢島さんのスピーチメモ

（初め）
考えていること
将来の夢は管理栄養士

（中）
きっかけ
管理栄養士の小島さんを特集したテレビ番組
●小島みのりさんのしょうかい　〈資料1〉
マラソン・高田選手の専属の管理栄養士
●高田選手と小島さん　〈資料2〉
・けがをきっかけに不調に。
・練習の見直しとともに、食事の改善。
→小島さんに管理をいらい
・全てを調べて、こんだてを作る。
→練習で成果が上がる→国際大会での結果
●小島さんの言葉　〈資料3〉
「当たり前のことですが、体はみんな、食べた物からできているのです。」

感じたこと
小島さんの言葉が印象に残った。
管理栄養士は、かっこいい仕事だと思った。

（終わり）
伝えたい思い
楽しい食事でみんなの健康を支える、管理栄養士になりたい。

将来（ショウ）。

3 資料を準備しよう。

考えた構成をもとに、次の点に気をつけて、効果的な資料を準備しましょう。

●聞き手に合わせた内容にする
聞き手がもっている知識や興味・関心に合わせて資料を作る。

●情報をしぼる
話の要点が伝わるように、必要な情報を選び、できるだけ簡潔に示す。

●図表を使う
話や文字だけでは伝わりにくいときには、図や表、写真や絵などを用意する。

4 練習をしよう。

これまでに見たり、聞いたりしたスピーチのよかったところを考え、自分のスピーチにいかしましょう。

■矢島さんの提示する資料（中の部分）

・話題を示した資料〈資料1〉

きっかけ
小島みのりさん
マラソン・高田選手 専属の管理栄養士

・要点をまとめた資料〈資料2〉

2017年7月	けがから不調に
2017年9月	食事の改善 →小島さんへ
	小島さんが こんだてを作る
2018年1月	練習で成果
2019年4月	国際大会で かつやく

・特に伝えたいことを示す資料〈資料3〉

体はみんな、食べた物からできている。

■矢島さんのスピーチ（中の部分）

私が管理栄養士という仕事に興味をもったきっかけは、テレビ番組で、小島みのりさんという管理栄養士の方を知ったことです。（←間を取り、資料1を見せる）

みなさんは、昨年、マラソンの国際大会でかつやくした高田陽子選手を覚えていますか。（←少し間を取り、聞き手の表情を見る）小島さんは高田選手専属の管理栄養士で、高田選手を支えたチームの一員として、テレビ番組でしょうかいされていました。（←資料2を見せる）けがで不調になった高田選手は、練習や生活を一から見直します。そのとき、食事の専門家として声がかかったのが、小島さんでした。

…

5 スピーチをしよう。

場面や聞き手に合わせて、使う言葉や話し方、資料の見せ方を工夫しましょう。また、聞き手の表情や様子などを確かめながら、必要に応じて、説明を加えたり、言葉を言いかえたりしましょう。

6 感想を伝え合おう。

友達のスピーチを聞いて、感じたことや考えたことを伝え合いましょう。

ふりかえろう

□知る　場面や聞き手に合わせて、どんな言葉や表現を使いましたか。

□話す・聞く　効果的なスピーチにするために、資料の作り方や話し方について、どんな工夫をしましたか。

□つなぐ　これから、自分の考えや思いを伝えるときには、どんなことに気をつけたいですか。

（←資料3を見せる）「当たり前のことですが、（←ここからゆっくりと読み上げる）体はみんな、食べた物からできているのです。」（←間を取る）これは、私の印象に強く残っている小島さんの言葉です。——

たいせつ　資料を使って、自分の考えや思いを効果的に伝える

- 聞き手の知識や興味・関心に合わせて、資料を考える。
- 情報をしぼったり、図表を使ったりして、効果的な資料を作る。
- 聞き手の反応を確かめながら、話し方や表現を工夫する。

いかそう

スピーチをするときには、資料を効果的に使いましょう。

将　ショウ

305ページ

漢字の広場 6

5年生で習った漢字

いつ、どんなことがあったか、そのとき、どんな気持ちだったか、絵を見て想像し、文章に書きましょう。

〈例〉六年前、校舎の周りの桜が満開のころに、小学校に入学した。

7 海の命

登場人物の関係をとらえ、人物の生き方について話し合おう

これまでの学習

「海の命」では、「太一（たいち）」や「太一」を取り巻く人たちの生き方がえがかれています。それぞれの人物の生き方が、「太一」にどんなえいきょうをあたえたかを考えながら読みましょう。

海の命

立松和平（たてまつわへい） 作
伊勢英子（いせひでこ） 絵

父もその父も、その先ずっと顔も知らない父親たちが住んでいた海に、太一もまた住んでいた。季節や時間の流れとともに変わる海のどんな表情でも、太一は好きだった。

「ぼくは漁師になる。おとうといっしょに海に出るんだ。」

子どものころから、太一はこう言ってはばからなかった。

父はもぐり漁師だった。潮の流れが速くて、だれにももぐれない瀬（せ）に、たった一人でもぐっては、岩かげにひそむクエをついてきた。二メートルもある大物をしとめても、父はじまんすることもなく言うのだった。

「海のめぐみだからなあ。」

クエ
岩かげにひそみ、小魚やイカなどを食べる茶褐（かっ）色の魚。本州の中部より南の海にいる。

不漁の日が十日間続いても、父は少しも変わらなかった。

ある日、父は、夕方になっても帰らなかった。空っぽの父の船が瀬で見つかり、仲間の漁師が引き潮を待ってもぐってみると、父はロープを体に巻いたまま、水中でこときれていた。ロープのもう一方の先には、光る緑色の目をしたクエがいたという。

父のもりを体につきさした瀬の主は、何人がかりで引こうと全く動かない。まるで岩のような魚だ。結局ロープを切るしか方法はなかったのだった。

中学校を卒業する年の夏、太一は与吉（よきち）じいさに弟子（でし）にしてくれるようたのみに行った。与吉じいさは、太一の父が死んだ瀬に、毎日一本づりに行っている漁師だった。

「わしも年じゃ。ずいぶん魚をとってきたが、もう魚を海に自然に遊ばせてやりたくなっとる。」

「年を取ったのなら、ぼくをつえの代わりに使ってくれ。」

つり針（ばり）。

こうして太一は、無理やり与吉じいさの弟子になったのだ。

与吉じいさは瀬に着くや、小イワシをつり針にかけて水に投げる。それから、ゆっくりと糸をたぐっていくと、ぬれた金色の光をはね返して、五十センチもあるタイが上がってきた。バタバタ、バタバタと、タイが暴れて尾で甲板を打つ音が、船全体を共鳴させている。

太一は、なかなかつり糸をにぎらせてもらえなかった。つり針にえさを付け、上がってきた魚からつり針を外す仕事ばかりだ。つりをしながら、与吉じいさは独り言のように語ってくれた。

「千びきに一ぴきでいいんだ。千びきいるうち一ぴきをつれば、ずっとこの海で生きていけるよ。」

与吉じいさは、毎日タイを二十ぴきとると、もう道具を片づけた。季節によって、タイがイサキになったりブリになったりした。

弟子になって何年もたったある朝、いつものように同じ瀬に漁に出た太一に向かって、与吉じいさはふっと声をもらした。そのころには、与吉じいさは船に乗ってこそきたが、作業はほとんど太一がやるようになっていた。

「自分では気づかないだろうが、おまえは村一番の漁師だよ。太一、ここはおまえの海だ。」

船に乗らなくなった与吉じいさの家に、太一は漁から帰ると、毎日魚を届けに行った。真夏のある日、与吉じいさは暑いのに、毛布をのどまでかけてねむっていた。太一は全てをさとった。

「海に帰りましたか。与吉じいさ、心から感謝しております。おかげさまでぼくも海で生きられます。」

悲しみがふき上がってきたが、今の太一は自然な気持ちで、顔の前に両手を合

イサキ　緑色を帯びた褐色の魚。幼魚には、黄褐色の縦じまが数本ある。

ブリ　背中は暗い青色、腹は銀白色で、中央に一本の筋が入っている魚。

わせることができた。父がそうであったように、与吉じいさも海に帰っていったのだ。

ある日、母はこんなふうに言うのだった。

「おまえが、おとうの死んだ瀬にもぐると、いつ言いだすかと思うと、私はおそろしくて夜もねむれないよ。おまえの心の中が見えるようで。」

太一は、あらしさえもはね返す屈(くっ)強な若者になっていたのだ。太一は、そのたくましい背中に、母の悲しみさえも背負おうとしていたのである。

母が毎日見ている海は、いつしか太一にとっては自由な世界になっていた。

いつもの一本づりで二十ぴきのイサキをはやばやととった太一は、父が死んだ辺りの瀬に船を進めた。

いかりを下ろし、海に飛びこんだ。はだに水の感触(しょく)がここちよい。海中に棒になって差しこんだ光が、波の動きにつれ、かがやきながら交差する。耳には何も聞こえなかったが、太一は壮(そう)大な音楽を聞いているような気分になった。とうとう、父の海にやって来たのだ。

太一が瀬にもぐり続けて、ほぼ一年が過ぎた。父を最後にもぐり漁師がいなくなったので、アワビもサザエもウニもたくさんいた。激しい潮の流れに守られるようにして生きている、二十キロぐらいのクエも見かけた。だが、太一は興味をもてなかった。

追い求めているうちに、不意に夢は実現するものだ。

太一は海草のゆれる穴のおくに、青い宝石の目を見た。

海底の砂にもりをさして場所を見失わないようにしてから、太一は銀色にゆれる水面にうかんでいった。息を吸ってもどると、同じ所に同

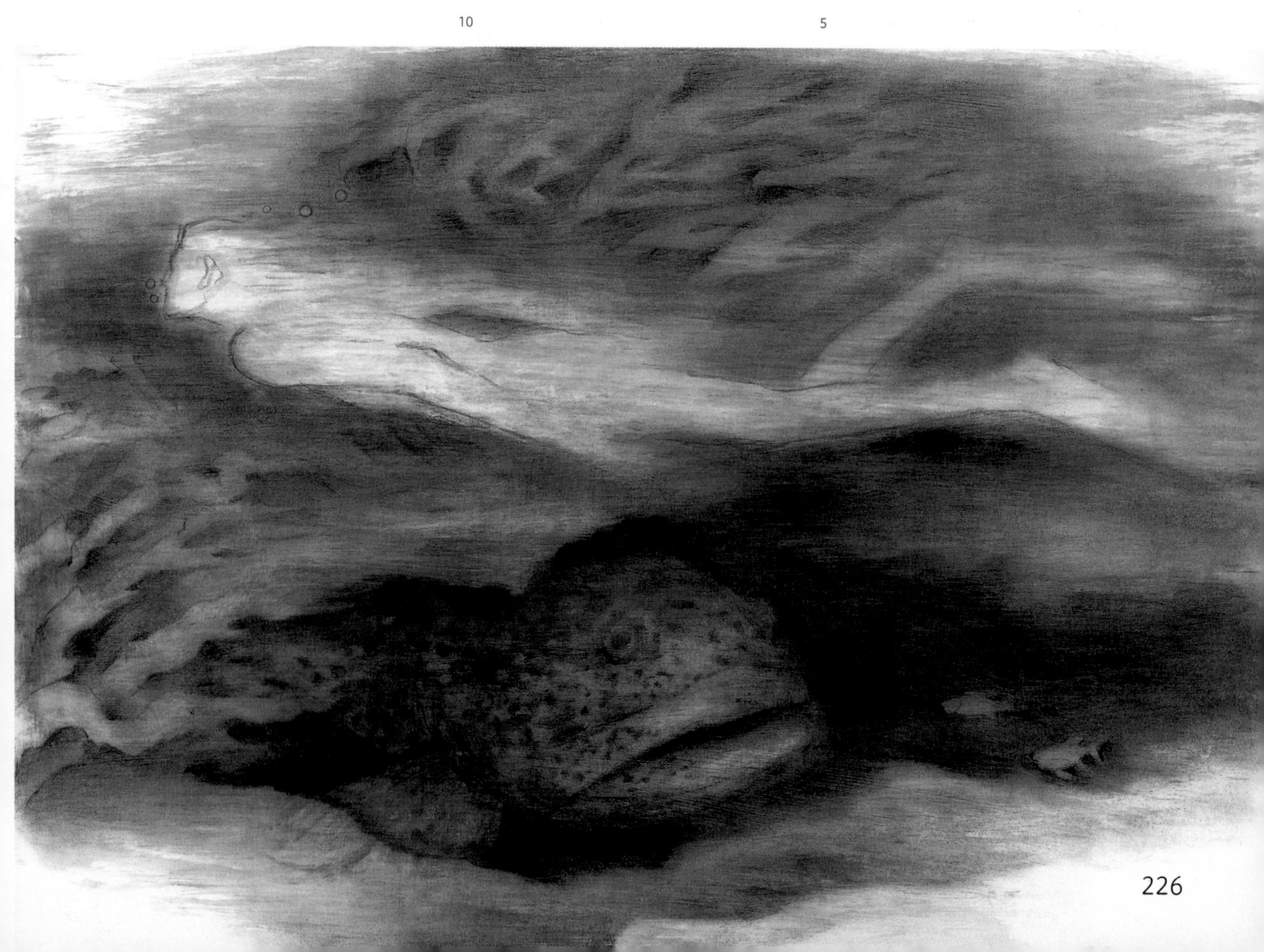

じ青い目がある。ひとみは黒いしんじゅのようだった。刃物のような歯が並んだ灰色のくちびるは、ふくらんでいて大きい。魚がえらを動かすたび、水が動くのが分かった。岩そのものが魚のようだった。全体は見えないのだが、百五十キロはゆうにこえているだろう。

興奮していながら、太一は冷静だった。これが自分の追い求めてきたまぼろしの魚、村一番のもぐり漁師だった父を破った瀬の主なのかもしれない。太一は鼻づらに

○灰(はい)色

○興奮(フン)

向かってもりをつき出すのだが、クエは動こうとはしない。そうしたままで時間が過ぎた。太一は永遠にここにいられるような気さえした。しかし、息が苦しくなって、またうかんでいく。

もう一度もどってきても、瀬の主は全く動こうとはせずに太一を見ていた。おだやかな目だった。この大魚（たいぎょ）は自分に殺されたがっているのだと、太一は思ったほどだった。これまで数限りなく魚を殺してきたのだが、こんな感情になったのは初めてだ。この魚をとらなければ、本当の一人前の漁師にはなれないのだと、太一は泣きそうになりながら思う。

水の中で太一はふっとほほえみ、口から銀のあぶくを出した。もりの刃先を足の方にどけ、クエ

に向かってもう一度えがおを作った。
「おとう、ここにおられたのですか。また会いに来ますから。」
こう思うことによって、太一は瀬の主を殺さないで済んだのだ。大魚はこの海の命だと思えた。

やがて、太一は村のむすめとけっこんし、子どもを四人育てた。男と女と二人ずつで、みんな元気でやさしい子どもたちだった。母は、おだやかで満ち足りた、美しいおばあさんになった。

太一は村一番の漁師であり続けた。千びきに一ぴきしかとらないのだから、海の命は全く変わらない。巨大なクエを岩の穴で見かけたのにもりを打たなかったことは、もちろん太一は生涯だれにも話さなかった。

○済む

立松 和平
一九四七〜二〇一〇年。栃木県生まれ。作家。児童向けに「山のいのち」「街のいのち」などの作品がある。

見通しをもとう

登場人物の関係をとらえ、人物の生き方について話し合おう

- 人物どうしの関わりや、人物の生き方が表れている表現に着目しよう。
- 人物の生き方について、自分の考えをまとめ、友達と話し合おう。

とらえよう

● 「海の命」を読み、構成と内容を確かめよう。
- いくつの場面に分けられるか。
- 「太一」の他に、どんな人物が出てくるか。それらの人物は、「太一」の成長にどう関わっているか。1
- どんな出来事が起こり、どのような結末となるか。

● 「瀬の主」は、「太一」にとってどのような存在だろう。「太一」と他の人物との関わりから、考えてみよう。

ふかめよう

● 「この魚をとらなければ、本当の一人前の漁師にはなれないのだと、太一は泣きそうになりながら思う。」(228ページ10行目)とある。
- 「太一」の考える「本当の一人前の漁師」とは、どう

1 人物どうしの関わりをとらえるとき

「太一」と周囲の人物たちとの関係をとらえるには、人物の行動や会話、情景などから考えるとよい。

例えば、次の言葉は、だれが、どの場面で言い、それを「太一」がどのように受け止めたのかを考えることで、「太一」とその人物の関わりが見えてくる。

- 「海のめぐみだからなあ。」(218ページ9行目)
- 「千びきに一ぴきでいいんだ。――ずっとこの海で生きていけるよ。」(221ページ13行目)
- 「おまえが、おとうの死んだ瀬にもぐると、――おまえの心の中が見えるようで。」(224ページ2行目)

2 人物の生き方を考えるとき

次のことに気をつけて、人物の生き方をまとめよう。
- 人物の行動や会話、様子などを表す複数の表現を関連

いう漁師だと思うか。
・なぜ、「太一」は、泣きそうになったと思うか。
●この物語の山場で、「太一」の考え方は、何によって、どう変わっただろうか。

まとめよう

●この物語には、「海の命」という題名がつけられている。「太一」や他の人物にとって、「海の命」とは何だろうか。
●それぞれの人物の生き方について考えてみよう。そして、それに対する自分の考えをまとめよう。 2

ひろげよう

●人物の生き方について考えたことを、グループで話し合おう。そして、友達の意見にふれて、よく分かったことや、自分の考えが変わったことを伝え合おう。 3

づけて、その人物のものの見方や考え方を想像する。
・一つの事がらに対する、別の人物の見方・考え方と比べると、その人物らしさがはっきりする。

3 グループで話し合うとき

私は、なぜ「父」が、巨大なクエに向かったのか疑問に思い、「父」の生き方について考えてみました。——

ぼくは、「太一」がクエにもりを打たなかったことに、「父」の生き方とのちがいが表れていると思います。——

ふりかえろう

□知る 人物どうしの関わりや、人物の生き方を、どのような表現に着目して考えましたか。
□読む 人物の生き方について話し合うことで、どんな読み方に出会うことができましたか。
□つなぐ 人物の、ものの見方や考え方をとらえるときには、どんなことに気をつけるとよいですか。

たいせつ

物語の読みを広げる

次のことに気をつけて、読んだ人どうして語り合うと、物語の読みが広がる。

- 周囲の人物が、中心となる人物にどのようなえいきょうをあたえたか。
- それらの人物のものの見方や考え方から、物語が伝えようとしていることは何か。

いかそう

物語の感想を伝え合うときには、どの人物の立場から感じたり考えたりしたことかを、はっきりさせましょう。

この本、読もう

本を読んで、さまざまな人物や、その考え方、生き方にふれましょう。

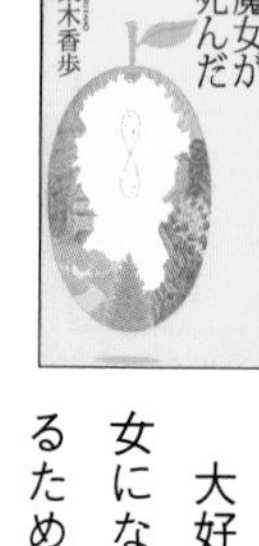

西の魔女が死んだ

大好きなおばあちゃんのもとで、魔女になる修行をする、まい。魔女になるために教えてもらったこととは――。

チェロの木

木に宿った音を見つけて楽器を作り続けた父。「わたし」は、父の作ったチェロを今も大切にひき続ける。

ことりをすきになった山

さびしい山にたのまれて、約束をしたことり。小さな約束は大切に守られ、やがて山は豊かに変わっていった。

針（シン・はり）　灰（はい）　奮（フン・ふるう）　済（サイ・すむ・すます）

305ページ

卒業するみなさんへ

中学校へつなげよう
生きる
今、あなたに考えてほしいこと

小学校の国語学習も、あとわずかです。できるようになったことを確かめましょう。そして、詩と文章を読んで、感じたことを友達と話しましょう。

中学校へつなげよう

みなさんは、六年間の国語学習で、どんな言葉の力を身につけましたか。思い出したり、友達と話したりして、できるようになったことを書き残しておきましょう。

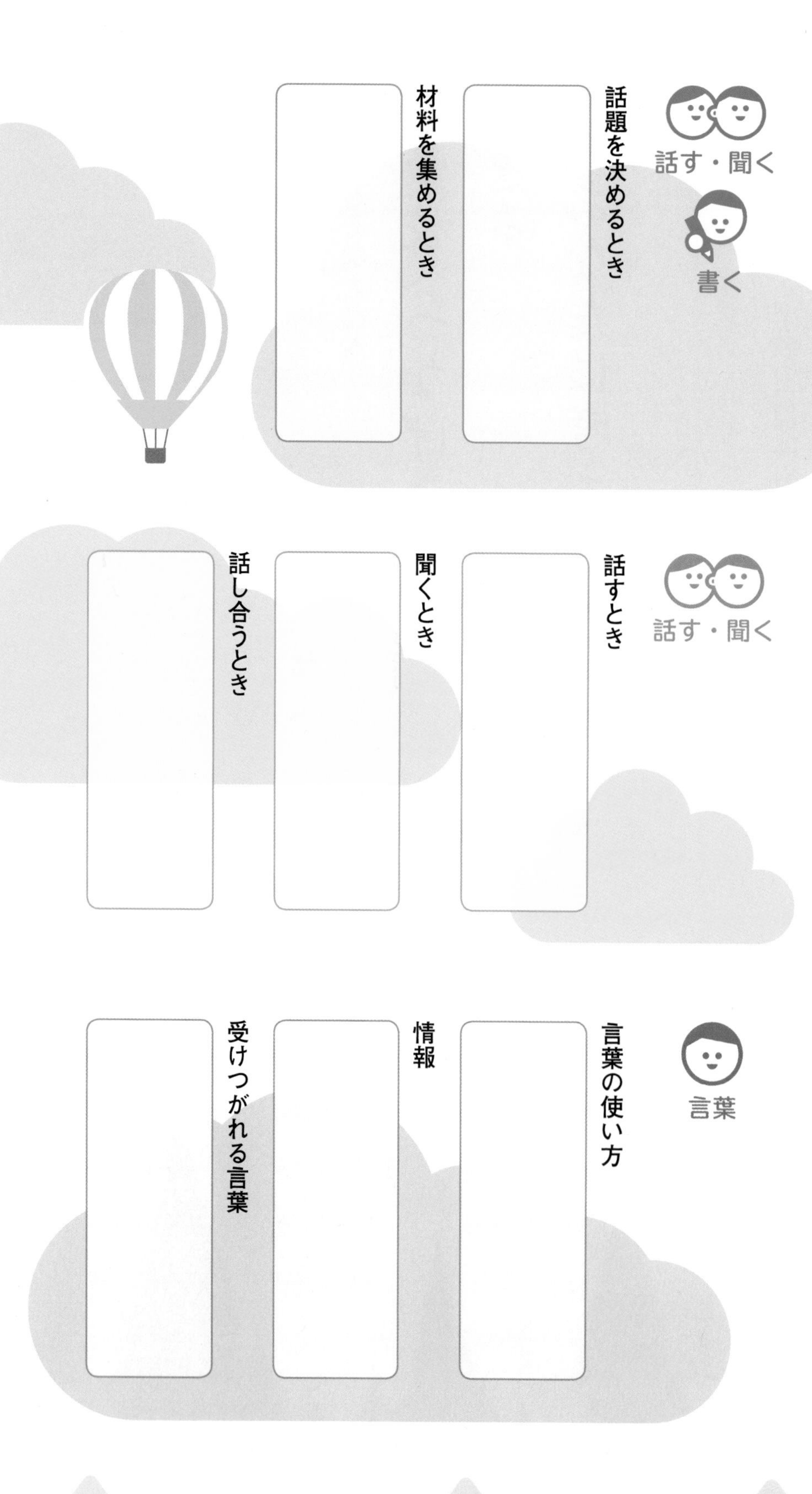

書く

文章を組み立てるとき

文章を書くとき

文章を見直すとき

書いたものを伝え合うとき

読む

構成や内容をとらえるとき

読み深めるとき

読んで自分の考えをまとめるとき

考えを伝え合い、広げるとき

読書

「六年生の国語の学びを見わたそう」 6ページ
「『たいせつ』のまとめ」 248ページ

生きる

谷川(たにかわ)　俊太郎(しゅんたろう)

生きているということ
いま生きているということ
それはのどがかわくということ
木もれ陽(び)がまぶしいということ
ふっと或(あ)るメロディを思い出すということ
くしゃみすること
あなたと手をつなぐこと

5

生きているということ
いま生きているということ
それはミニスカート
それはプラネタリウム
それはヨハン・シュトラウス
それはピカソ
それはアルプス
すべての美しいものに出会うということ
そして
かくされた悪を注意深くこばむこと

生きているということ
いま生きているということ
泣けるということ
笑えるということ
怒（おこ）れるということ
自由ということ

生きているということ
いま生きているということ
いま遠くで犬がほえるということ
いま地球がまわっているということ
いまどこかで産声（うぶごえ）があがるということ

いまどこかで兵士が傷つくということ
いまぶらんこがゆれているということ
いまいまが過ぎてゆくこと

生きているということ
いま生きているということ
鳥ははばたくということ
海はとどろくということ
かたつむりははうということ
人は愛するということ
あなたの手のぬくみ
いのちということ

10　5

今、あなたに考えてほしいこと

中村（なかむら） 桂子（けいこ） 文
大野（おおの） 八生（やよい） 絵

私の家の台所には、春になるとアリがやって来ます。庭にアリの巣があるので、そこから歩いてくるのでしょう。アリにとっては、決して短いきょりではありません。えさを探して、どれほど歩き回るのかなと思います。先日は、自分の体より大きいハムの切れはしを見つけて運んでいきました。私に自分より大きな荷物がどこまで運べるだろうと考えたら、アリの力には感心します。

テレビで、野生動物の生活をさつえいした番組を見たことがあるでしょう。とても強そうに見えるライオンやチーターでも、えものをとるのは簡単なことではありません。食べ物を手に入れるだけでなく、子どもを育てることも大変なことです。こうして、生き物はみな、生きることに全力をつくしています。

5

ですから、野生の生き物たちは、あまり他の生き物のことを考えるよゆうはありません。えさになる生き物をかわいそうだと思っていたら、自分がうえてしまいますし、子どもに食べさせるものがなくなるからです。生き物の世界は厳しいのです。けれども、必要でないときに他の生き物を殺すことはありません。ですから、強い生き物だけが生き残り、他はほろびてしまうということはないのです。みんなが共に生きているのが、生き物の世界です。

花がさくと、ミツバチがおとずれます。ミツバチは、自分と巣にいる幼虫たちの食べ物である蜜（みつ）と花粉を集めにやって来るのです。そのとき、体に付いた花粉の一部は、次におとずれた花のめしべに付き、植物は、実を付け、種を作って、子孫を増やすことができます。ミツバ

チは、一生けんめい生きようとしていたら、思いがけず他の生き物の役に立っていたわけです。このような例は、たくさんあります。こうして生き物全体がうまく生きているのです。

ここで、私たち人間のことを考えてみましょう。私たちも生き物ですから、自分の力を思い切り使って一生けんめい生きることが大切です。

人間は、二本の足で歩くようになったので、手を自由に使うことができ、脳が大きくなりました。また、のどが、言葉を話せる構造になりました。そうして、考えたり、話し合ったりするなど、他の生き物とはずいぶんちがうことができるようになったのです。

そして、二本の足で歩くようになった人間は、自由な手と考える力を使って技術を開発し、自分の力ではできないことができるようになりました。自分でものを運ぶ力はアリに負けるけれど、手おし車を使って大きな荷物を運べるようになりました。今ではトラックも使えます。人間として思い切り生きるということには、技術を使うということも入っています。ですから、次々に開発される新しい技術を、私たちは取り入れて生活しています。それにより、便利さは増しました。でも、便利になればよいとだけ思って技術を使っていると、資源を使いすぎたり、はいき物で環境をよごしたりして、自然をこわしてしまうことがあります。

自然がこわれると、さまざまな生き物たちが生きにくくなります。みんなが共に生きている世界なのですから、他の生き物が生きにくければ人間も生きにくくなるにちがいありません。自分のできることを思い切りやって一生けんめい生きることは大事ですが、人間の場合、技術については、自然をこわさないようにということを考えて使わなければなりません。

ところで、私たちの祖先が二本の足で歩くようになった理由について、おもしろいことが分かってきています。人間は、夫婦と子どもで家族をつくっていました。しかも人間が暮らしていたのは、あまり食べ物が豊富ではないところでしたから、はなれたところから子どもたちに食べ物を運ばなければなりませんでした。そこで、食べ物を手に持って運ぶために、立ち上がった、というのです。人間の歩き方の始まりに、見つけた食べ物を自分だけで食べずに、家族に持って帰ると

二本の足で歩くようになった理由　アメリカの学者C.オーウェン=ラブジョイが一九八一年に発表した学説。

いうやさしい心があったらしいと考えると、うれしくなりますね。

家に残っている家族が、おなかをすかせて食べ物がほしいと思っているだろうと考えるのは、他の人の心を理解することです。生まれたばかりの赤ちゃんには、この能力はありません。でも、赤ちゃんも、家族や周りの人との間でやり取りをしているうちに、だんだん相手の心が分かるようになり、それが全ての人を思いやる気持ちにまで広がるのです。あなたはもう、この心をもっているのではないでしょうか。そして、今、考えたいのは、その思いやりを他の生き物にまで広げることができるはずだということです。その思いやりがあれば、自然をこわさない

暮らし方を考えようという気持ちになれるにちがいありません。

この思いやる気持ちから生まれたのが、想像力です。これは、他の生き物はもっていない、私たち人間だけにあるものです。遠くはなれたアフリカにも、あなたと同じ子どもたちが暮らしていることを想像してみてください。その子どもたちが食べ物に困っていると知ったら、手助けしたいと思いませんか。百年も昔にいたであろう、あなたと同じくらいの子どもたちのことを思いうかべてみてください。どんな遊びをしていたのだろうと考えると、楽しくなってきませんか。また、百年先はどんな社会になっているのだろうと考えると、わくわくしませんか。

このような想像力で、人間だけでなく全ての生き物が上手に生きるにはどうしたらよいだろうと考えることができるはずです。これから生まれてくる人や、生き物たちのことも考えられるはずです。こうして想像力を働かせて、これからのことを考えていくと、みなが生き生き暮らせる社会を考え出すこともできるでしょう。

そして、そのような未来にするには、技術をどのように使ったらよいだろうというところにまで思いを広げることができると思うのです。未来のことまで考えて生き方を探していくのが、今、求められている生き方なのではないでしょうか。そのような生き方で暮らしたら、未来はどうなるのか。そのときの技術はどのようなもので、どう使われているのか。難しいけれど、とても大事なことですし、すばらしいことを思いついたら、未来は今よりずっと楽しくなるにちがいありません。それが、今、あなたに考えてほしいことです。みんなでいっしょに考えていきませんか。

中村　桂子
一九三六年、東京都生まれ。生物学者。生きているってどういうことだろうと考え、研究している。

付録

学習を広げよう

たいせつ

「たいせつ」のまとめ

六年生で学習する、大切なことをまとめています。
・確かめたり、他の学習で使ったりしましょう。
・できるようになったことを、どんな場面でいかしたいですか。空欄に書きましょう。

学習の進め方

決める 集める ◀ 準備する ◀ 話す・聞く ◀ つなげる

聞いて、考えを深める

43ページ

●話し手が、目的や話題に沿って意見を述べ、その理由や事例として適切なものを挙げているかどうかを確かめる。
●自分の考えと比べる、共感したり納得したりできる点を取り入れるなどして、考えを深める。

目的や条件に応じて、計画的に話し合う

137ページ

●目的や条件を確かめて進行計画を立てる。
●自分の主張や理由、根拠を明らかにして話し合いにのぞむ。
●目的や条件に照らして、たがいの考えをよく聞く。
●考えを広げる話し合いと、まとめる話し合いをくり返して、結論に向かう。

資料を使って、自分の考えや思いを効果的に伝える

215ページ

●聞き手の知識や興味・関心に合わせて、資料を考える。
●情報をしぼったり、図表を使ったりして、効果的な資料を作る。
●聞き手の反応を確かめながら、話し方や表現を工夫する。

こんな場面でいかそう

言葉を選んで、短歌を作る 63ページ

●伝えたい思いや、そのときの様子を思い出して、言葉を選んだり、並べ方を変えたりするなど工夫する。

提案する文章を書く 75ページ

次のことに気をつけて、提案する文章を構成する。

●現状や問題点を整理し、提案の理由を明確にする。

●提案の内容を、具体的に示す。

●提案が実現したときの効果を示す。

伝えたいことに合わせた構成を考える 157ページ

●伝えたいことを明確にし、それが効果的に伝わる文章構成を考える。

●絵や写真などと文章との組み合わせを工夫して、読み手を引きつける。

考えたことや感じたことを伝える 180ページ

●自分の経験と、そのときの自分の気持ちが伝わるように、くわしく書くとよいところはどこか考える。

●自分が考えたことや、感じたことにふさわしい言葉を選んで書く。

伝えたい思いを明確にして書く 211ページ

●材料となることを集め、伝えたいことを意識しながら整理する。

●どのような形式や表現を使うと、思いがよく伝わるのかを考える。

●読んだ人に、自分の思いが伝わっているかを確かめる。

こんな場面でいかそう

読む

学習の進め方

とらえる ▶ ふかめる ▶ まとめる ▶ ひろげる

説明する文章

筆者の主張と、それを支える事例をとらえる

56ページ

●文章全体の構成を確かめ、主張と事例が、それぞれどの部分に書かれているかをとらえる。

●何のためにその事例が挙げられているのか、筆者の意図を考える。

●筆者の主張や挙げられた事例について、自分の経験や知識と関係づけながら読む。

筆者の考えと表現の工夫をとらえる

151ページ

●筆者の伝えたいことと、絵などの資料の使い方との関わりを考えて読む。

物語

人物像をとらえる

32ページ

●人物の様子や行動を表す言葉、会話文などから、その人物のものの見方や考

●取り上げたものに対して、何に着目し、どのような言葉で説明や評価をしているかをとらえる。

複数の文章を読んで考えたことを交流する

198ページ

●それぞれの文章の論(ろん)の展開(てん)や、表現の特徴(ちょう)に気をつけて、考えや述べ方の共通点や異(こと)なる点を見つける。

●筆者の主張をとらえ、自分の経験や知識と重ね合わせながら自分の考えをもつ。

●さまざまな人や文章と対話し、その考えにふれると、自分の考えが深まる。

世界が生まれているかを考える。

●作者の生き方や、他の作品の書かれ方と関連させて、考えを深める。

こんな場面でいかそう

〈説明する文章〉

〈物語〉

え方を想像する。

●語られる視点によって、人物の見え方はちがってくる。

●自分と比べながら読むことで、人物像を深くとらえることができる。

作品の世界をとらえる

126ページ

●内容とともに、次のような点からも、作者が作品にこめた思いを考える。

・題名のつけ方

・構成

・表現のしかたや言葉の使い方

●作者の表現によって、どのような作品

物語の読みを広げる

232ページ

次のことに気をつけて、読んだ人どうしで語り合うと、物語の読みが広がる。

●周囲の人物が、中心となる人物にどのようなえいきょうをあたえたか。

●それらの人物のものの見方や考え方から、物語が伝えようとしていることは何か。

読書

自分と本との関わりについて考える

82ページ

本との関わりについて考えることで、読書生活を豊かにすることができる。

●本のテーマに着目すると、本が、自分にとってどんな存在かや、自分の考えをどう広げてきたかに気づくことができる。

●本との関わり方を交流することで、多様な見方や考え方にふれることができる。

〈読書〉

課題の見つけ方、調べ方

決めよう

1 立場を決めよう

課題についての自分の立場を決めましょう。

①課題を考える。

②その課題について、縦と横にそれぞれ対になる観点を設け、その観点で考えたことを書き出す。

③書き出したことの中から、特に大切にしたい考えを選ぶ。

外からその地域に来る人に向けて

新たなことを実現する		これまでのよさを大切にする
案内板の表記などについて，海外の方が分かるような工夫をする。	地域を活性化するために	地域の伝統工芸を広く知ってもらえるような取り組みをする。
世代をこえて参加・交流できる行事を行う。		地元の人に親しまれている川を美しく保つ。

その地域に住む人に向けて

2 調べたいことを決めよう

自分の考えを支えたり、より具体的にしたりするために必要な情報は何かを考え、調べたいことを決めましょう。

地域の伝統工芸を広く知ってもらいたい。そのためには、ぼく自身が地域の伝統工芸について、くわしく知る必要があるな。

ぼくの町の伝統工芸が知られていない原因は、何だろう。

他の地域で行っている取り組みが、参考になりそうだ。

集めよう

3 調べよう

知りたいことについて、複数の情報を集め、それらを関連づけながら、調べましょう。

計画を立てて、始めよう。

新聞やインターネットで調べる

調べたいことによって、メディアを使い分けよう。

施設に行って調べる

〈図書館・博物館・資料館など〉

地域の伝統工芸について、博物館で調べてみよう。

「地域の施設を活用しよう」34ページ

情報を読み取る

ぼくの主張を支える事例として適切なのはどれかな。

「主張と事例」57ページ

情報を組み合わせる

共通点から、まとめていえることがありそうだ。

「ものの考え方、伝え方」11ページ
「情報と情報をつなげて伝えるとき」68ページ

地域の伝統工芸を広く知ってもらうことが、地域の活性化につながるという主張の根拠と事例が見つかったよ。

考えを図で表そう

アイデアを出したり、考えをまとめたりするときは、図や表を書きながら考えましょう。

「ものの考え方、伝え方」→11ページ

考えをつなぐ、広げる

中央にテーマを表す言葉を書き、そこから考えや物事をつないだり、広げたりしていく。

考えや物事の関係を整理したり、アイデアを広げたりするのに役立つ。

○○県
歴史
古墳
城
食べ物
おかし
和食
人口
行事
祭り
もちつき
文化
面積

○○県の特徴

分類する

似ている事がらどうしをグループにして、名前をつける。

たくさんの事がらを整理するのに役立つ。

電気を使う
エアコン
せんぷうき

電気を使わない
緑のカーテン
うちわ
打ち水

すずしい気分にする
ふうりん
寒色系の色の家具を置く

夏をすずしく過ごす方法

順序を確かめる

時間や事がらの順序に沿って物事を書き出し、矢印でつなぐ。二つに分かれるところもある。

進め方を考えたり、今の位置や順序を確かめたりするのに役立つ。

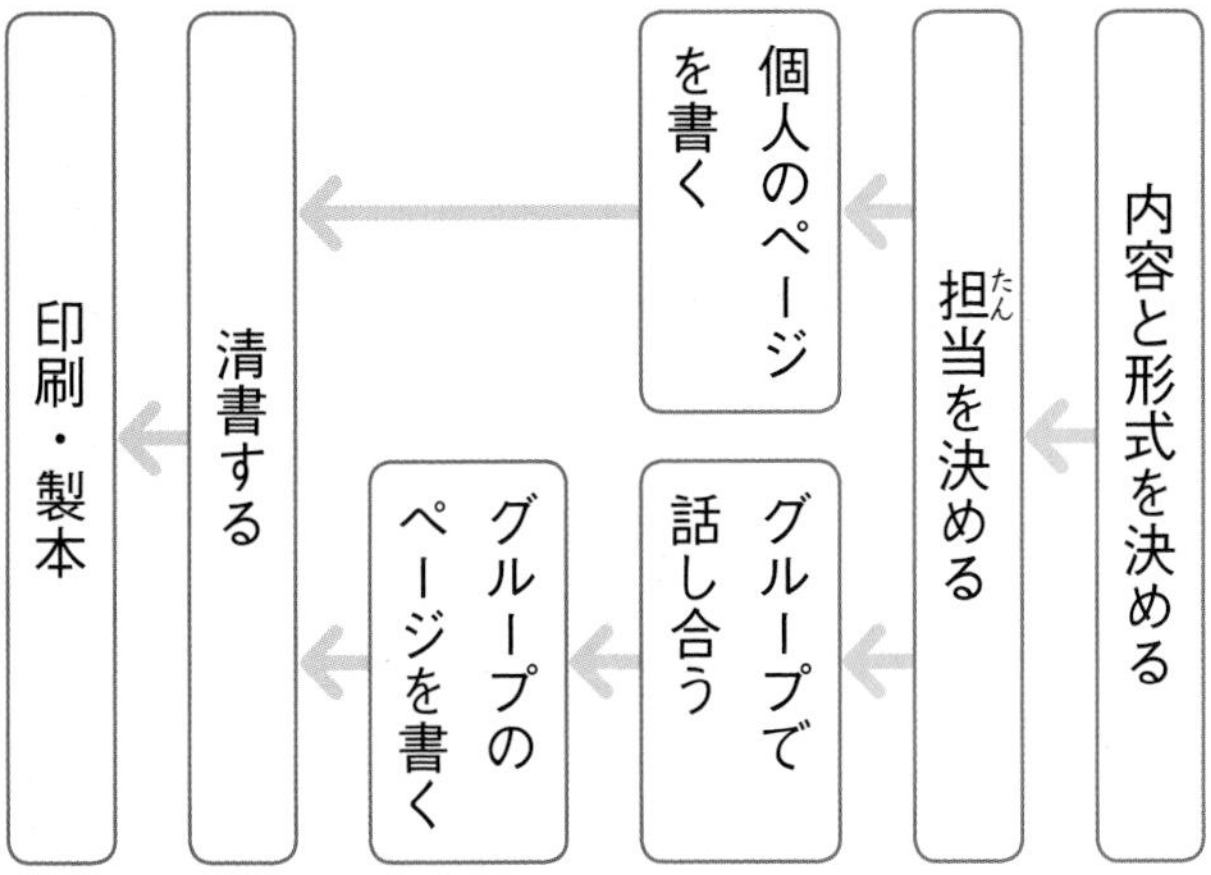

内容と形式を決める → 担当を決める → 個人のページを書く → 清書する → 印刷・製本

担当を決める → グループで話し合う → グループのページを書く → 清書する

卒業文集作成の計画

同じ点と異なる点で比べる

二つの物事について、二つともがもつ特徴、それぞれにしかない特徴を分けて書く。

二つの物事を、同じ点と異なる点で比べることができる。

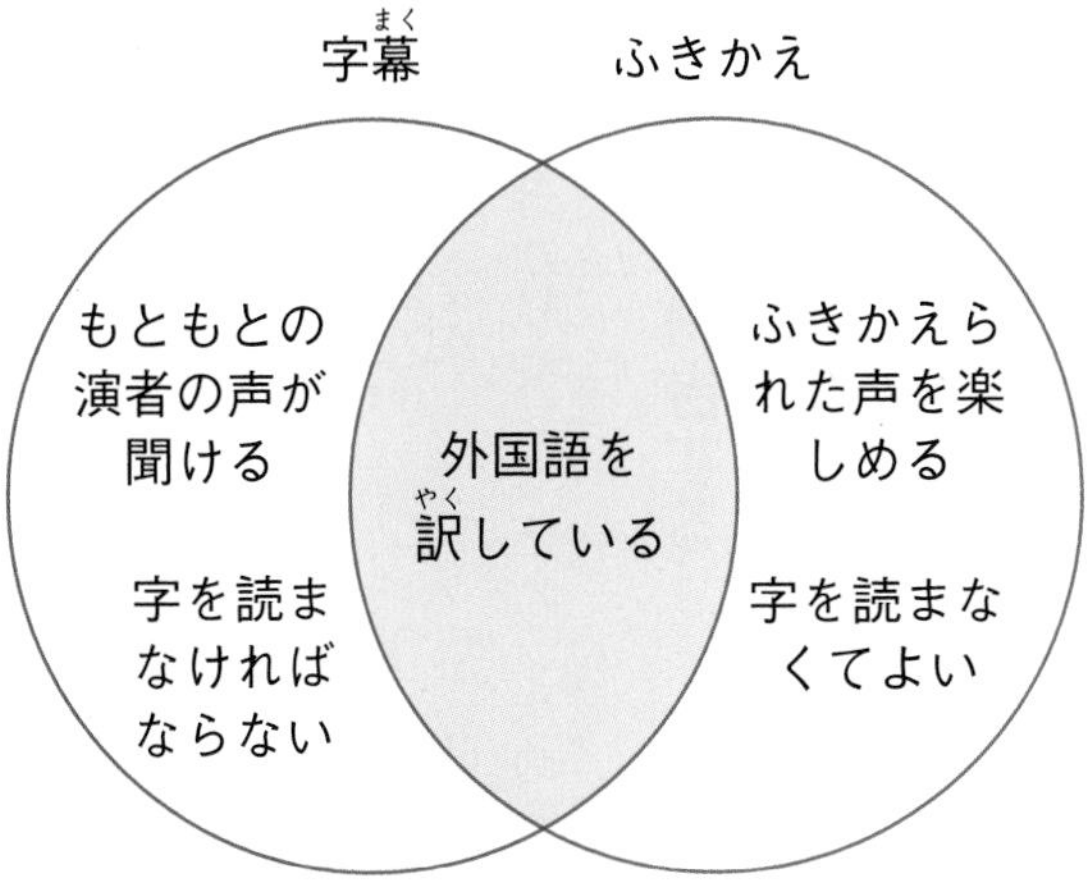

字幕

もともとの演者の声が聞ける

字を読まなければならない

外国語を訳している

ふきかえ

ふきかえられた声を楽しめる

字を読まなくてよい

外国の映画を字幕とふきかえで見る場合

観点を挙げて比べる

表を作り、一方に比べる物事を、もう一方に比べる観点を挙げ、中身を書きこむ。

それぞれの物事を観点別に見ることができる。

調べる観点＼水溶液	食塩水	アンモニア水	塩酸	炭酸水
様子	水と同じ	水と同じ	水と同じ	あわ
におい	なし	あり	あり	なし
蒸発させると残る物	白い物	なし	なし	なし
リトマス紙の変化	青→青 赤→赤	青→青 赤→青	青→赤 赤→赤	青→赤 赤→赤

水溶液の性質

言葉を使って伝えるときには

言葉を使って、物事を表したり伝えたりするときには、その目的や内容、方法によって、大切なことが変わります。確かめましょう。

記録する
――分かりやすく残すために

■観察記録
- 様子を、言葉で具体的に表す。

■読書記録
- 本の情報を正しく書き取る。
- 引用や要約で、内容を書き留める。

■日記
- 出来事をくわしく書く。

報告する
――分かりやすく伝えるために

■体験を報告する
- 体験を順序立てて書く。
- 体験と、感想や考えを区別する。

■調べたことを報告する
- 情報を正確に収集（しゅう）して示す。
- 何を、どうやって調べたのかを示す。
- 問いとその答えを対応させる。
- 順序立てて伝える。

話し合う
――考えを広げ、深めるために

- 自分の立場や考え、その理由を明らかにする。
- 出された考えや意見の、共通点と異（こと）なる点を明確にする。

インタビューする
――たくさんのことをきき出すために

- 目的に沿（そ）って質問を考える。
- 相手の答えに応じて質問を変えたり、新たに考えたりする。

説明する

——相手に理解してもらうために

- 説明する事がらの関係をとらえ、それに応じた構成を考える。（順序、全体と中心、考えと理由や例、原因と結果など。）
- 最初に、話題をはっきりさせる。

意見を伝える

——相手に納得してもらうために

- 主張と理由、それを支える根拠を明確に示す。
- 予想した反論をふまえる。

しょうかいする・すいせんする

——相手によさを伝えるために

- 相手や条件に応じて情報を選ぶ。
- 理由を明確にする。

提案する

——相手に働きかけるために

- 提案と理由を具体的に伝える。
- 提案の効果を伝える。

手紙を書く

——相手にきちんと伝えるために

■お礼を伝える

- 経験や気持ちをくわしく表す。

■案内する

- 相手にとって大事なことを考える。

詩や物語を作る

——感じたことを表現するために

- 言葉をよりすぐる。
- 構成や、言葉の並べ方を工夫する。
- 表現や、言葉の調子を工夫する。

言葉の交流

日本語にはない物や考え方が外国から入ってきたとき、私（わたし）たちは、それを表す言葉をどのように取り入れるのでしょうか。

一つには、発音ごと取り入れる方法があります。外来語とよばれ、ふつうは片仮名（かたかな）で書きます。

■ 外来語の例

ポルトガル語	カステラ，コンペイトー，パン，オルガン，カルタ　など
オランダ語	エキス，ペンキ，ガス，レンズ，インキ，ゴム　など
ドイツ語	ガーゼ，カルテ，ゲレンデ，ザイル，アルバイト　など
フランス語	ズボン，クレヨン，アトリエ，デッサン，オムレツ，グラタン　など
イタリア語	オペラ，ソプラノ，テンポ，パスタ，ピザ　など
英語	メモ，カメラ，テーブル，スポーツ，ビジネス，コミュニケーション　など

上の表のように、さまざまな言語が外来語の元になっています。初めに入ってきたのがポルトガル語で、十六世紀から十七世紀に伝わってきました。鎖（さ）国していた江戸（えど）時代も、交易のあったオランダからは、医学や化学などに関する言葉が入ってきました。そして、幕（ばく）末・明治以降（こう）は、各国から次々と新しい言葉が入ってきます。なかでも英語が多いことは、イギリスやアメリカからのえいきょうが大きかったことを物語っています。

もう一つ、漢字のもつ意味を利用し、訳（やく）語を作って取り入れるという方法があります。特に、明治時代の初めごろには、次々と入ってくる新しい考え方や仕組みに対して、「科学」「国際」「時間」「哲（てつ）学」「野球」など、多くの訳語が作られ、定着しました。

日本語に他の言語を取り入れるのと同じように、世界各地で取り入れられている日本語もあります。

例えば、和食は、さまざまな国で注目されていますが、「すし」や「弁当」、「とうふ」など、そのまま使われている言葉がたくさんあります。また、「津波」は、学術用語「tsunami」として世界各地で使われています。

言葉には、その言葉を使う人たちの文化や考え方、ちえや技術などがつまっています。人々が交流することによって、言葉も交流します。たがいの言葉を尊重しながら、言葉の交流を大切にしたいものです。

アイヌ語の地名が伝えること

アイヌ語は、北海道や本州北部、その周辺で、古くから暮らしてきたアイヌの人たちの言葉です。アイヌ語を身近に感じられるものに地名があります。特に、北海道の地名の多くは、アイヌ語が元になっています。

北海道では、紋別や登別、札内といったように、「ベツ」や「ナイ」と付く地名をよく見かけます。これらの多くは、アイヌ語で川や沢を意味する「ペッ」や「ナイ」が元になっています。アイヌの人たちにとって川は、交通手段や食料を得る重要な場所だったため、川の様子を表す地名が多いのだと考えられます。

また、みさきを「エトゥ（鼻）」、川の支流を「ウッ（ろっ骨）」などと、体の一部にたとえた地名もあります。アイヌの人たちの、自然も人間と同じく生きているという考えが反映された表現といえます。

アイヌ語が由来となっている地名からは、アイヌの人たちの伝統的な暮らしや考え方をうかがえるのです。

知床は，「シリ（地）・エトク（先端）」が元になっている。

敬語

敬語を適切に使って、話したり書いたりしましょう。

尊敬語

相手や話題になっている人を敬う気持ちを表す。

①特別な言葉を使った言い方。

- いらっしゃる（いる・来る・行く）
- おっしゃる（言う）
- くださる（くれる）　など

②「お（ご）――になる」という言い方。

- 校長先生がお話しになります。

③「――れる（られる）」という言い方。

- 先生は、もう帰られました。

④物事を表す言葉に「お」や「ご」を付けた言い方。

- ご卒業おめでとうございます。

謙譲語

自分や身内の者の動作をけんそんして言うことで、その動作を受ける人への敬意を表す。

①特別な言葉を使った言い方。

- うかがう（行く・たずねる・聞く）
- いただく（食べる・もらう）　など

②「お（ご）――する」という言い方。

- お客様を、お見送りしましょう。
- 講師の方を、会場にご案内する。

ていねい語

相手（聞き手や読み手）に対する敬意を表す。

「です」「ます」「ございます」　など

ローマ字の表

　ローマ字を書いたり，コンピュータに文字を入力したりするときにいかしましょう。

大文字／小文字		ア段（だん） A/a	イ段 I/i	ウ段 U/u	エ段 E/e	オ段 O/o			
ア行		あ a	い i	う u	え e	お o			
カ行	K/k	か ka	き ki	く ku	け ke	こ ko	きゃ kya	きゅ kyu	きょ kyo
サ行	S/s	さ sa	し si [shi]	す su	せ se	そ so	しゃ sya [sha]	しゅ syu [shu]	しょ syo [sho]
タ行	T/t	た ta	ち ti [chi]	つ tu [tsu]	て te	と to	ちゃ tya [cha]	ちゅ tyu [chu]	ちょ tyo [cho]
ナ行	N/n	な na	に ni	ぬ nu	ね ne	の no	にゃ nya	にゅ nyu	にょ nyo
ハ行	H/h	は ha	ひ hi	ふ hu [fu]	へ he	ほ ho	ひゃ hya	ひゅ hyu	ひょ hyo
マ行	M/m	ま ma	み mi	む mu	め me	も mo	みゃ mya	みゅ myu	みょ myo
ヤ行	Y/y	や ya	(い) (i)	ゆ yu	(え) (e)	よ yo			
ラ行	R/r	ら ra	り ri	る ru	れ re	ろ ro	りゃ rya	りゅ ryu	りょ ryo
ワ行	W/w	わ wa	(い) (i)	(う) (u)	(え) (e)	を※ (o) [wo]			
ン		ん※ n							
ガ行	G/g	が ga	ぎ gi	ぐ gu	げ ge	ご go	ぎゃ gya	ぎゅ gyu	ぎょ gyo
ザ行	Z/z	ざ za	じ zi [ji]	ず zu	ぜ ze	ぞ zo	じゃ zya [ja]	じゅ zyu [ju]	じょ zyo [jo]
ダ行	D/d	だ da	ぢ※ (zi) [di]	づ※ (zu) [du]	で de	ど do	ぢゃ※ (zya) [dya]	ぢゅ※ (zyu) [dyu]	ぢょ※ (zyo) [dyo]
バ行	B/b	ば ba	び bi	ぶ bu	べ be	ぼ bo	びゃ bya	びゅ byu	びょ byo
パ行	P/p	ぱ pa	ぴ pi	ぷ pu	ぺ pe	ぽ po	ぴゃ pya	ぴゅ pyu	ぴょ pyo

[　　]の中の書き方も使うことができる。(　)は，重ねて出してあるもの。

※コンピュータに文字を入力するときは，次のように打ちます。

を → wo　ん → nn　ぢ → di　づ → du　ぢゃ → dya　ぢゅ → dyu　ぢょ → dyo

対話を通して学び合う

友達と話すことで新たなことに気づいたり、考えが深まったりすることがあります。これまでに行ってきた対話をふり返り、日常生活や他の教科の学習でいかしましょう。

二人で伝え合う

二人で気軽に話すことで、新たな考えを見つけられることがあります。

お話を作ってみたんだけど、どう思う。
楽しいお話だね。山場で、もう少しおどろきがあるといいかもしれない。

グループで意見をまとめる

出し合ったアイデアを分類したり、話し合いの目的

グループでアイデアを出し合う

何人かで話すと、一人で考えているときよりも、アイデアが出たり、広がったりします。

地域の人との交流を深めるために、何ができるだろうか。
音楽祭に来てもらうのはどうかな。
それなら、運動会や学習発表会に招待するのも考えられるよ。

立場を決めて討論する

ある問題について、異なる立場に分かれて議論する

をふり返ったりすると、よりよい考えにたどり着きます。

地球環境を守るために、どんな提案をしたらいいだろう。

たくさんの案が出たけれど、まずは、私たちができることにしぼろう。

全員で話し合う

みんなに関係することは、全員で話し合うと納得できる結論になります。

音楽祭で歌うクラスの合唱曲について、意見を出してください。

私は、岩崎さんの意見に賛成です。なぜなら、歌詞のイメージが私たちにぴったりだからです。

と、論点がはっきりし、考えが深まります。

私は、学級文庫にまんがを置かないほうがいいと思います。

まんがには、学習に役立つものもありますが、その点はどう考えていますか。

相手に質問する

興味をもって聞き、話の流れに沿って質問することで、多くの情報を引き出せます。

矢島さんがピアノを習い始めたきっかけは何ですか。

実は、最初は母に言われて、いやいや始めたんです。

デジタル機器を使って、プレゼンテーションをしよう

資料を使って発表することを、プレゼンテーションといいます。デジタル機器を使って説明するときには、どんなところに気をつけたらよいかを確かめましょう。

提示するものを作るとき

- 伝えたい内容や相手に合わせて、見せるものを選ぶ。
- 一つの画面に、情報を入れすぎないようにする。
- 後ろからも見えるように、文字や写真の大きさに気をつける。

提示しながら話すとき

- 資料を見てほしいときは、見てほしい部分を指さすなどして、聞き手の注意をうながす。
- 聞き手が資料を読むための間を取る。
- 提示している資料ではなく、聞き手を見るようにする。

この写真を見てください。ここは、地球のいちばん北にある、北極という場所です。ホッキョクグマが小さい氷の上にいるのが分かりますか。実は、この北極では、地球温暖(だん)化により、海の氷がとけてしまっているのです。――

北極の氷が減っている

本の世界を広げよう

盆まねき

富安 陽子
高橋 和枝 絵

ホラふき山のおじいちゃんたちから、次々と不思議な話を聞いたなっちゃん。「盆まねき」最後の夜にみんなからはぐれてしまい――。

ルリユールおじさん

いせ ひでこ 作

ルリユールとは本のお医者さんみたいな人。魔法の手によって、ぼろぼろになった本を立派によみがえらせる。

物語・絵本

冒険者たち

斎藤 惇夫 作
薮内 正幸 画

島ネズミを助けるため、夢見が島に向かったガンバと仲間たち。どうもうなイタチの群れと力をつくして戦う。

トムは真夜中の庭で

フィリパ=ピアス 作
高杉 一郎 訳

トムは、古い大時計が夜中に十三回も鳴るのを聞いた。おどろいたトムは、そっとベッドからぬけ出す。

モギ　ちいさな焼きもの師

リンダ=スー=パーク
片岡 しのぶ 訳

ミンのような焼きもの師になりたい。モギは親のように見守るトゥルミのはげましを受け、夢の実現に向かう。

ぼくらの先生!

はやみね かおる

なくなったくつ。肝だめしの夜に起きた不思議。定年退職した先生が、学校での出来事を語るミステリー短編集。

ヨーンじいちゃん

ペーター=ヘルトリング 作
上田 真而子 訳

ヨーンじいちゃんは、おしゃれもするし、恋もする。ちょっと変わっているけれど、にくめない。

夏の庭 The Friends

湯本 香樹実

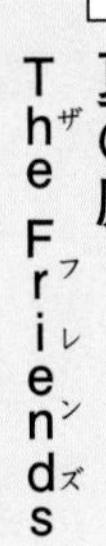
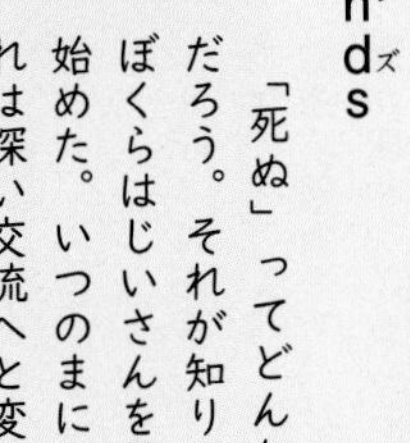

「死ぬ」ってどんなことだろう。それが知りたくて、ぼくらはじいさんを見張り始めた。いつのまにか、それは深い交流へと変わった。

漂泊の王の伝説

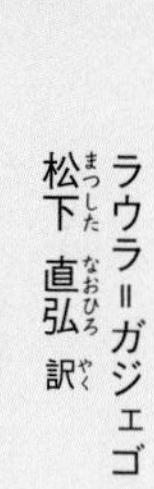

ラウラ＝ガジェゴ＝ガルシア
松下 直弘 訳

のろわれたじゅうたんを追って、王子ワリードは砂ばくをさすらう。自分の行いのつぐないをするために。

夏のとびら

泉 啓子 作
丹地 陽子 絵

麻也はバスケットクラブの副キャプテンで、練習に燃えていた。しかし、とつぜんの出来事が、日常を大きく変えていく。

トモ、ぼくは元気です

香坂 直

小学校最後の夏休み、和樹を待っていたのは「罰」として祖父母の家で過ごす生活だった。ささくれた心を街が包む。

ハッピーノート

草野 たき 作
ともこ エヴァーソン 画

友達にきらわれたくない。聡子も霧島君もみんな、じゅくで、学校で、家で、いろいろな顔をもつ。でも本当の自分って——。

リバウンド

E＝ウォルターズ 作
小梨 直 訳
深川 直美 画

カナダに住むショーンと、車いすに乗った転校生デーヴィッド。二人の少年を結ぶのは、バスケットボールだった。

科学・知識

世界を動かした塩の物語

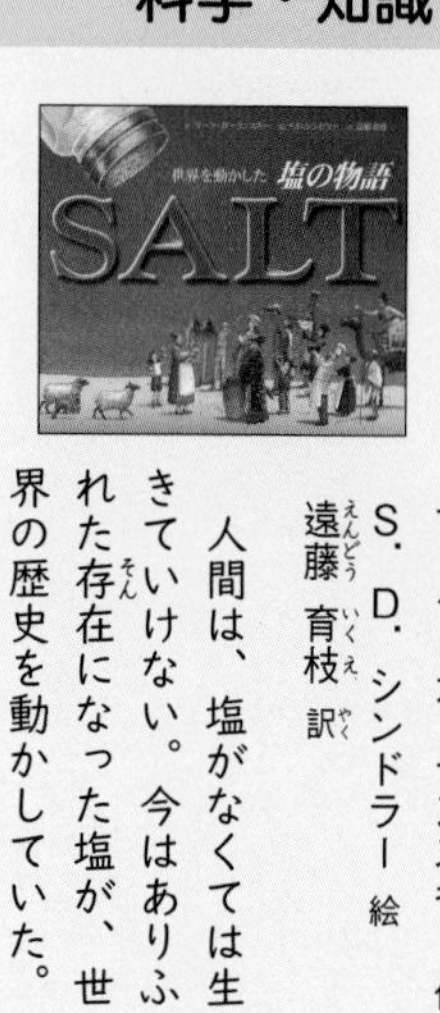

マーク＝カーランスキー 作
S．D．シンドラー 絵
遠藤 育枝 訳

人間は、塩がなくては生きていけない。今はありふれた存在になった塩が、世界の歴史を動かしていた。

両親をしつけよう！

ピート＝ジョンソン 作
岡本 浜江 訳
ささめや ゆき 絵

ルーイはお笑いタレントを目ざしている。でも親は勉強、勉強って。じゃあ、親に変わってもらおう。作戦開始。

今昔物語集

令丈 ヒロ子 著
つだ なおこ 絵

鬼のあやしい話や、ねこぎらいな金持ちのこっけいな話。「今は昔」で始まる、おかしくて不思議な平安時代の話の宝庫。

世界一おいしい火山の本

林 信太郎 著

チョコレートやココアを使って、火山を作ってみよう。おいしい実験で、火山の仕組みを分かりやすく説明した本。

0.1ミリのタイムマシン

須藤 斎

小さな化石から、地球の歴史が見えてくる。過去を知ることは、未来を考えることにつながる。

アレルギーってなに？

海老澤 元宏 監修
坂上 博 著

世界で初めてアレルギーになったのは、今から五千年前のエジプトの王様って本当なのかな。アレルギーのなぞを解説する本。

月はぼくらの宇宙港

佐伯 和人

人が太陽系へ進出するための宇宙港として注目の「月」。解説とミニ実験コーナーで、月にくわしくなれる。

歴史人物・文化遺産 ⑥江戸時代（後期）・幕末

鎌田 和宏 監修

徳川吉宗や西郷隆盛など、江戸時代後期から幕末の人物と文化をしょうかい。歴史の裏話なども興味深く読める。

キュビスムって、なんだろう？

ケイト＝リッグス 編

キュビスムの絵は、丸や四角、三角などの形を重ねてかかれています。絵の中にかかれた形を見つけましょう。

音楽をもっと好きになる本 3 音楽家に親しむ

松下 奈緒 ナビゲーター
ひの まどか 執筆・監修

バッハなど、有名な音楽家はどんな人だったのか、名曲はどうやって生まれたのかなどが分かる本。音楽がもっと身近になる。

学校にいくのは、なんのため？

長田 徹 監修
稲葉 茂勝 著

現代の社会問題をふくめて、学校で学ぶ意味や目的を考える。自分の将来の生活や人生の設計もいっしょに考えたい。

アンネのバラ

國森 康弘

「アンネのバラ」を育て続けること、それは平和への願いを引きつぐこと。命について思いを深めること。

ネルソン・マンデラ 自由へのたたかい

パム＝ポラック・メグ＝ベルヴィソ 著
伊藤 菜摘子 訳

刑務所に入れられながらも、人種差別に立ち向かったマンデラ氏。つらぬいたものは、自由と平等だった。

鉄は魔法つかい

畠山重篤 著
スギヤマカナヨ 絵

カキやホタテのようしょくをしている筆者は、カキと鉄の関係を知ったことから、鉄の研究を始める。

もしも日本人がみんな米つぶだったら

山口 タオ 文
津川 シンスケ 絵

一万人、百万人といった大きな数字。どれぐらいか想像できるかい。お米を使って、大きな数を実感しよう。

よくわかるネット依存

遠藤 美季 監修

ネット依存とは何か、ネット依存による体へのえいきょうなど、便利さの裏にひそむ問題と、予防策が分かる本。

池上彰のニュースに登場する世界の環境問題 ⑩エネルギー

私たちの生活を便利にする、エネルギー。どんな課題があるのかを知り、未来のために行動しよう。

深海大探検!

ワン・ステップ 編
海洋研究開発機構 協力

有人せん水調査船「しんかい6500」や無人探査機の、仕組みやかつやくぶりをしょうかい。深海の調査について分かる本。

考える練習をしよう

マリリン＝バーンズ
マーサ＝ウェストン 絵
左京 久代 訳

頭をやわらかくして、いろいろな角度から物事を見てみよう。そうすると、人生が少し豊かになる。

暑さとくらし

宿谷 昌則 監修
鈴木 信恵 著

暑さを防ぐさまざまな工夫をしょうかい。私たちがより快適に生活するためには、どのようにしたらよいかを考える本。

えほん日本国憲法

野村 まり子 絵・文
笹沼 弘志 監修

私たちの自由で幸せな暮らしを守るために創られた日本国憲法。その条文を絵と文で読んでみよう。

いのる

長倉 洋海

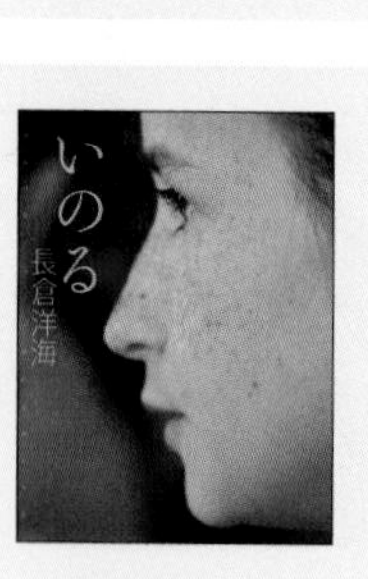

人は、何のためにいのるのだろう。今日も、世界の各地で人々のいのりは続いている。

詩・言葉

□地球へのピクニック

谷川俊太郎 詩
長新太 絵

谷川俊太郎さんの詩がぎっしりつまっている。初めてだけれど胸にしみる詩、どきっと心をノックされる詩。

□声に出そう はじめての漢詩 一 自然のうた

全国漢文教育学会 編著
鴨下潤 絵

中国で生まれた漢詩。声に出して読むことから始めてみよう。そこには新しい言葉の世界が待っている。

□サキサキ オノマトペの短歌

穂村弘 編
高畠那生 絵

すてきな短歌に、すてきな絵。絵をめくると、おもしろい解説が付いている。よりすぐりの短歌十四首を集めた絵本。

読み終わった本には、□に印を付けましょう。

本のしょうかい合戦

本のみりょくについてスピーチやプレゼンテーションをし合い、聞いている人が、いちばん読んでみたいと思った本を決めます。

子ども司書になろう

本や図書館の利用にくわしい子ども司書になって、学級文庫を運営したり、図書委員会に学校図書館の改善を提案したりしましょう。

〈学級文庫の運営の例〉

- 新しく入った本にポップや帯を付ける。
- おすすめ本コーナーの設置。 など

〈学校図書館の改善提案の例〉

- 地域の資料を集めたコーナーを作る。
- 定期的にブックトークを行う。 など

書評を書こう

読んだ本をしょうかいするために、どんな内容か、どんなよいところがあるかを、自分の感想を交えて書きましょう。

〈例〉

カラスは悪い鳥なのか!?
「わたしのカラス研究」
柴田佳秀

いちばん身近で，最もきらわれている鳥，カラス。その暮らしには，多くのなぞがある。食べ物，ねどこ，子育て——。それらを解き明かす筆者の情熱に，目と心をうばわれる。

写真を中心に，ぱらぱらとめくるだけでもいい。ぜひ手にとってほしい。

いかだ

ジム＝ラマーシュ　作
金原　瑞人　訳

▼次の課題に取り組もう。
- 情景を想像しながら読もう。
- 物語の中での、「ぼく」と「おばあちゃん」の関係や、「ぼく」自身の変化について考えよう。

今年の夏、父さんの仕事の関係で、ぼくは川辺に住んでいるおばあちゃんの家で過ごすことになった。いっしょに遊べる友達もいなければ、テレビもない。おばあちゃんの家の前で父さんの車を見送っていると、なみだがこみ上げてきた。

そんなぼくを、おばあちゃんは、「おいで、ニック。夕食にするよ。」と言って、キッチンに連れていった。

「コーンブレッドには、はちみつとメープルシロップ、どっちがいい。」

「コーンブレッド、きらいなんだ。」ぼくは小さな声で言いながら、おばあちゃんがむこうを向いているすきに、メープルシロップの中に指をつっこんだ。

「手を洗ってからにしなさい。」おばあちゃんが言った。背中に目がついてるのかと思った。洗面所に行くとちゅう通った部屋がすごかった。かべにスケッチや、川の地図や、つりざおや、つり道具が入ったケースや、シュノーケルや、水中めがねがかけてあった。川ネズミの仕事部屋みたいだ。川のそばに住んでいる人のことを、みんなはよく、川ネズミとよぶ。その部屋には、作りかけのクマのちょうこくもあった。

「ほり始めてもう何年もたつんだけど、なかなか仕上がらなくてね。」おばあちゃんがキッチンから言った。「本物は、外のごみ捨て場をうろついてるよ。

さあ、こっちに来て食べなさい。クマにあげちゃうよ。」

ぼくの仕事はたくさんあった。朝、まきを割って、雨どいのそうじを手伝って、トラックの点火プラグを取りかえた。夕方近く、つりざおとうきと、えさの赤虫をわたされた。

「今夜は魚料理だね。」おばあちゃんはそう言って、つり針にえさを付けてみせてくれた。「この川には太ったブルーギルがいっぱいいるんだ。えさをスイレンの葉のそばに落としてごらん。そうすればつれるよ。」

桟橋に行ってみると、スイレンの葉は岸のすぐ近くにあった。そんなところに魚がいるわけない。ぼくは桟橋の先まで行って、さおをふって、えさをできるだけ遠くに放った。そしてすわって、待った。待っても、待っても、うきはぴくりともしない。

夕食はハンバーガーになった。

「もう一度やってごらん。」次の日の夕方、おばあちゃんが言った。「何かつれるよ。」

期待しないでね。ぼくは心の中でつぶやきながら、桟橋まで行って、つり糸を垂れた。そしてねそべっているうちにねむってしまい、鳥の鳴き声で目が覚めた。起き上がってみると、鳥の群れが川の上をこちらにやって来る。川にうかんでいるものを追いかけているみたいだ。それは川を流れて、どんどん近づいてくると桟橋にぶつかった。

葉や枝のかたまりかと思ったけど、よく見ると、四角いいかだだった。縦も横も、ぼくの身長より長い。手をのばして葉をかき分けると、絵がかいてあった。ウサギだ。昔のどうくつのかべにかかれた絵みたいだ。葉をはらっていくと、次々に動物の絵が出てきた。クマ、キツネ、アライグマ――。どれもウサギの絵と同じで、かっこいい。だれがかいたんだろう。

家にもどると、おばあちゃんがポーチ①で本を読んでいた。

「ロープある。」

「ここにあるよ、ニック」。おばあちゃんが答えた。何に使うのかはきかれなかった。

ぼくはいかだを川岸におし上げて、桟橋にくくりつけた。ずっと、鳥たちが頭の上を飛んでいた。ときどき、いかだに下りてくる。いかだの友達みたいだ。

次の日の朝、桟橋にいると、おばあちゃんがライフジャケットと、長い棒を持ってきた。いかだを見ても、いかだの絵を見ても、にこにこしていて、ちっともおどろかない。

「知ってたの――」。ぼくはびっくりした。

「さあ、出発」。おばあちゃんはライフジャケットをこっちに放って、いかだに乗りこんだ。おばあちゃんが棒で川底をぐっとおすと、いかだはゆっくり川の流れに乗って進み始めた。


「さあ、ニックの番だ」。少しすると、おばあちゃんが、棒の持ち方やいかだの進め方を教えてくれた。ぼくは棒で川底をついて、いかだを川の真ん中に進めた。

流れに逆らって少し進んでは、ゆったりした流れに乗って元の場所にもどる。鳥がずっとついてくる。しばらくいかだで羽を休める鳥もいた。ヒッチハイクしてるんだよ、おばあちゃんが言った。

ぼくは、ほとんどの時間をいかだで過ごした。大急ぎでその日の仕事を終わらせると、桟橋に走っていって、今日はどんな動物に会えるかなあ、と考えた。いかだの友達は鳥だけじゃなかった。三びきのアライグマが川辺をついてきたこともある。カメが一ぴき、いかだの上で日なたぼっこをしていたこともある。キツネの家族に会ったこともある。みんな、いかだと知り合いみたいだ。ぼくは楽しくてしょうがなかった。

暑くて風のない夜には、おばあちゃんが小さなテントをいかだの上に張るのを手伝ってくれた。ひんやりとしたシーツにねそべって、懐(かい)中電灯の明かりでマンガを読んでいると、いつのまにかねむっていた。ある夜、物音で目が覚めて、はっとした。月明かりの中に大きな雄(お)ジカが立っていたのだ。川面(かわも)に顔を近づけて水を飲んでいる。まるで、ぼくなんかいないみたいだ。

次の日の朝、おばあちゃんがクマのちょうこくの続きをほっているのを見つけた。

「絵をかく紙あるかな。」

おばあちゃんが、大きなスケッチブックと、えんぴつとクレヨンがたくさん入ったふくろを持ってきてくれた。「ニックのためにとっておいたんだ。それから、シュノーケルと水中めがねも持っていくといい。きっと、いかだの上で役に立つときが来るから。」

昼過ぎ、太陽がじりじりと照りつけていた。ぼくは、いかだをヤナギの木のかげに入れると、動物が近づくのを待った。りっぱな青サギが勢いよく下りてきた。くちばしにザリガニをくわえている。ぼくは急いでえんぴつを出して、スケッチを始めた。そしてとうめい人間になったような気持ちで、目の前でのんびり食事をする青サギを見ていた。

夜、絵をおばあちゃんに見せた。

「いいね。」おばあちゃんは、かべにはってある自分のスケッチの上に、ぼくのをピンで留めた。ぼくは思わず、にこにこしてしまった。

ある日、これまで行ったことがない上流まで、いかだでのぼってみた。ガマのしげみに、カワウソの家族がいた。カワウソはおどろいて川に飛びこんだけれど、他の動物と同じように、いかだを見てほっとしたみたいだ。すぐに、ぼくの周りで遊び始めた。

おばあちゃんが言ったとおり、水中めがねとシュノーケルが役に立った。ぼくはいかだから顔だけ水につけて、夢中になってカワウソをながめた。魚を追いかけたり、追いかけっこをしたり、自分のしっぽを追いかけたりしている。

ある朝、おばあちゃんが、サンドイッチと、よく冷えたレモネードをポットに入れて、持ってきてくれた。ぼくたちは水着に着がえると、タオルと折りたたみのいすとうき輪を持って、上流にあるおばあちゃんのお気に入りの場所まで行った。

「小さいころ、ここに泳ぎに来てたんだよ。」おばあちゃんが、いかだを古い桟橋にロープでつなぎながら教えてくれた。「家族で川辺に住んでたこともあってね。それも十人。まるで森の動物の群れだよ。私(わたし)は川ネズミの中の川ネズミってよばれていたんだ。」

ぼくは飛びこみの練習をした。空中でひざをかかえて飛びこむ。練習の後は昼食。おばあちゃんが、どんなふうに暮(く)らしてきたか話してくれた。川で見つけた貝の中から黒しんじゅが出てきた話にはわくわくした。「まだ持ってるよ。」おばあちゃんが言った。

川のそばにいると、ずっと夏が続くような気がした。でも、やっぱり夏の終わりがやって来た。

おばあちゃんの家で過ごす最後の日、ぼくは思い切り早起きして、桟橋に行った。空気はひんやりとしていて、川はしんじゅのような白いきりに包まれていた。いかだのロープをほどくと、そっと流れに乗って進む。

きりの中でお母さんと子どものシカが川をわたっている。そして岸にたどり着くと、お母さんのシカは急な土手をかけ上がって、子ジカを待った。ところが、子ジカはぬかるんだ土手をかけ上がろうとして、すべり落ちてしまった。お母さんのシカが助けようと川までもどってきた。だけど、子ジカは動けば動くほど、どろの中にはまっていく。

ぼくは川底を棒で強くおして、いかだを土手に近づけた。子ジカがびっくりする。ぼくはいかだから降(お)りてみた。足首の上までどろにうまった。

「だいじょうぶだよ」子ジカにささやいた。どうか、いかだがシカを落ち着かせてくれますように。ぼくはいのった。「助けてあげるからね。」

すぐに子ジカは暴れなくなった。ぼくが助けに来たのが分かったみたいだ。子ジカをだきかかえて、引っぱった。少し動いた。もう一度、引っぱってみる。もう一度。ようやく子ジカをどろから引っぱり上げることができた。ぼくは土手の上のお母さんのところまでだいていった。

いかだにもどってふり返ると、お母さんのシカが子ジカに鼻をすり寄せ、それからどろをきれいにしてやっていた。ぼくは短くなったえんぴつをポケットから出して、野生の子ジカの絵を、灰(はい)色のいかだの板にかいた。かき終えると、このいかだにぴったりに見えた。自分の顔がほころぶのが分かった。

夕食の後、おばあちゃんに絵を見せながら、子ジカの話をした。

「よくやったね。」おばあちゃんが言った。「でも、もう一つすることがあるよ。」家の方にかけていくと、油絵の具と筆を二本持ってきた。「さあ、行こうか。」

桟橋まで行くと、二人で、ぼくがかいた子ジカを油絵の具でなぞった。絵の具は、いかだの板にしみこんだ。「これで、もう消えないよ。これからはニックもずっと川といっしょだね。」

「おばあちゃんみたいに。」ぼくは言った。「川ネズミになった。」

おばあちゃんは声を上げて笑った。「ほんとだね。」

---

①ポーチ
玄関(げん)の外側にはり出した、上が屋根でおおわれているところ。

ジム＝ラマーシュ
アメリカの絵本作家。

金原　瑞人
一九五四年、岡山県生まれ。翻(ほん)訳家。

平和のとりでを築く

大牟田(おおむた)稔(みのる)

▼次の中から課題を選んで、取り組もう。

- 広島の「産業奨励館(しょうれいかん)」が「原爆(ばく)ドーム」とよばれているのはなぜだろう。どうして保存(ぞん)されることになったのだろうか。その理由をまとめよう。
- 筆者が、この文章を通じて読者にうったえたいことは何か。それについて自分はどう考えるか。考えをまとめよう。

広島(ひろしま)市には、一発の原子爆弾(だん)で破壊(かい)され、そのままの形で今日まで保存されてきた「原爆ドーム」とよばれる建物がある。この原爆ドームが、平和を築き、戦争をいましめるための建造物として、ユネスコの世界遺(い)産への仲間入りを果たしたとき、私(わたし)は、建築されてからこの日まで、この傷(きず)だらけの建物がたどってきた年月を思わずにはいられなかった。その年月は、私たちの父母や祖父母たちが生きてきた時代、そして、社会が激(はげ)しく変わっていった時代と重なる。

「原爆ドーム」は、広島市のほぼ中心を流れる川のほとりに建っている。もともとは、

原子爆弾で破壊される前の建物

物産陳列館として、一九一五年（大正四年）に完成した。ヨーロッパ出身の若い建築家が設計した鉄骨・れんが造りの三階建てで、建物の真ん中には、楕円形の丸屋根（ドーム）が五階の高さにつき出ている。建てられた当時は、小さいながら、ひときわ目立つ建物だったという。

　この建物は、広島を取り巻く時代の流れをじっと見守ってきた。この建物がかげを落とす川には、荷物を運ぶ小舟が行きかっていたし、夏になると、子どもたちが水遊びや水泳を楽しんでいた。また、小学生たちの絵や書の作品展の会場としても、この建物は多くの市民に親しまれていた。

物産陳列館　広島県の産業をすすめるために建てられた展示会場。その後、産業奨励館などと、名前が何度か変わっている。

一九四五年（昭和二十年）八月六日午前八時十五分、よく晴れた夏空が広がる朝、広島市に原子爆弾が投下された。それは、この建物にほど近い、約六百メートルの上空で爆発した。強烈（れつ）な熱線と爆風が放射（しゃ）線とともに市街をおそった。市民の多くは一瞬（しゅん）のうちに生命をうばわれ、川は死者でうまるほどだった。ようやく生き残った人々も傷つき、その多くは死んでいった。

爆心地に近かったこの建物は、たちまち炎（えん）上し、中にいた人々は全員なくなったという。建物は、ほぼ真上からの爆風を受けたため、全焼（しょう）はしたものの、れんがと鉄骨の一部は残った。丸

被爆(ひばく)した広島市街の様子

屋根の部分は、支柱の鉄骨がドームの形となり、この傷だらけの建物の最大の特徴(ちょう)を、後の時代にとどめることとなった。

原爆ドームを保存するか、それとも取りこわしてしまうか、戦後まもないころの広島では議論(ろん)が続いた。保存反対論の中には、「原爆ドームを見ていると、原爆がもたらしたむごたらしいありさまを思い出すので、一刻(こく)も早く取りこわしてほしい。」という意見もあった。

市民の意見が原爆ドーム保存へと固まったのは、一九六〇年（昭和三十五年）の春、急性白血病でなくなった一少女の日記がきっかけであった。赤ちゃんだったころに原爆の放射線を浴びたその少女は、十数年たって、突然、被爆が原因とみられる病にたおれたのだった。残された日記には、あの痛々しい産業奨励館だけが、いつまでも、おそるべき原爆のことを後世にうったえかけてくれるだろう――、と書かれていた。この日記に後おしされて、市民も役所も「原爆ドーム永久保存」に立ち上がったのである。

保存といっても、傷ついた建物だけに簡単ではない。風や雨、雪に打たれ、震動にさらされる原爆ドームには、何よりも補強工事が急がれた。このことが新聞やテレビで伝えられると、全国から保存を願う手紙や寄付が次々と広島市に届けられるようになった。その後、補強工事は何度かくり返され、今の形を保っている。

日本が一九九二年（平成四年）にユネスコの世界遺産条約に加盟した直後から、広島では、原爆ドームを世界遺産にしようという動きが高まった。そして、この動きは、たちまち全国へと広がっていった。この市民中心の活動は、原爆ドームが世界遺産に指定される一九九六年（平成八年）まで続いたのである。

世界遺産は、人間の歴史に大きな役割を果たした文化遺産と、地球上にある貴重な自然遺産を、未来へ向けて大切に守っていくために、ユネスコと世界の国々が調査し、指定していく制度である。エジプトのピラミッドや、ギリシャのオリンピア遺跡など、すでに六百か所以上が、世界遺産として手厚く保護されている。日本では、原爆ドームより前に、姫路城や屋久島などが選ばれている。

原爆ドームが、世界遺産の候補として審査を受けることになったとき、私は、ちょっぴり不安を覚えた。それは、原爆ドームが、戦争の被害を強調する遺跡であること、そして、規模が小さいうえ、歴史も浅い遺跡であることから、はたして世界の国々によって認められるだろうかと思ったからであった。しかし、心配は無用だった。決定の知らせが届いたとき、私は、世界の人々の、平和を求める気持ちの強さを改めて感じたのだった。

痛ましい姿の原爆ドームは、原子爆弾が人間や都市にどんな惨害をもたらすかを私たちに無言で告げている。未来の世界で核兵器を二度と使ってはいけない、いや、核兵器はむしろ不必要だと、世界の人々に警告する記念碑なのである。

国連のユネスコ憲章には、「戦争は人の心の中で生まれるものであるから、人の心の中に平和のとりでを築かなければならない。」と記されている。原爆ドームは、それを見る人の心に平和のとりでを築くための世界の遺産なのだ。

六百か所以上　一九九九年三月時点での世界遺産登録数。

大牟田　稔　一九三〇〜二〇〇一年。宮崎県生まれ。新聞記者として被爆者問題に関わった後、広島平和文化センター理事長を務めた。

この文章は、一九九九年に書かれた。

時代をこえて伝わる古典

日本では、いつごろ、どんな作品が作られていたのでしょうか。古典の歴史にふれてみましょう。

日本にはまだ文字がなく、たくさんの話や歌が声によって語りつがれ、歌いつがれていた。

中国から漢字が伝わり、話や歌を漢字で記すようになる。

奈良時代

古事記（七一二年）

日本最古の歴史書。「いなばの白うさぎ」のような神話や、地方の伝承が記されている。

万葉集（奈良時代の末ごろ）

現存する日本最古の歌集。

武士の活躍や僧侶の考え方が表れたもの、さらには、町の人々が親しみやすい作品が登場する。

鎌倉・室町時代

平家物語

平家とよばれる武士の一族が栄え、ほろんでゆくさまが書かれた作品。作者不明。

徒然草（一三三一年ごろ）

兼好法師によって書かれた作品。人間の生活や行動、移りゆく自然の姿について書かれている。

平安時代

平仮名と片仮名が生まれ、より多くの人が、文章を読んだり書いたりできるようになる。

竹取物語

日本で初めての物語。作者不明。

枕草子（一〇〇一年ごろ）

清少納言によって書かれた作品。作者の経験にもとづいて書かれており、随筆の始まりとされる。

源氏物語（一〇〇八年ごろ）

紫式部によって書かれた作品。当時の貴族の生活や文化がえがかれた長編物語。

御伽草子

人々の間で流行した、絵の入った短い物語。「一寸法師」や「浦島太郎」などがある。作者不明。

江戸時代

町人が文化の中心となる。

おくのほそ道（一六九四年）

松尾芭蕉によって書かれた作品。江戸から大垣までの旅を記した紀行文。旅での出来事や芭蕉が感じたことが、俳句を交えて、自由にえがかれている。

東海道中膝栗毛（一八〇二年）

十返舎一九によって書かれた作品。町人の生活や、その中で起こる出来事が人情味豊かにえがかれている。

六年間に習う漢字

（　）は、小学校では習わない読み方。
部首は、辞典によって異なるものもあります。

（見方：□ チェックらん／4 学年／愛 漢字／心⑬ 部首・画数／アイ 読み方）

あ

学年	漢字	部首・画数	読み方
4	愛	心⑬	アイ
3	悪	心⑪	アク　（オ）　わる**い**
5	圧	土⑤	アツ
3	安	宀⑥	アン　やす**い**
4	案	木⑩	アン
3	暗	日⑬	アン　くら**い**

い

学年	漢字	部首・画数	読み方
4	以	人⑤	イ
4	衣	衣⑥	イ　（ころも）
4	位	人⑦	イ　くらい
5	囲	口⑦	イ　かこ**む**　かこ**う**
3	医	匚⑦	イ
3	委	女⑧	イ　ゆだ**ねる**
6	胃	肉⑨	イ
6	異	田⑪	イ　こと
5	移	禾⑪	イ　うつ**る**　うつ**す**
3	意	心⑬	イ
6	遺	辶⑮	イ　（ユイ）
6	域	土⑪	イキ
3	育	肉⑧	イク　そだ**つ**　そだ**てる**　はぐく**む**
1	一	一①	イチ　イツ　ひと　ひと**つ**
4	茨	艹⑨	いばら
2	引	弓④	イン　ひ**く**　ひ**ける**
4	印	卩⑥	イン　しるし
5	因	口⑥	イン　（よ**る**）
3	員	口⑩	イン
3	院	阝⑩	イン
3	飲	食⑫	イン　の**む**

う

学年	漢字	部首・画数	読み方
1	右	口⑤	ウ　ユウ　みぎ
6	宇	宀⑥	ウ
2	羽	羽⑥	（ウ）　は　はね
1	雨	雨⑧	ウ　あめ　あま
3	運	辶⑫	ウン　はこ**ぶ**
2	雲	雨⑫	ウン　くも

え

学年	漢字	部首・画数	読み方
5	永	水⑤	エイ　なが**い**
3	泳	水⑧	エイ　およ**ぐ**
4	英	艹⑧	エイ
6	映	日⑨	エイ　うつ**る**　うつ**す**　（は**える**）
4	栄	木⑨	エイ　さか**える**　（は**え**）　（は**える**）
5	営	⺍⑫	エイ　いとな**む**
5	衛	行⑯	エイ
5	易	日⑧	エキ　イ　やさ**しい**
5	益	皿⑩	エキ　（ヤク）
5	液	水⑪	エキ
3	駅	馬⑭	エキ
1	円	冂④	エン　まる**い**
6	延	廴⑧	エン　の**びる**　の**べる**　の**ばす**
6	沿	水⑧	エン　そ**う**
4	媛	女⑫	（エン）
2	園	口⑬	エン　（その）
2	遠	辶⑬	エン　（オン）　とお**い**
4	塩	土⑬	エン　しお
5	演	水⑭	エン

お

学年	漢字	部首・画数	読み方
1	王	玉④	オウ
3	央	大⑤	オウ
5	応	心⑦	オウ　こた**える**
5	往	彳⑧	オウ
5	桜	木⑩	（オウ）　さくら
3	横	木⑮	オウ　よこ
4	岡	山⑧	おか
3	屋	尸⑨	オク　や
4	億	人⑮	オク
1	音	音⑨	オン　（イン）　おと　ね
6	恩	心⑩	オン
3	温	水⑫	オン　あたた**か**　あたた**かい**　あたた**まる**　あたた**める**

か

学年	漢字	部首・画数	読み方
1	下	一③	カ　ゲ　した　しも　（もと）　さ**げる**　さ**がる**　くだ**る**　くだ**す**　くだ**さる**　お**ろす**　お**りる**
3	化	匕④	カ　（ケ）　ば**ける**　ば**かす**
1	火	火④	カ　ひ　（ほ）
4	加	力⑤	カ　くわ**える**　くわ**わる**
5	可	口⑤	カ

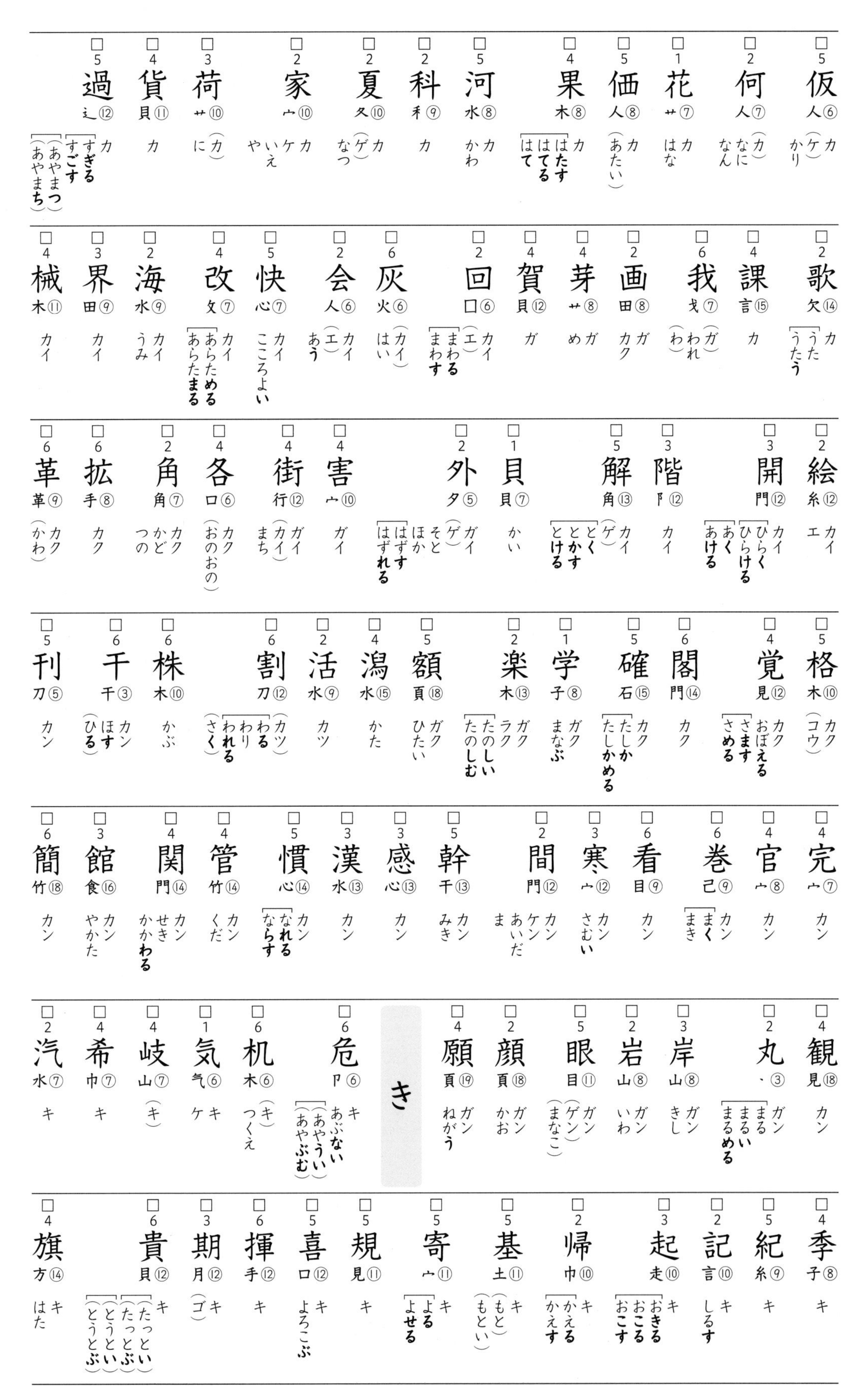

学年	漢字	部首・画数	読み
5	仮	人⑥	カ（ケ）かり
2	何	人⑦	（カ）なに なん
1	花	艹⑦	カ はな
5	価	人⑧	カ（あたい）
4	果	木⑧	カ はたす はてる はて
5	河	水⑧	カ かわ
2	科	禾⑨	カ
2	夏	夂⑩	カ（ゲ）なつ
2	家	宀⑩	カ ケ いえ や
3	荷	艹⑩	（カ）に
4	貨	貝⑪	カ
5	過	辶⑫	カ すぎる すごす（あやまつ）（あやまち）
2	歌	欠⑭	カ うた うたう
4	課	言⑮	カ
6	我	戈⑦	（ガ）われ（わ）
2	画	田⑧	ガ カク
4	芽	艹⑧	ガ め
4	賀	貝⑫	ガ
2	回	口⑥	カイ（エ）まわる まわす
6	灰	火⑥	（カイ）はい
2	会	人⑥	カイ（エ）あう
5	快	心⑦	カイ こころよい
4	改	攵⑦	カイ あらためる あらたまる
2	海	水⑨	カイ うみ
3	界	田⑨	カイ
4	械	木⑪	カイ
2	絵	糸⑫	カイ エ
3	開	門⑫	カイ ひらく ひらける あく あける
3	階	阝⑫	カイ
5	解	角⑬	カイ（ゲ）とく とかす とける
1	貝	貝⑦	かい
2	外	夕⑤	ガイ（ゲ）そと ほか はずす はずれる
4	害	宀⑩	ガイ
4	街	行⑫	ガイ（カイ）まち
4	各	口⑥	カク（おのおの）
2	角	角⑦	カク かど つの
6	拡	手⑧	カク
6	革	革⑨	カク（かわ）
5	格	木⑩	カク（コウ）
4	覚	見⑫	カク おぼえる さます さめる
6	閣	門⑭	カク
5	確	石⑮	カク たしか たしかめる
1	学	子⑧	ガク まなぶ
2	楽	木⑬	ガク ラク たのしい たのしむ
5	額	頁⑱	ガク ひたい
4	潟	水⑮	かた
2	活	水⑨	カツ
6	割	刀⑫	（カツ）わる わり われる（さく）
6	株	木⑩	かぶ
6	干	干③	カン ほす（ひる）
5	刊	刀⑤	カン
4	完	宀⑦	カン
4	官	宀⑧	カン
6	巻	己⑨	カン まく まき
6	看	目⑨	カン
3	寒	宀⑫	カン さむい
2	間	門⑫	カン ケン あいだ ま
5	幹	干⑬	カン みき
3	感	心⑬	カン
3	漢	水⑬	カン
5	慣	心⑭	カン なれる ならす
4	管	竹⑭	カン くだ
4	関	門⑭	カン せき かかわる
3	館	食⑯	カン やかた
6	簡	竹⑱	カン
4	観	見⑱	カン
2	丸	丶③	ガン まる まるい まるめる
3	岸	山⑧	ガン きし
2	岩	山⑧	ガン いわ
5	眼	目⑪	ガン（ゲン）（まなこ）
2	顔	頁⑱	ガン かお
4	願	頁⑲	ガン ねがう

き

学年	漢字	部首・画数	読み
6	危	卩⑥	キ あぶない（あやうい）（あやぶむ）
6	机	木⑥	（キ）つくえ
1	気	气⑥	キ ケ
4	岐	山⑦	（キ）
4	希	巾⑦	キ
2	汽	水⑦	キ
4	季	子⑧	キ
5	紀	糸⑨	キ
2	記	言⑩	キ しるす
3	起	走⑩	キ おきる おこる おこす
2	帰	巾⑩	キ かえる かえす
5	基	土⑪	キ（もと）（もとい）
5	寄	宀⑪	キ よる よせる
5	規	見⑪	キ
5	喜	口⑫	キ よろこぶ
6	揮	手⑫	キ
3	期	月⑫	キ（ゴ）
6	貴	貝⑫	キ（たっとい）（とうとい）（たっとぶ）（とうとぶ）
4	旗	方⑭	キ はた

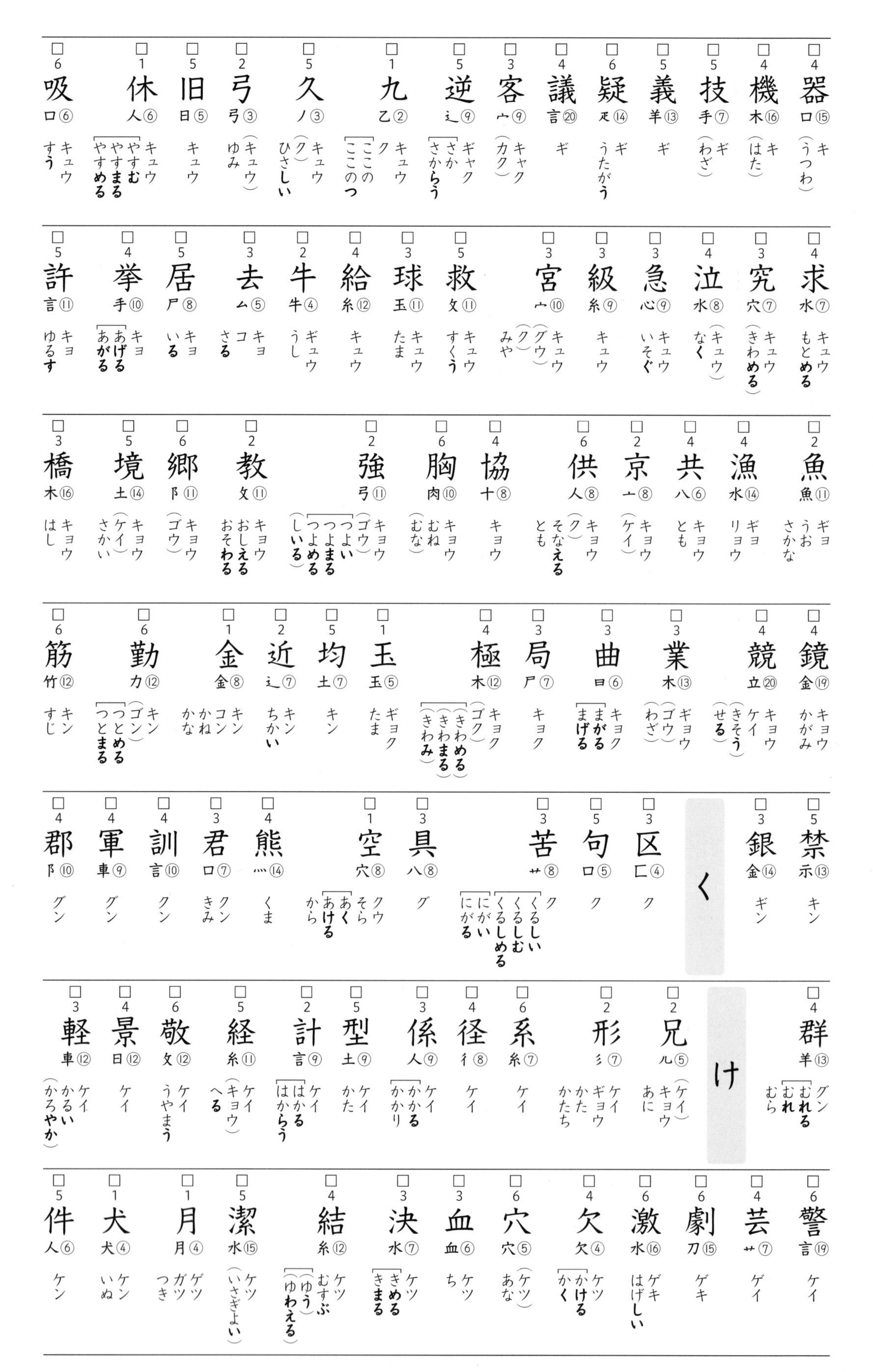

学年	漢字	部首・画数	読み
4	器	口⑮	キ (うつわ)
4	機	木⑯	キ (はた)
5	技	手⑦	ギ (わざ)
5	義	羊⑬	ギ
6	疑	疋⑭	ギ うたがう
4	議	言⑳	ギ
3	客	宀⑨	キャク (カク)
5	逆	辶⑨	ギャク さか さからう
1	九	乙②	キュウ ク ここの ここのつ
5	久	ノ③	キュウ (ク) ひさしい
2	弓	弓③	(キュウ) ゆみ
5	旧	日⑤	キュウ
1	休	人⑥	キュウ やすむ やすまる やすめる
6	吸	口⑥	キュウ すう
4	求	水⑦	キュウ もとめる
3	究	穴⑦	キュウ (きわめる)
4	泣	水⑧	(キュウ) なく
3	急	心⑨	キュウ いそぐ
3	級	糸⑨	キュウ
3	宮	宀⑩	キュウ (グウ) (ク) みや
5	救	攵⑪	キュウ すくう
3	球	玉⑪	キュウ たま
4	給	糸⑫	キュウ
2	牛	牛④	ギュウ うし
3	去	ム⑤	キョ コ さる
5	居	尸⑧	キョ いる
4	挙	手⑩	キョ あげる あがる
5	許	言⑪	キョ ゆるす
2	魚	魚⑪	ギョ うお さかな
4	漁	水⑭	ギョ リョウ
4	共	八⑥	キョウ とも
2	京	亠⑧	キョウ (ケイ)
6	供	人⑧	キョウ (ク) そなえる とも
4	協	十⑧	キョウ
6	胸	肉⑩	キョウ むね (むな)
2	強	弓⑪	キョウ (ゴウ) つよい つよまる つよめる (しいる)
2	教	攵⑪	キョウ おしえる おそわる
6	郷	阝⑪	キョウ (ゴウ)
5	境	土⑭	キョウ (ケイ) さかい
3	橋	木⑯	キョウ はし
4	鏡	金⑲	キョウ かがみ
4	競	立⑳	キョウ ケイ (きそう) (せる)
3	業	木⑬	ギョウ (ゴウ) (わざ)
3	曲	曰⑥	キョク まがる まげる
3	局	尸⑦	キョク
4	極	木⑫	キョク (ゴク) (きわめる) (きわまる) (きわみ)
1	玉	玉⑤	ギョク たま
5	均	土⑦	キン
2	近	辶⑦	キン ちかい
1	金	金⑧	キン コン かね かな
6	勤	力⑫	キン (ゴン) つとめる つとまる
6	筋	竹⑫	キン すじ
5	禁	示⑬	キン
3	銀	金⑭	ギン

く

学年	漢字	部首・画数	読み
3	区	匚④	ク
5	句	口⑤	ク
3	苦	艹⑧	ク くるしい くるしむ くるしめる にがい にがる
3	具	八⑧	グ
1	空	穴⑧	クウ そら あく あける から
4	熊	灬⑭	くま
3	君	口⑦	クン きみ
4	訓	言⑩	クン
4	軍	車⑨	グン
4	郡	阝⑩	グン
4	群	羊⑬	グン むれる むれ むら

け

学年	漢字	部首・画数	読み
2	兄	儿⑤	(ケイ) キョウ あに
2	形	彡⑦	ケイ ギョウ かた かたち
6	系	糸⑦	ケイ
4	径	彳⑧	ケイ
3	係	人⑨	ケイ かかる かかり
5	型	土⑨	ケイ かた
2	計	言⑨	ケイ はかる はからう
5	経	糸⑪	ケイ (キョウ) へる
6	敬	攵⑫	ケイ うやまう
4	景	日⑫	ケイ
3	軽	車⑫	ケイ かるい (かろやか)
6	警	言⑲	ケイ
4	芸	艹⑦	ゲイ
6	劇	刀⑮	ゲキ
6	激	水⑯	ゲキ はげしい
4	欠	欠④	ケツ かける かく
6	穴	穴⑤	(ケツ) あな
3	血	血⑥	ケツ ち
3	決	水⑦	ケツ きめる きまる
4	結	糸⑫	ケツ むすぶ (ゆう) (ゆわえる)
5	潔	水⑮	ケツ (いさぎよい)
1	月	月④	ゲツ ガツ つき
1	犬	犬④	ケン いぬ
5	件	人⑥	ケン

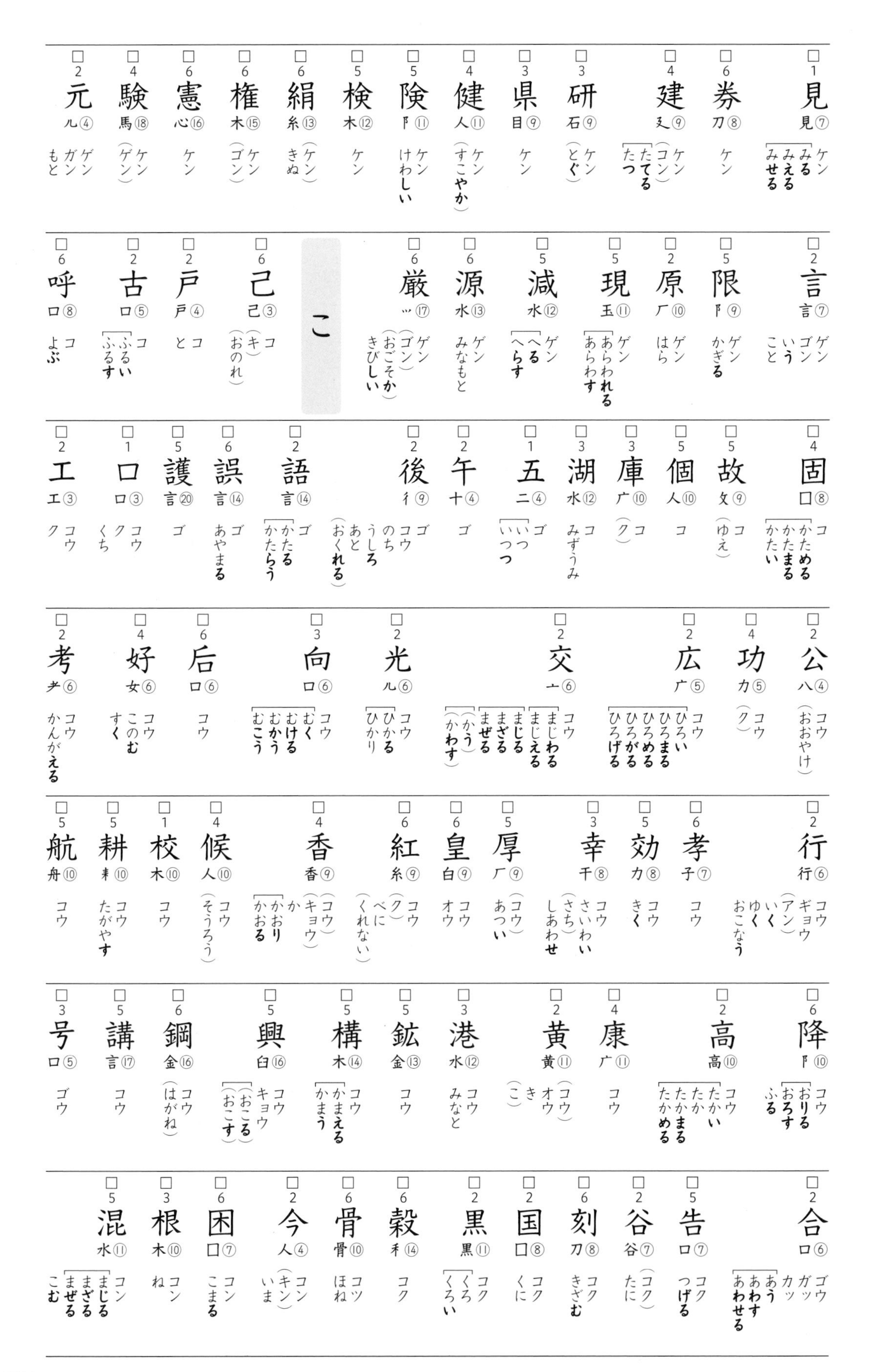

漢字	学年	部首・画数	読み
見	1	見⑦	ケン みる みえる みせる
券	6	刀⑧	ケン
建	4	廴⑨	ケン (コン) たてる たつ
研	3	石⑨	ケン (とぐ)
県	3	目⑨	ケン
健	4	人⑪	ケン (すこやか)
険	5	阝⑪	ケン けわしい
検	5	木⑫	ケン
絹	6	糸⑬	(ケン) きぬ
権	6	木⑮	ケン (ゴン)
憲	6	心⑯	ケン
験	4	馬⑱	ケン (ゲン)
元	2	儿④	ゲン ガン もと
言	2	言⑦	ゲン ゴン いう こと
限	5	阝⑨	ゲン かぎる
原	2	厂⑩	ゲン はら
現	5	玉⑪	ゲン あらわれる あらわす
減	5	水⑫	ゲン へる へらす
源	6	水⑬	ゲン みなもと
厳	6	⺍⑰	ゲン (ゴン) (おごそか) きびしい

こ

漢字	学年	部首・画数	読み
己	6	己③	コ (キ) (おのれ)
戸	2	戸④	コ と
古	2	口⑤	コ ふるい ふるす
呼	6	口⑧	コ よぶ
固	4	囗⑧	コ かためる かたまる かたい
故	5	攵⑨	コ (ゆえ)
個	5	人⑩	コ
庫	3	广⑩	コ (ク)
湖	3	水⑫	コ みずうみ
五	1	二④	ゴ いつ いつつ
午	2	十④	ゴ
後	2	彳⑨	ゴ コウ のち うしろ あと (おくれる)
語	2	言⑭	ゴ かたる かたらう
誤	6	言⑭	ゴ あやまる
護	5	言⑳	ゴ
口	1	口③	コウ ク くち
工	2	工③	コウ ク
公	2	八④	コウ (おおやけ)
功	4	力⑤	コウ (ク)
広	2	广⑤	コウ ひろい ひろまる ひろめる ひろがる ひろげる
交	2	亠⑥	コウ まじわる まじえる まじる まざる まぜる (かう) (かわす)
光	2	儿⑥	コウ ひかる ひかり
向	3	口⑥	コウ むく むける むかう むこう
后	6	口⑥	コウ
好	4	女⑥	コウ このむ すく
考	2	耂⑥	コウ かんがえる
行	2	行⑥	コウ ギョウ (アン) いく ゆく おこなう
孝	6	子⑦	コウ
効	5	力⑧	コウ きく
幸	3	干⑧	コウ さいわい (さち) しあわせ
厚	5	厂⑨	(コウ) あつい
皇	6	白⑨	コウ オウ
紅	6	糸⑨	コウ (ク) べに (くれない)
香	4	香⑨	(コウ) (キョウ) か かおり かおる
候	4	人⑩	コウ (そうろう)
校	1	木⑩	コウ
耕	5	耒⑩	コウ たがやす
航	5	舟⑩	コウ
降	6	阝⑩	コウ おりる おろす ふる
高	2	高⑩	コウ たかい たか たかまる たかめる
康	4	广⑪	コウ
黄	2	黄⑪	(コウ) オウ き (こ)
港	3	水⑫	コウ みなと
鉱	5	金⑬	コウ
構	5	木⑭	コウ かまえる かまう
興	5	臼⑯	コウ キョウ (おこる) (おこす)
鋼	6	金⑯	コウ (はがね)
講	5	言⑰	コウ
号	3	口⑤	ゴウ
合	2	口⑥	ゴウ ガッ カッ あう あわす あわせる
告	5	口⑦	コク つげる
谷	2	谷⑦	(コク) たに
刻	6	刀⑧	コク きざむ
国	2	囗⑧	コク くに
黒	2	黒⑪	コク くろ くろい
穀	6	禾⑭	コク
骨	6	骨⑩	コツ ほね
今	2	人④	コン (キン) いま
困	6	囗⑦	コン こまる
根	3	木⑩	コン ね
混	5	水⑪	コン まじる まざる まぜる こむ

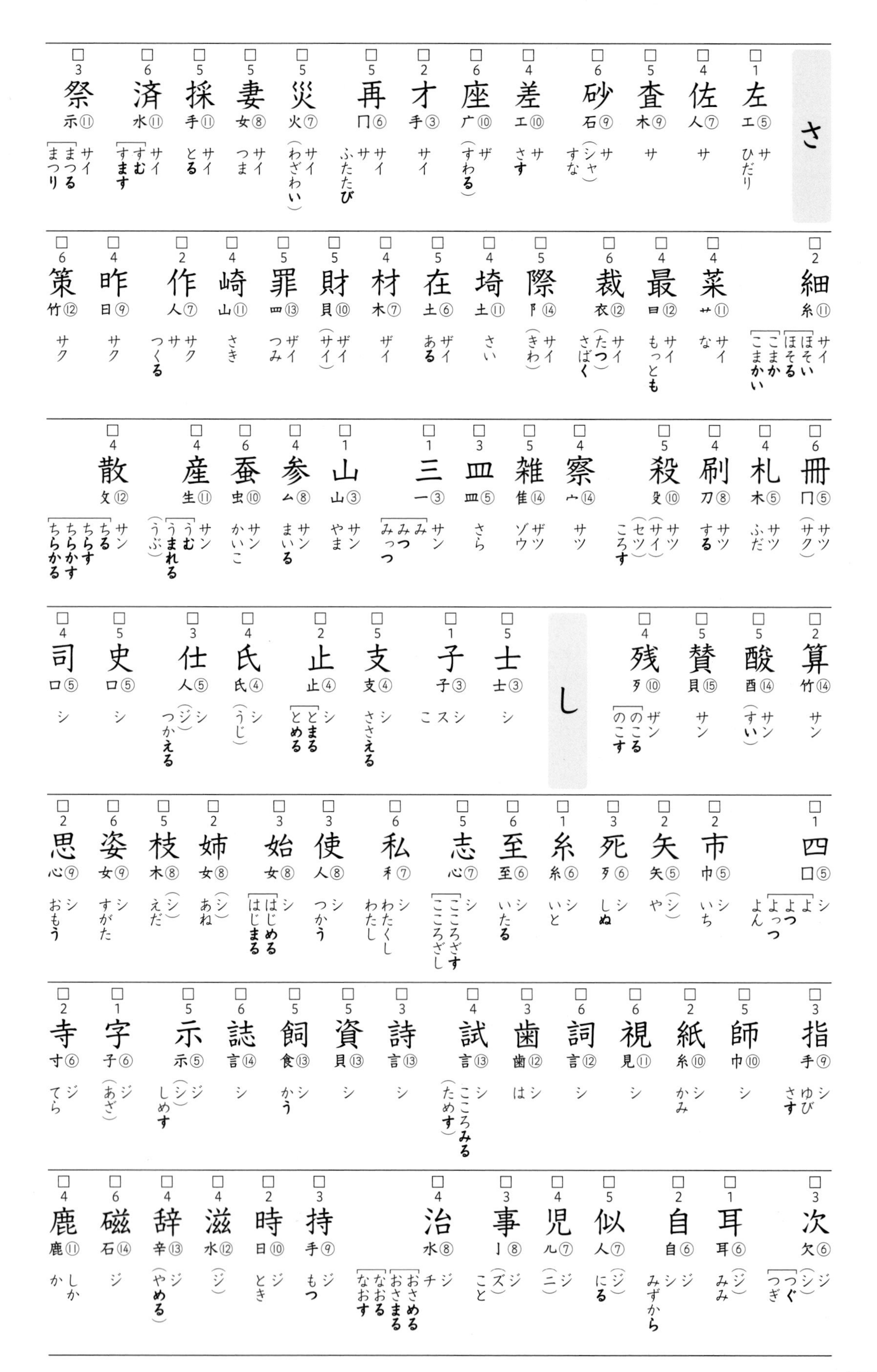

さ

漢字	学年	部首・画数	読み
左	1	工⑤	サ ひだり
佐	4	人⑦	サ
査	5	木⑨	サ
砂	6	石⑨	サ （シャ） すな
差	4	工⑩	サ さす
座	6	广⑩	ザ （すわる）
才	2	手③	サイ
再	5	冂⑥	サイ サ ふたたび
災	5	火⑦	サイ （わざわい）
妻	5	女⑧	サイ つま
採	5	手⑪	サイ とる
済	6	水⑪	サイ すむ すます
祭	3	示⑪	サイ まつる まつり
細	2	糸⑪	サイ ほそい ほそる こまか こまかい
菜	4	艹⑪	サイ な
最	4	日⑫	サイ もっとも
裁	6	衣⑫	サイ （たつ） さばく
際	5	阝⑭	サイ （きわ）
埼	4	土⑪	さい
在	5	土⑥	ザイ ある
材	4	木⑦	ザイ
財	5	貝⑩	ザイ （サイ）
罪	5	罒⑬	ザイ つみ
崎	4	山⑪	さき
作	2	人⑦	サク サ つくる
昨	4	日⑨	サク
策	6	竹⑫	サク
冊	6	冂⑤	サツ （サク）
札	4	木⑤	サツ ふだ
刷	4	刀⑧	サツ する
殺	5	殳⑩	サツ （サイ） （セツ） ころす
察	4	宀⑭	サツ
雑	5	隹⑭	ザツ ゾウ
皿	3	皿⑤	さら
三	1	一③	サン み みつ みっつ
山	1	山③	サン やま
参	4	ム⑧	サン まいる
蚕	6	虫⑩	サン かいこ
産	4	生⑪	サン うむ うまれる （うぶ）
散	4	攵⑫	サン ちる ちらす ちらかす ちらかる
算	2	竹⑭	サン
酸	5	酉⑭	サン （すい）
賛	5	貝⑮	サン
残	4	歹⑩	ザン のこる のこす

し

漢字	学年	部首・画数	読み
士	5	士③	シ
子	1	子③	シ ス こ
支	5	支④	シ ささえる
止	2	止④	シ とまる とめる
氏	4	氏④	シ （うじ）
仕	3	人⑤	シ （ジ） つかえる
史	5	口⑤	シ
司	4	口⑤	シ
四	1	口⑤	シ よ よつ よっつ よん
市	2	巾⑤	シ いち
矢	2	矢⑤	（シ） や
死	3	歹⑥	シ しぬ
糸	1	糸⑥	シ いと
至	6	至⑥	シ いたる
志	5	心⑦	シ こころざす こころざし
私	6	禾⑦	シ わたくし わたし
使	3	人⑧	シ つかう
始	3	女⑧	シ はじめる はじまる
姉	2	女⑧	（シ） あね
枝	5	木⑧	（シ） えだ
姿	6	女⑨	シ すがた
思	2	心⑨	シ おもう
指	3	手⑨	シ ゆび さす
師	5	巾⑩	シ
紙	2	糸⑩	シ かみ
視	6	見⑪	シ
詞	6	言⑫	シ
歯	3	歯⑫	シ は
試	4	言⑬	シ こころみる （ためす）
詩	3	言⑬	シ
資	5	貝⑬	シ
飼	5	食⑬	シ かう
誌	6	言⑭	シ
示	5	示⑤	ジ （シ） しめす
字	1	子⑥	ジ （あざ）
寺	2	寸⑥	ジ てら
次	3	欠⑥	ジ （シ） つぐ つぎ
耳	1	耳⑥	（ジ） みみ
自	2	自⑥	ジ シ みずから
似	5	人⑦	（ジ） にる
児	4	儿⑦	ジ （ニ）
事	3	亅⑧	ジ （ズ） こと
治	4	水⑧	ジ チ おさめる おさまる なおる なおす
持	3	手⑨	ジ もつ
時	2	日⑩	ジ とき
滋	4	水⑫	（ジ）
辞	4	辛⑬	ジ （やめる）
磁	6	石⑭	ジ
鹿	4	鹿⑪	しか か

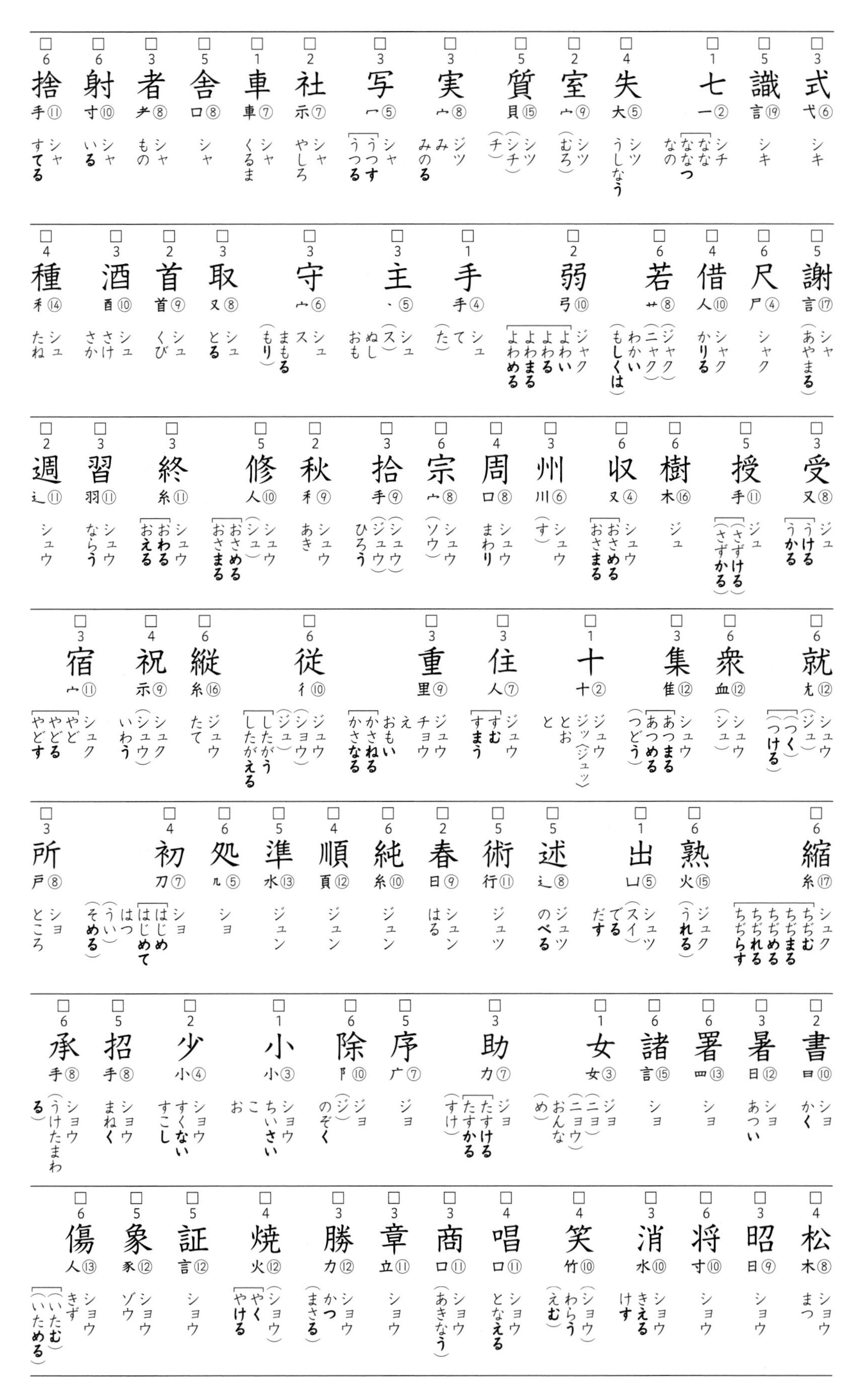

漢字	学年	部首・画数	読み
式	3	弋⑥	シキ
識	5	言⑲	シキ
七	1	一②	シチ なな ななつ なの
失	4	大⑤	シツ うしなう
室	2	宀⑨	シツ (むろ)
質	5	貝⑮	シツ (シチ) (チ)
実	3	宀⑧	ジツ み みのる
写	3	冖⑤	シャ うつす うつる
社	2	示⑦	シャ やしろ
車	1	車⑦	シャ くるま
舎	5	口⑧	シャ
者	3	耂⑧	シャ もの
射	6	寸⑩	シャ いる
捨	6	手⑪	シャ すてる
謝	5	言⑰	シャ (あやまる)
尺	6	尸④	シャク
借	4	人⑩	シャク かりる
若	6	艹⑧	(ジャク) (ニャク) わかい (もしくは)
弱	2	弓⑩	ジャク よわい よわる よわまる よわめる
手	1	手④	シュ て (た)
主	3	丶⑤	シュ (ス) ぬし おも
守	3	宀⑥	シュ ス まもる (もり)
取	3	又⑧	シュ とる
首	2	首⑨	シュ くび
酒	3	酉⑩	シュ さけ さか
種	4	禾⑭	シュ たね
受	3	又⑧	ジュ うける うかる
授	5	手⑪	ジュ (さずける) (さずかる)
樹	6	木⑯	ジュ
収	6	又④	シュウ おさめる おさまる
州	3	川⑥	シュウ (す)
周	4	口⑧	シュウ まわり
宗	6	宀⑧	シュウ (ソウ)
拾	3	手⑨	シュウ (ジュウ) ひろう
秋	2	禾⑨	シュウ あき
修	5	人⑩	シュウ (シュ) おさめる おさまる
終	3	糸⑪	シュウ おわる おえる
習	3	羽⑪	シュウ ならう
週	2	辶⑪	シュウ
就	6	尢⑫	シュウ (ジュ) (つく) (つける)
衆	6	血⑫	シュウ (シュ)
集	3	隹⑫	シュウ あつまる あつめる (つどう)
十	1	十②	ジュウ ジッ(ジュッ) とお と
住	3	人⑦	ジュウ すむ すまう
重	3	里⑨	ジュウ チョウ え おもい かさねる かさなる
従	6	彳⑩	ジュウ (ショウ) (ジュ) したがう したがえる
縦	6	糸⑯	ジュウ たて
祝	4	示⑨	シュク (シュウ) いわう
宿	3	宀⑪	シュク やど やどる やどす
縮	6	糸⑰	シュク ちぢむ ちぢまる ちぢめる ちぢれる ちぢらす
熟	6	火⑮	ジュク (うれる)
出	1	凵⑤	シュツ (スイ) でる だす
述	5	辶⑧	ジュツ のべる
術	5	行⑪	ジュツ
春	2	日⑨	シュン はる
純	6	糸⑩	ジュン
順	4	頁⑫	ジュン
準	5	水⑬	ジュン
処	6	几⑤	ショ
初	4	刀⑦	ショ はじめ はじめて はつ (うい) (そめる)
所	3	戸⑧	ショ ところ
書	2	曰⑩	ショ かく
暑	3	日⑫	ショ あつい
署	6	罒⑬	ショ
諸	6	言⑮	ショ
女	1	女③	ジョ (ニョ) (ニョウ) おんな (め)
助	3	力⑦	ジョ たすける たすかる (すけ)
序	5	广⑦	ジョ
除	6	阝⑩	ジョ (ジ) のぞく
小	1	小③	ショウ ちいさい こ お
少	2	小④	ショウ すくない すこし
招	5	手⑧	ショウ まねく
承	6	手⑧	ショウ (うけたまわる)
松	4	木⑧	ショウ まつ
昭	3	日⑨	ショウ
将	6	寸⑩	ショウ
消	3	水⑩	ショウ きえる けす
笑	4	竹⑩	(ショウ) わらう (えむ)
唱	4	口⑪	ショウ となえる
商	3	口⑪	ショウ (あきなう)
章	3	立⑪	ショウ
勝	3	力⑫	ショウ かつ まさる
焼	4	火⑫	(ショウ) やく やける
証	5	言⑫	ショウ
象	5	豕⑫	ショウ ゾウ
傷	6	人⑬	ショウ きず (いたむ) (いためる)

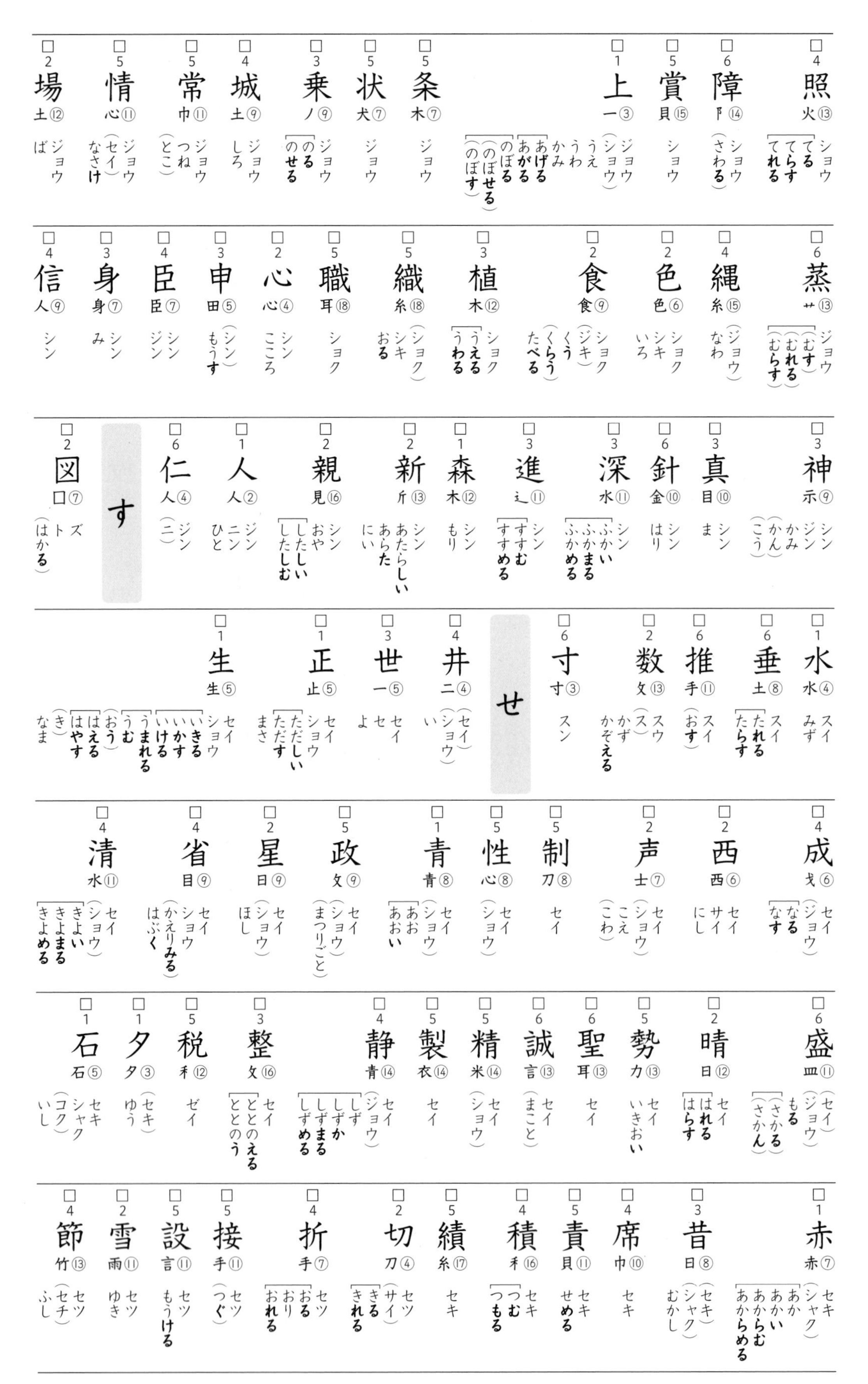

漢字	学年	部首・画数	読み
照	4	火⑬	ショウ　て**る**　て**らす**　て**れる**
障	6	阝⑭	ショウ　（さわ**る**）
賞	5	貝⑮	ショウ
上	1	一③	ジョウ　（ショウ）　うえ　うわ　かみ　あ**げる**　あ**がる**　の**ぼる**　（の**ぼせる**）　（の**ぼす**）
条	5	木⑦	ジョウ
状	5	犬⑦	ジョウ
乗	3	ノ⑨	ジョウ　の**る**　の**せる**
城	4	土⑨	ジョウ　しろ
常	5	巾⑪	ジョウ　つね　（とこ）
情	5	心⑪	ジョウ　（セイ）　なさ**け**
場	2	土⑫	ジョウ　ば
蒸	6	艹⑬	ジョウ　（む**す**）　（む**れる**）　（む**らす**）
縄	4	糸⑮	（ジョウ）　なわ
色	2	色⑥	ショク　シキ　いろ
食	2	食⑨	ショク　（ジキ）　く**う**　（く**らう**）　た**べる**
植	3	木⑫	ショク　う**える**　う**わる**
織	5	糸⑱	（ショク）　シキ　お**る**
職	5	耳⑱	ショク
心	2	心④	シン　こころ
申	3	田⑤	（シン）　もう**す**
臣	4	臣⑦	シン　ジン
身	3	身⑦	シン　み
信	4	人⑨	シン
神	3	示⑨	シン　ジン　かみ　（かん）　（こう）
真	3	目⑩	シン　ま
針	6	金⑩	シン　はり
深	3	水⑪	シン　ふか**い**　ふか**まる**　ふか**める**
進	3	辶⑪	シン　すす**む**　すす**める**
森	1	木⑫	シン　もり
新	2	斤⑬	シン　あたら**しい**　あら**た**　にい
親	2	見⑯	シン　おや　した**しい**　した**しむ**
人	1	人②	ジン　ニン　ひと
仁	6	人④	ジン　（ニ）
す			
図	2	口⑦	ズ　ト　（はか**る**）
水	1	水④	スイ　みず
垂	6	土⑧	スイ　た**れる**　た**らす**
推	6	手⑪	スイ　（お**す**）
数	2	攵⑬	スウ　（ス）　かず　かぞ**える**
寸	6	寸③	スン
せ			
井	4	二④	（セイ）　（ショウ）　い
世	3	一⑤	セイ　セ　よ
正	1	止⑤	セイ　ショウ　ただ**しい**　ただ**す**　まさ
生	1	生⑤	セイ　ショウ　い**きる**　い**かす**　い**ける**　う**まれる**　う**む**　お**う**　は**える**　は**やす**　（き）　なま
成	4	戈⑥	セイ　（ジョウ）　な**る**　な**す**
西	2	西⑥	セイ　サイ　にし
声	2	士⑦	セイ　（ショウ）　こえ　（こわ）
制	5	刀⑧	セイ
性	5	心⑧	セイ　（ショウ）
青	1	青⑧	セイ　（ショウ）　あお　あお**い**
政	5	攵⑨	セイ　（ショウ）　（まつりごと）
星	2	日⑨	セイ　（ショウ）　ほし
省	4	目⑨	セイ　ショウ　（かえり**みる**）　はぶ**く**
清	4	水⑪	セイ　（ショウ）　きよ**い**　きよ**まる**　きよ**める**
盛	6	皿⑪	（セイ）　（ジョウ）　も**る**　（さか**る**）　（さか**ん**）
晴	2	日⑫	セイ　は**れる**　は**らす**
勢	5	力⑬	セイ　いきお**い**
聖	6	耳⑬	セイ
誠	6	言⑬	セイ　（まこと）
精	5	米⑭	セイ　（ショウ）
製	5	衣⑭	セイ
静	4	青⑭	セイ　（ジョウ）　しず　しず**か**　しず**まる**　しず**める**
整	3	攵⑯	セイ　ととの**える**　ととの**う**
税	5	禾⑫	ゼイ
夕	1	夕③	（セキ）　ゆう
石	1	石⑤	セキ　シャク　（コク）　いし
赤	1	赤⑦	セキ　（シャク）　あか　あか**い**　あか**らむ**　あか**らめる**
昔	3	日⑧	（セキ）　（シャク）　むかし
席	4	巾⑩	セキ
責	5	貝⑪	セキ　せ**める**
積	4	禾⑯	セキ　つ**む**　つ**もる**
績	5	糸⑰	セキ
切	2	刀④	セツ　（サイ）　き**る**　き**れる**
折	4	手⑦	セツ　お**る**　おり　お**れる**
接	5	手⑪	セツ　（つ**ぐ**）
設	5	言⑪	セツ　もう**ける**
雪	2	雨⑪	セツ　ゆき
節	4	竹⑬	セツ　（セチ）　ふし

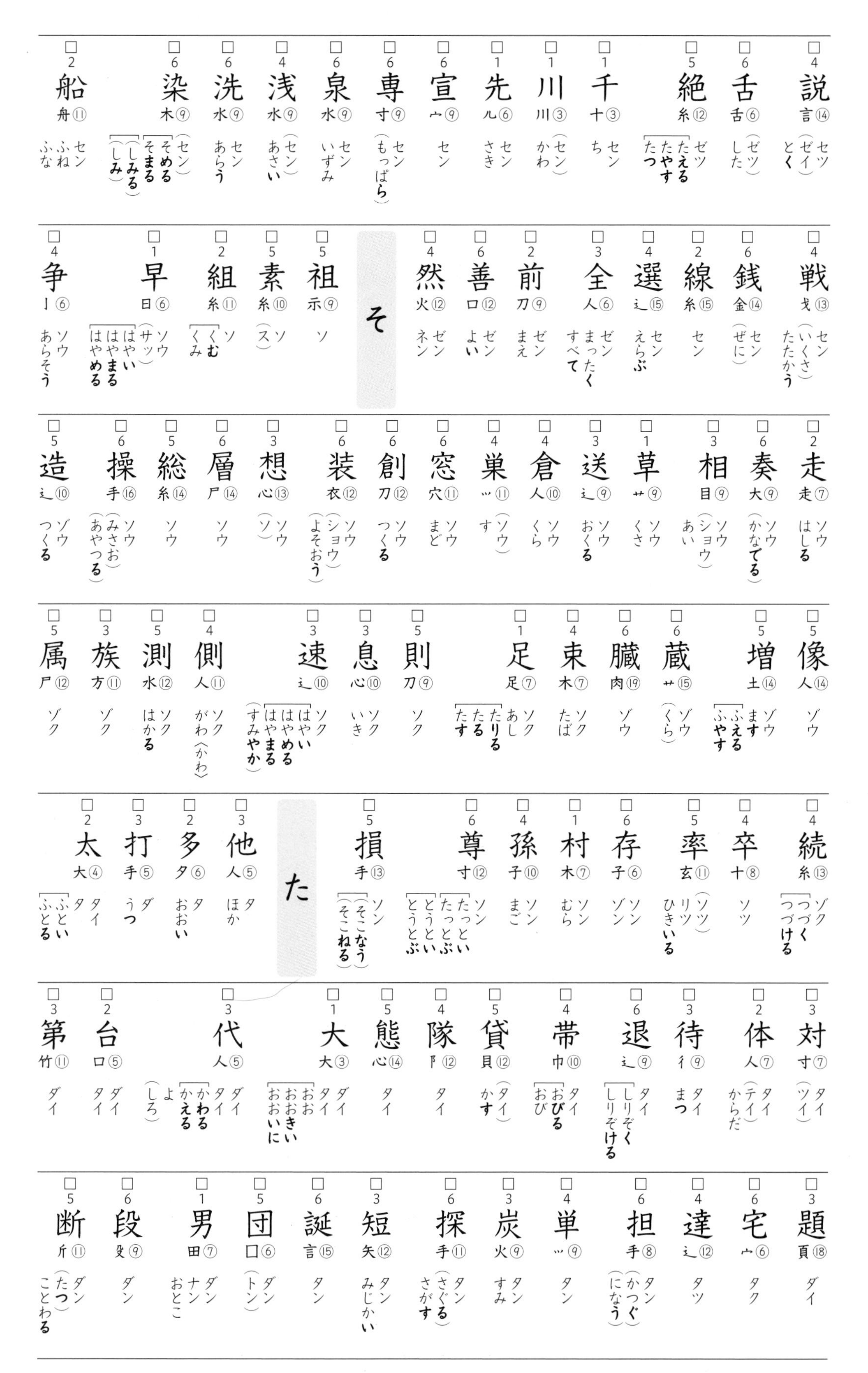

□ 4 説 言⑭ セツ (ゼイ) とく
□ 6 舌 舌⑥ (ゼツ) した
□ 5 絶 糸⑫ ゼツ たえる たやす たつ
□ 1 千 十③ セン ち
□ 1 川 川③ (セン) かわ
□ 1 先 儿⑥ セン さき
□ 6 宣 宀⑨ セン
□ 6 専 寸⑨ セン (もっぱら)
□ 6 泉 水⑨ セン いずみ
□ 4 浅 水⑨ (セン) あさい
□ 6 洗 水⑨ セン あらう
□ 6 染 木⑨ (セン) そめる そまる (しみる) (しみ)
□ 2 船 舟⑪ セン ふね ふな

□ 4 戦 戈⑬ セン (いくさ) たたかう
□ 6 銭 金⑭ セン (ぜに)
□ 2 線 糸⑮ セン
□ 4 選 辶⑮ セン えらぶ
□ 3 全 人⑥ ゼン まったく すべて
□ 2 前 刀⑨ ゼン まえ
□ 6 善 口⑫ ゼン よい
□ 4 然 火⑫ ゼン ネン

そ

□ 5 祖 示⑨ ソ
□ 5 素 糸⑩ ソ (ス)
□ 2 組 糸⑪ ソ くむ くみ
□ 1 早 日⑥ ソウ (サッ) はやい はやまる はやめる
□ 4 争 亅⑥ ソウ あらそう

□ 2 走 走⑦ ソウ はしる
□ 6 奏 大⑨ ソウ (かなでる)
□ 3 相 目⑨ ソウ (ショウ) あい
□ 1 草 艹⑨ ソウ くさ
□ 3 送 辶⑨ ソウ おくる
□ 4 倉 人⑩ ソウ くら
□ 4 巣 ⺍⑪ (ソウ) す
□ 6 窓 穴⑪ ソウ まど
□ 6 創 刀⑫ ソウ つくる
□ 6 装 衣⑫ ソウ (ショウ) (よそおう)
□ 3 想 心⑬ ソウ (ソ)
□ 6 層 尸⑭ ソウ
□ 5 総 糸⑭ ソウ
□ 6 操 手⑯ ソウ (みさお) (あやつる)
□ 5 造 辶⑩ ゾウ つくる

□ 5 像 人⑭ ゾウ
□ 5 増 土⑭ ゾウ ます ふえる ふやす
□ 6 蔵 艹⑮ ゾウ (くら)
□ 6 臓 肉⑲ ゾウ
□ 4 束 木⑦ ソク たば
□ 1 足 足⑦ ソク あし たりる たる たす
□ 5 則 刀⑨ ソク
□ 3 息 心⑩ ソク いき
□ 3 速 辶⑩ ソク はやい はやめる はやまる (すみやか)
□ 4 側 人⑪ ソク がわ (かわ)
□ 5 測 水⑫ ソク はかる
□ 3 族 方⑪ ゾク
□ 5 属 尸⑫ ゾク

□ 4 続 糸⑬ ゾク つづく つづける
□ 4 卒 十⑧ ソツ
□ 5 率 玄⑪ (ソツ) リツ ひきいる
□ 6 存 子⑥ ソン ゾン
□ 1 村 木⑦ ソン むら
□ 4 孫 子⑩ ソン まご
□ 6 尊 寸⑫ ソン たっとい たっとぶ とうとい とうとぶ
□ 5 損 手⑬ ソン (そこなう) (そこねる)

た

□ 3 他 人⑤ タ ほか
□ 2 多 夕⑥ タ おおい
□ 3 打 手⑤ ダ うつ
□ 2 太 大④ タイ タ ふとい ふとる

□ 3 対 寸⑦ タイ (ツイ)
□ 2 体 人⑦ タイ (テイ) からだ
□ 3 待 彳⑨ タイ まつ
□ 6 退 辶⑨ タイ しりぞく しりぞける
□ 4 帯 巾⑩ タイ おびる おび
□ 5 貸 貝⑫ (タイ) かす
□ 4 隊 阝⑫ タイ
□ 5 態 心⑭ タイ
□ 1 大 大③ ダイ タイ おお おおきい おおいに
□ 3 代 人⑤ ダイ タイ かわる かえる よ (しろ)
□ 2 台 口⑤ ダイ タイ
□ 3 第 竹⑪ ダイ

□ 3 題 頁⑱ ダイ
□ 6 宅 宀⑥ タク
□ 4 達 辶⑫ タツ
□ 6 担 手⑧ タン (かつぐ) (になう)
□ 4 単 ⺍⑨ タン
□ 3 炭 火⑨ タン すみ
□ 6 探 手⑪ タン (さぐる) さがす
□ 3 短 矢⑫ タン みじかい
□ 6 誕 言⑮ タン
□ 5 団 囗⑥ ダン (トン)
□ 1 男 田⑦ ダン ナン おとこ
□ 6 段 殳⑨ ダン
□ 5 断 斤⑪ ダン (たつ) ことわる

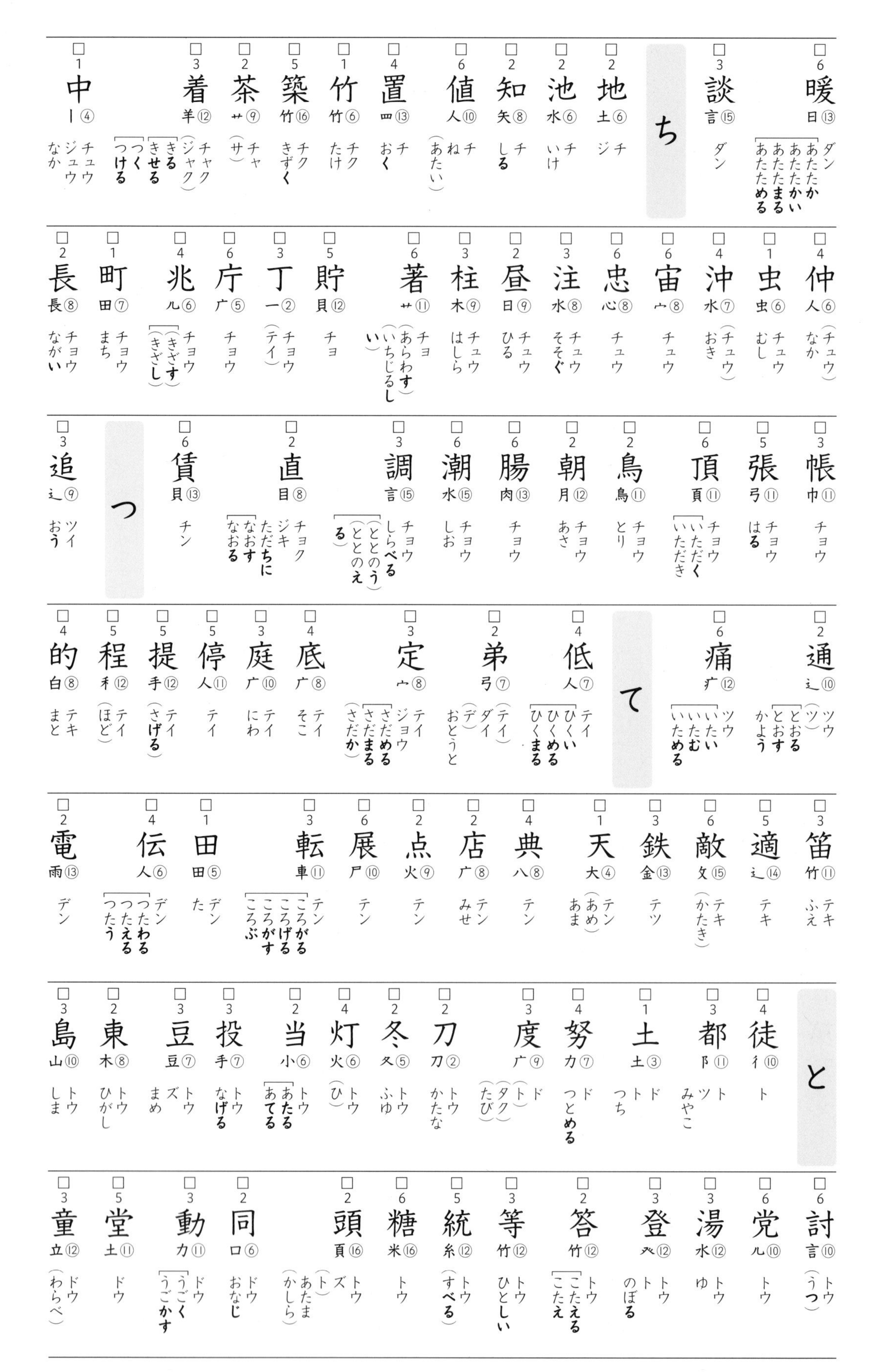

学年	漢字	部首・画数	読み
6	暖	日⑬	ダン あたたか あたたかい あたたまる あたためる
3	談	言⑮	ダン

ち

学年	漢字	部首・画数	読み
2	地	土⑥	チ ジ
2	池	水⑥	チ いけ
2	知	矢⑧	チ しる
6	値	人⑩	チ ね (あたい)
4	置	罒⑬	チ おく
1	竹	竹⑥	チク たけ
5	築	竹⑯	チク きずく
2	茶	艹⑨	チャ (サ)
3	着	羊⑫	チャク (ジャク) きる きせる つく つける
1	中	丨④	チュウ ジュウ なか
4	仲	人⑥	(チュウ) なか
1	虫	虫⑥	チュウ むし
4	沖	水⑦	(チュウ) おき
6	宙	宀⑧	チュウ
6	忠	心⑧	チュウ
3	注	水⑧	チュウ そそぐ
2	昼	日⑨	チュウ ひる
3	柱	木⑨	チュウ はしら
6	著	艹⑪	チョ (あらわす) (いちじるしい)
5	貯	貝⑫	チョ
3	丁	一②	チョウ (テイ)
6	庁	广⑤	チョウ
4	兆	儿⑥	チョウ (きざす) (きざし)
1	町	田⑦	チョウ まち
2	長	長⑧	チョウ ながい
3	帳	巾⑪	チョウ
5	張	弓⑪	チョウ はる
6	頂	頁⑪	チョウ いただく いただき
2	鳥	鳥⑪	チョウ とり
2	朝	月⑫	チョウ あさ
6	腸	肉⑬	チョウ
6	潮	水⑮	チョウ しお
3	調	言⑮	チョウ しらべる (ととのう) (ととのえる)
2	直	目⑧	チョク ジキ ただちに なおす なおる
6	賃	貝⑬	チン

つ

学年	漢字	部首・画数	読み
3	追	辶⑨	ツイ おう
2	通	辶⑩	ツウ (ツ) とおる とおす かよう
6	痛	疒⑫	ツウ いたい いたむ いためる

て

学年	漢字	部首・画数	読み
4	低	人⑦	テイ ひくい ひくめる ひくまる
2	弟	弓⑦	(テイ) ダイ (デ) おとうと
3	定	宀⑧	テイ ジョウ さだめる さだまる (さだか)
4	底	广⑧	テイ そこ
3	庭	广⑩	テイ にわ
5	停	人⑪	テイ
5	提	手⑫	テイ (さげる)
5	程	禾⑫	テイ (ほど)
4	的	白⑧	テキ まと
3	笛	竹⑪	テキ ふえ
5	適	辶⑭	テキ
6	敵	攵⑮	テキ (かたき)
3	鉄	金⑬	テツ
1	天	大④	テン (あめ) あま
4	典	八⑧	テン
2	店	广⑧	テン みせ
2	点	火⑨	テン
6	展	尸⑩	テン
3	転	車⑪	テン ころがる ころげる ころがす ころぶ
1	田	田⑤	デン た
4	伝	人⑥	デン つたわる つたえる つたう
2	電	雨⑬	デン

と

学年	漢字	部首・画数	読み
4	徒	彳⑩	ト
3	都	阝⑪	ト ツ みやこ
1	土	土③	ド ト つち
4	努	力⑦	ド つとめる
3	度	广⑨	ド (ト) (タク) (たび)
2	刀	刀②	トウ かたな
2	冬	夂⑤	トウ ふゆ
4	灯	火⑥	トウ (ひ)
2	当	小⑥	トウ あたる あてる
3	投	手⑦	トウ なげる
3	豆	豆⑦	トウ ズ まめ
2	東	木⑧	トウ ひがし
3	島	山⑩	トウ しま
6	討	言⑩	トウ (うつ)
6	党	儿⑩	トウ
3	湯	水⑫	トウ ゆ
3	登	癶⑫	トウ ト のぼる
2	答	竹⑫	トウ こたえる こたえ
3	等	竹⑫	トウ ひとしい
5	統	糸⑫	トウ (すべる)
6	糖	米⑯	トウ
2	頭	頁⑯	トウ ズ (ト) あたま (かしら)
2	同	口⑥	ドウ おなじ
3	動	力⑪	ドウ うごく うごかす
5	堂	土⑪	ドウ
3	童	立⑫	ドウ (わらべ)

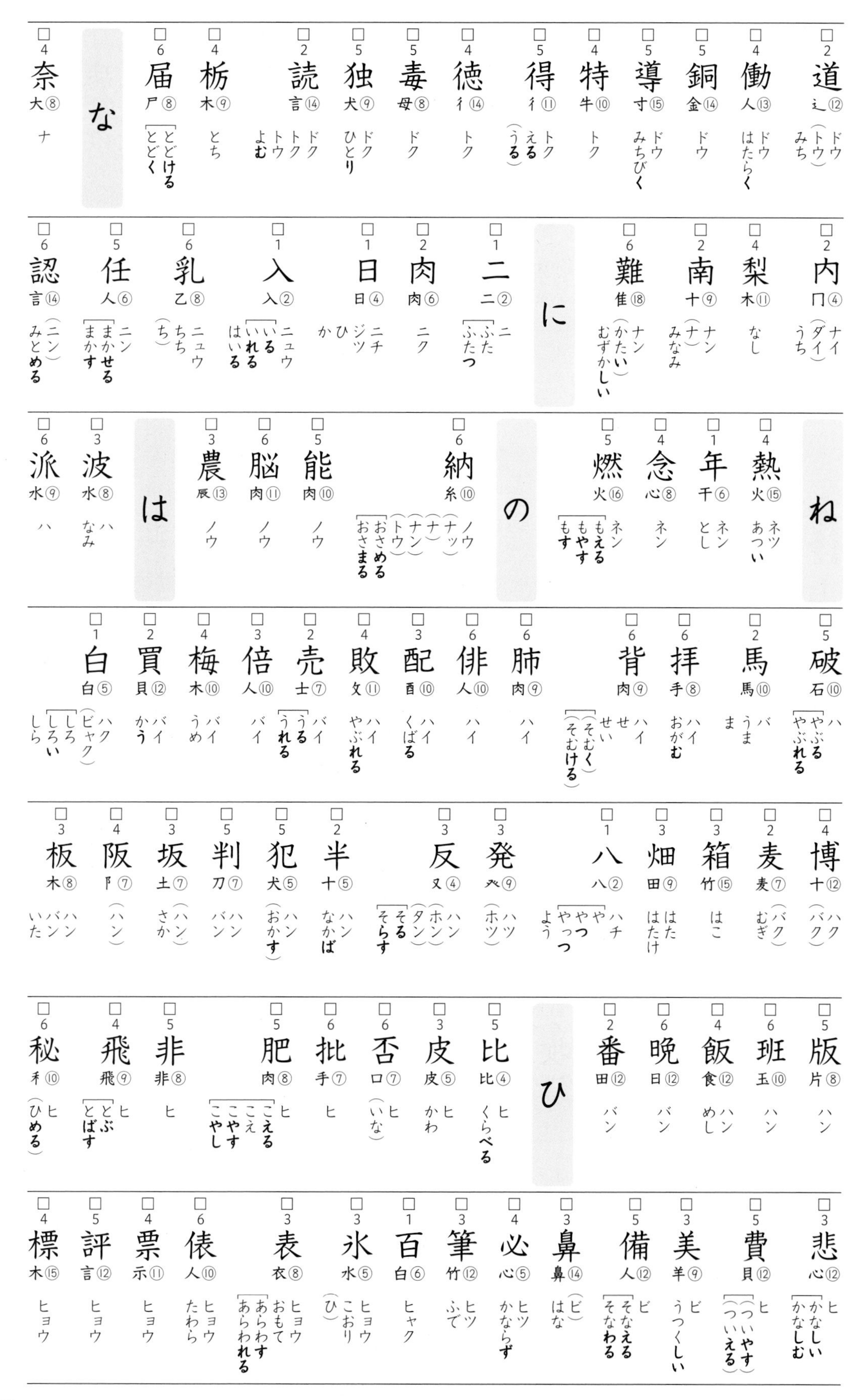

漢字	学年	部首・画数	読み
道	2	⻌⑫	ドウ (トウ) みち
働	4	人⑬	ドウ はたらく
銅	5	金⑭	ドウ
導	5	寸⑮	ドウ みちびく
特	4	牛⑩	トク
得	5	彳⑪	トク える (うる)
徳	4	彳⑭	トク
毒	5	母⑧	ドク
独	5	犭⑨	ドク ひとり
読	2	言⑭	ドク トク トウ よむ
栃	4	木⑨	とち
届	6	尸⑧	[とどける とどく]

な

漢字	学年	部首・画数	読み
奈	4	大⑧	ナ
内	2	冂④	ナイ (ダイ) うち
梨	4	木⑪	なし
南	2	十⑨	ナン (ナ) みなみ
難	6	隹⑱	ナン (かたい) むずかしい

に

漢字	学年	部首・画数	読み
二	1	二②	ニ [ふた ふたつ]
肉	2	肉⑥	ニク
日	1	日④	ニチ ジツ ひ か
入	1	入②	ニュウ [いる いれる] はいる
乳	6	乙⑧	ニュウ ちち (ち)
任	5	人⑥	ニン [まかせる まかす]
認	6	言⑭	(ニン) みとめる

ね

漢字	学年	部首・画数	読み
熱	4	火⑮	ネツ あつい
年	1	干⑥	ネン とし
念	4	心⑧	ネン
燃	5	火⑯	ネン [もえる もやす もす]

の

漢字	学年	部首・画数	読み
納	6	糸⑩	ノウ (ナッ) (ナ) (ナン) (トウ) [おさめる おさまる]
能	5	肉⑩	ノウ
脳	6	肉⑪	ノウ
農	3	辰⑬	ノウ

は

漢字	学年	部首・画数	読み
波	3	水⑧	ハ なみ
派	6	水⑨	ハ
破	5	石⑩	ハ [やぶる やぶれる]
馬	2	馬⑩	バ うま ま
拝	6	手⑧	ハイ おがむ
背	6	肉⑨	ハイ せ せい [(そむく) (そむける)]
肺	6	肉⑨	ハイ
俳	6	人⑩	ハイ
配	3	酉⑩	ハイ くばる
敗	4	攵⑪	ハイ やぶれる
売	2	士⑦	バイ [うる うれる]
倍	3	人⑩	バイ
梅	4	木⑩	バイ うめ
買	2	貝⑫	バイ かう
白	1	白⑤	ハク (ビャク) [しろ しろい] しら
博	4	十⑫	ハク (バク)
麦	2	麦⑦	(バク) むぎ
箱	3	竹⑮	はこ
畑	3	田⑨	はた はたけ
八	1	八②	ハチ [や やつ やっつ] よう
発	3	癶⑨	ハツ (ホツ)
反	3	又④	ハン (ホン) (タン) [そる そらす]
半	2	十⑤	ハン なかば
犯	5	犬⑤	ハン (おかす)
判	5	刀⑦	ハン バン
坂	3	土⑦	(ハン) さか
阪	4	阝⑦	(ハン)
板	3	木⑧	ハン バン いた
版	5	片⑧	ハン
班	6	玉⑩	ハン
飯	4	食⑫	ハン めし
晩	6	日⑫	バン
番	2	田⑫	バン

ひ

漢字	学年	部首・画数	読み
比	5	比④	ヒ くらべる
皮	3	皮⑤	ヒ かわ
否	6	口⑦	ヒ (いな)
批	6	手⑦	ヒ
肥	5	肉⑧	ヒ [こえる こえ こやす こやし]
非	5	非⑧	ヒ
飛	4	飛⑨	ヒ [とぶ とばす]
秘	6	禾⑩	ヒ (ひめる)
悲	3	心⑫	ヒ [かなしい かなしむ]
費	5	貝⑫	ヒ [(ついやす) (ついえる)]
美	3	羊⑨	ビ うつくしい
備	5	人⑫	ビ [そなえる そなわる]
鼻	3	鼻⑭	(ビ) はな
必	4	心⑤	ヒツ かならず
筆	3	竹⑫	ヒツ ふで
百	1	白⑥	ヒャク
氷	3	水⑤	ヒョウ こおり (ひ)
表	3	衣⑧	ヒョウ おもて [あらわす あらわれる]
俵	6	人⑩	ヒョウ たわら
票	4	示⑪	ヒョウ
評	5	言⑫	ヒョウ
標	4	木⑮	ヒョウ

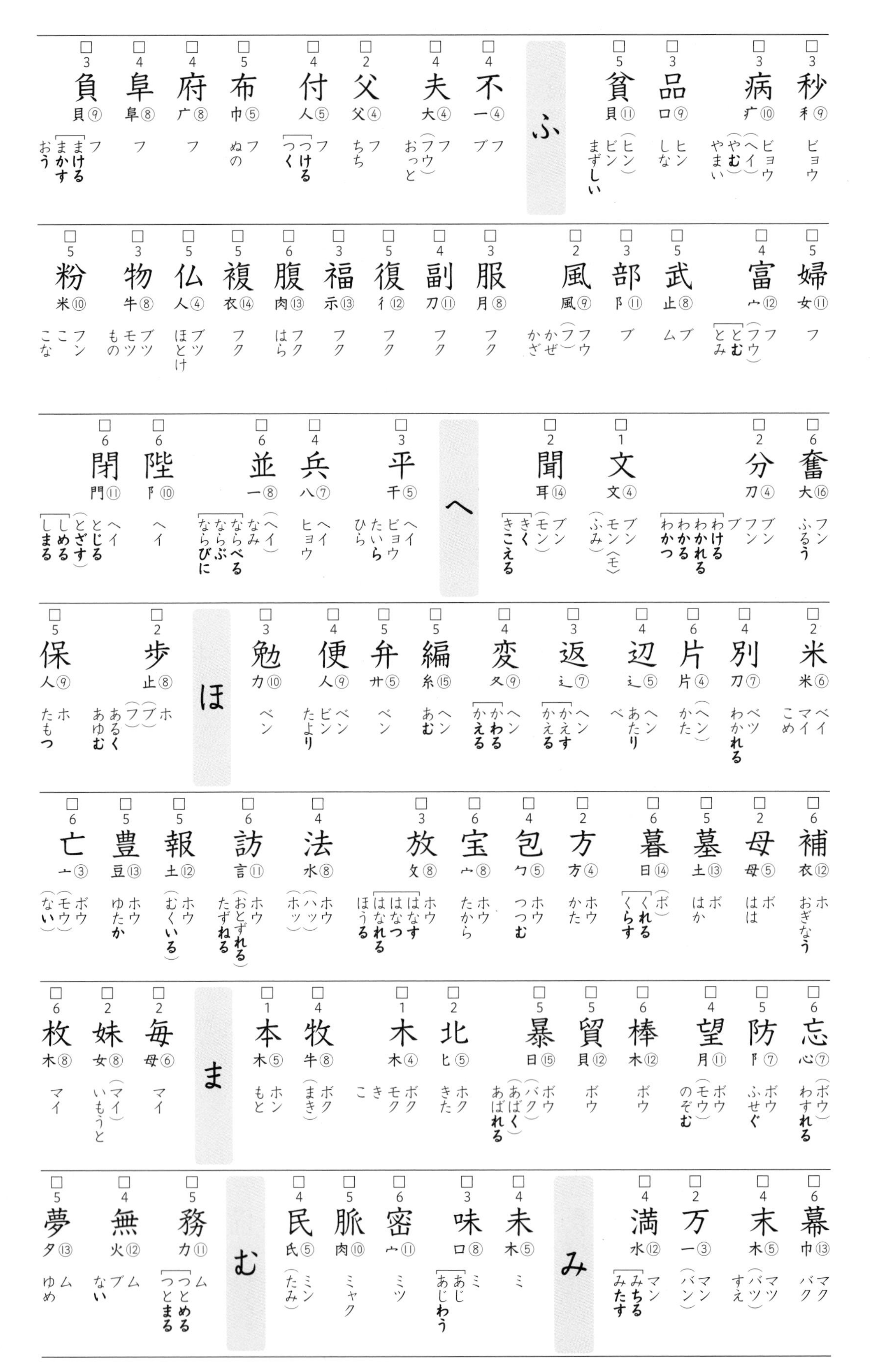

漢字	学年	部首・画数	読み
秒	3	禾⑨	ビョウ
病	3	疒⑩	ビョウ （ヘイ） （やむ） やまい
品	3	口⑨	ヒン しな
貧	5	貝⑪	ヒン （ビン） まずしい
ふ			
不	4	一④	フ ブ
夫	4	大④	フ （フウ） おっと
父	2	父④	フ ちち
付	4	人⑤	フ つける つく
布	5	巾⑤	フ ぬの
府	4	广⑧	フ
阜	4	阜⑧	フ
負	3	貝⑨	フ まける まかす おう
婦	5	女⑪	フ
富	4	宀⑫	フ （フウ） とむ とみ
武	5	止⑧	ブ ム
部	3	阝⑪	ブ
風	2	風⑨	フウ （フ） かぜ かざ
服	3	月⑧	フク
副	4	刀⑪	フク
復	5	彳⑫	フク
福	3	示⑬	フク
腹	6	肉⑬	フク はら
複	5	衣⑭	フク
仏	5	人④	ブツ ほとけ
物	3	牛⑧	ブツ モツ もの
粉	5	米⑩	フン こ こな
奮	6	大⑯	フン ふるう
分	2	刀④	ブン フン ブ わける わかれる わかる わかつ
文	1	文④	ブン モン〈モ〉 （ふみ）
聞	2	耳⑭	ブン （モン） きく きこえる
へ			
平	3	干⑤	ヘイ ビョウ たいら ひら
兵	4	八⑦	ヘイ ヒョウ
並	6	一⑧	（ヘイ） なみ ならべる ならぶ ならびに
陛	6	阝⑩	ヘイ
閉	6	門⑪	ヘイ とじる （とざす） しめる しまる
米	2	米⑥	ベイ マイ こめ
別	4	刀⑦	ベツ わかれる
片	6	片④	（ヘン） かた
辺	4	辶⑤	ヘン あたり べ
返	3	辶⑦	ヘン かえす かえる
変	4	夂⑨	ヘン かわる かえる
編	5	糸⑮	ヘン あむ
弁	5	廾⑤	ベン
便	4	人⑨	ベン ビン たより
勉	3	力⑩	ベン
ほ			
歩	2	止⑧	ホ （ブ） （フ） あるく あゆむ
保	5	人⑨	ホ たもつ
補	6	衣⑫	ホ おぎなう
母	2	母⑤	ボ はは
墓	5	土⑬	ボ はか
暮	6	日⑭	（ボ） くれる くらす
方	2	方④	ホウ かた
包	4	勹⑤	ホウ つつむ
宝	6	宀⑧	ホウ たから
放	3	攵⑧	ホウ はなす はなつ はなれる ほうる
法	4	水⑧	ホウ （ハッ） （ホッ）
訪	6	言⑪	ホウ （おとずれる） たずねる
報	5	土⑫	ホウ （むくいる）
豊	5	豆⑬	ホウ ゆたか
亡	6	亠③	ボウ （モウ） （ない）
忘	6	心⑦	（ボウ） わすれる
防	5	阝⑦	ボウ ふせぐ
望	4	月⑪	ボウ （モウ） のぞむ
棒	6	木⑫	ボウ
貿	5	貝⑫	ボウ
暴	5	日⑮	ボウ （バク） （あばく） あばれる
北	2	匕⑤	ホク きた
木	1	木④	ボク モク き こ
牧	4	牛⑧	ボク （まき）
本	1	木⑤	ホン もと
ま			
毎	2	母⑥	マイ
妹	2	女⑧	（マイ） いもうと
枚	6	木⑧	マイ
幕	6	巾⑬	マク バク
末	4	木⑤	マツ （バツ） すえ
万	2	一③	マン （バン）
満	4	水⑫	マン みちる みたす
み			
未	4	木⑤	ミ
味	3	口⑧	ミ あじ あじわう
密	6	宀⑪	ミツ
脈	5	肉⑩	ミャク
民	4	氏⑤	ミン （たみ）
む			
務	5	力⑪	ム つとめる つとまる
無	4	火⑫	ム ブ ない
夢	5	夕⑬	ム ゆめ

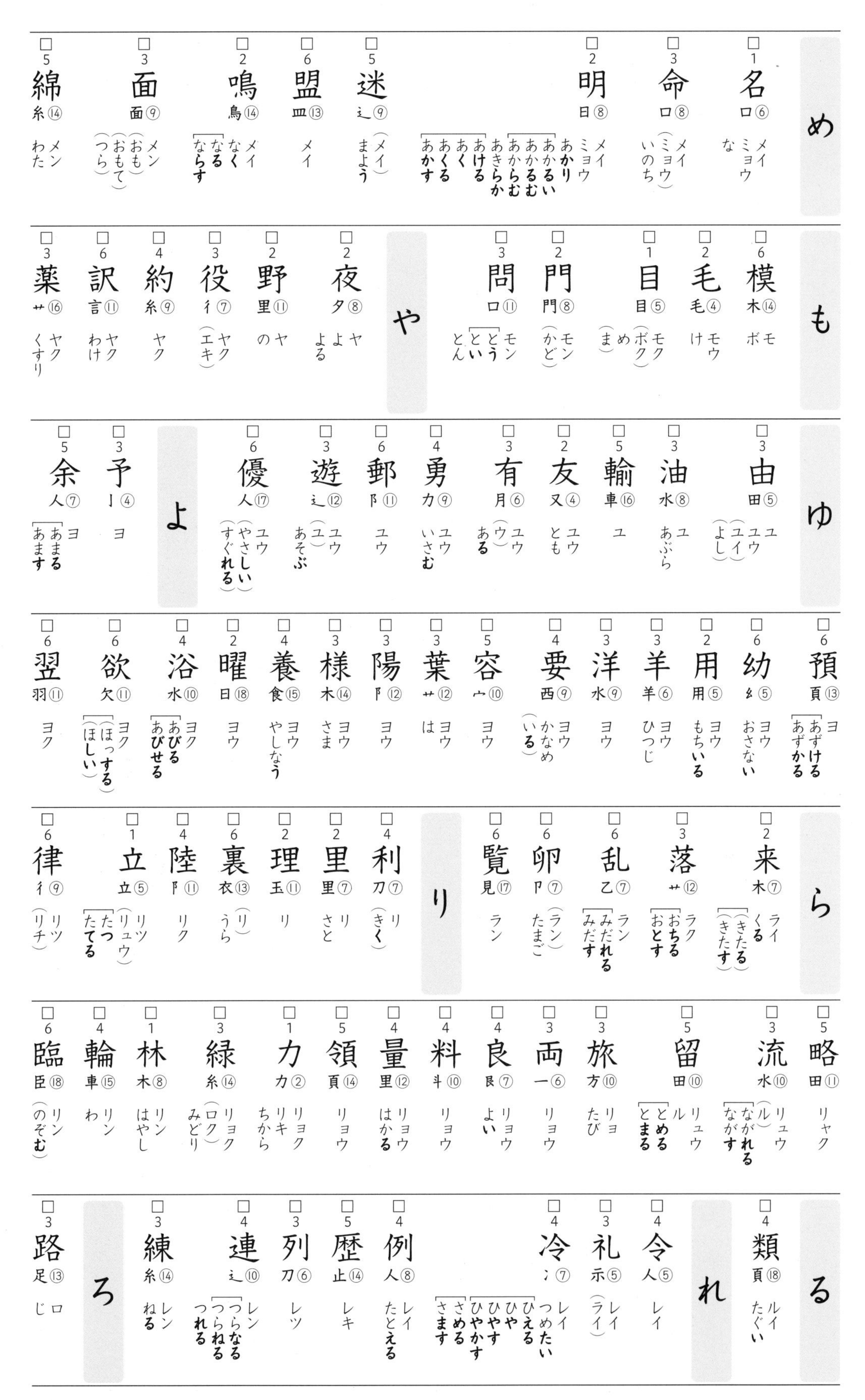

め

漢字	学年	部首・画数	読み
名	1	口⑥	メイ ミョウ な
命	3	口⑧	メイ （ミョウ） いのち
明	2	日⑧	メイ ミョウ あかり あかるい あかるむ あからむ あきらか あける あく あくる あかす
迷	5	辶⑨	（メイ） まよう
盟	6	皿⑬	メイ
鳴	2	鳥⑭	メイ なく なる ならす
面	3	面⑨	メン （おも） （おもて） （つら）
綿	5	糸⑭	メン わた

も

漢字	学年	部首・画数	読み
模	6	木⑭	モ ボ
毛	2	毛④	モウ け
目	1	目⑤	モク （ボク） め （ま）
門	2	門⑧	モン （かど）
問	3	口⑪	モン とう とい とん

や

漢字	学年	部首・画数	読み
夜	2	夕⑧	ヤ よ よる
野	2	里⑪	ヤ の
役	3	彳⑦	ヤク （エキ）
約	4	糸⑨	ヤク
訳	6	言⑪	ヤク わけ
薬	3	艹⑯	ヤク くすり

ゆ

漢字	学年	部首・画数	読み
由	3	田⑤	ユ ユウ （ユイ） （よし）
油	3	水⑧	ユ あぶら
輸	5	車⑯	ユ
友	2	又④	ユウ とも
有	3	月⑥	ユウ （ウ） ある
勇	4	力⑨	ユウ いさむ
郵	6	阝⑪	ユウ
遊	3	辶⑫	ユウ （ユ） あそぶ
優	6	人⑰	ユウ （やさしい） （すぐれる）

よ

漢字	学年	部首・画数	読み
予	3	亅④	ヨ
余	5	人⑦	ヨ あまる あます
預	6	頁⑬	ヨ あずける あずかる
幼	6	幺⑤	ヨウ おさない
用	2	用⑤	ヨウ もちいる
羊	3	羊⑥	ヨウ ひつじ
洋	3	水⑨	ヨウ
要	4	西⑨	ヨウ かなめ （いる）
容	5	宀⑩	ヨウ
葉	3	艹⑫	ヨウ は
陽	3	阝⑫	ヨウ
様	3	木⑭	ヨウ さま
養	4	食⑮	ヨウ やしなう
曜	2	日⑱	ヨウ
浴	4	水⑩	ヨク あびる あびせる
欲	6	欠⑪	ヨク （ほっする） （ほしい）
翌	6	羽⑪	ヨク

ら

漢字	学年	部首・画数	読み
来	2	木⑦	ライ くる （きたる） （きたす）
落	3	艹⑫	ラク おちる おとす
乱	6	乙⑦	ラン みだれる みだす
卵	6	卩⑦	（ラン） たまご
覧	6	見⑰	ラン

り

漢字	学年	部首・画数	読み
利	4	刀⑦	リ （きく）
里	2	里⑦	リ さと
理	2	玉⑪	リ
裏	6	衣⑬	（リ） うら
陸	4	阝⑪	リク
立	1	立⑤	リツ （リュウ） たつ たてる
律	6	彳⑨	リツ （リチ）
略	5	田⑪	リャク
流	3	水⑩	リュウ （ル） ながれる ながす
留	5	田⑩	リュウ ル とめる とまる
旅	3	方⑩	リョ たび
両	3	一⑥	リョウ
良	4	艮⑦	リョウ よい
料	4	斗⑩	リョウ
量	4	里⑫	リョウ はかる
領	5	頁⑭	リョウ
力	1	力②	リョク リキ ちから
緑	3	糸⑭	リョク （ロク） みどり
林	1	木⑧	リン はやし
輪	4	車⑮	リン わ
臨	6	臣⑱	リン （のぞむ）

る

漢字	学年	部首・画数	読み
類	4	頁⑱	ルイ たぐい

れ

漢字	学年	部首・画数	読み
令	4	人⑤	レイ
礼	3	示⑤	レイ （ライ）
冷	4	冫⑦	レイ つめたい ひえる ひや ひやす ひやかす さめる さます
例	4	人⑧	レイ たとえる
歴	5	止⑭	レキ
列	3	刀⑥	レツ
連	4	辶⑩	レン つらなる つらねる つれる
練	3	糸⑭	レン ねる

ろ

漢字	学年	部首・画数	読み
路	3	足⑬	ロ じ

□ 4 **老** 耂⑥ ロウ おいる (ふける)

□ 4 **労** 力⑦ ロウ

□ 6 **朗** 月⑩ ロウ (ほがらか)

□ 1 **六** 八④ ロク [む むつ むっつ むい]

□ 4 **録** 金⑯ ロク

□ 6 **論** 言⑮ ロン

わ

□ 3 **和** 口⑧ ワ (オ) (やわらぐ) (やわらげる) (なごむ) (なごやか)

□ 2 **話** 言⑬ ワ [はなす はなし]

特別な読み方をする言葉

□ 明日（あす）
□ 大人（おとな）
□ 母さん（かあさん）
□ 河原（かわら）・川原（かわら）
□ 昨日（きのう）
□ 今日（きょう）
□ 果物（くだもの）
□ 今朝（けさ）
□ 景色（けしき）
□ 今年（ことし）
□ 清水（しみず）
□ 上手（じょうず）
□ 七夕（たなばた）
□ 一日（ついたち）
□ 手伝う（てつだう）
□ 父さん（とうさん）
□ 時計（とけい）

□ 友達（ともだち）
□ 兄さん（にいさん）
□ 姉さん（ねえさん）
□ 博士（はかせ）
□ 二十日（はつか）
□ 一人（ひとり）
□ 二人（ふたり）
□ 二日（ふつか）
□ 下手（へた）
□ 部屋（へや）
□ 迷子（まいご）
□ 真面目（まじめ）
□ 真っ赤（まっか）
□ 真っ青（まっさお）
□ 眼鏡（めがね）
□ 八百屋（やおや）

□ 愛媛（えひめ）
□ 茨城（いばらき）
□ 岐阜（ぎふ）
□ 鹿児島（かごしま）
□ 滋賀（しが）
□ 宮城（みやぎ）
□ 神奈川（かながわ）
□ 鳥取（とっとり）
□ 大阪（おおさか）
□ 富山（とやま）
□ 大分（おおいた）
□ 奈良（なら）

この本で習う漢字

（　）は、小学校では習わない読み方。

（凡例）17　視　11画　シ　視点　視界 ── ページ／漢字／画数／読み方／筆順／使い方

ページ	漢字	画数	読み方	使い方
17	視	11画	シ	視点　視界
18	穴	5画	（ケツ）／あな	穴が空く

帰り道

ページ	漢字	画数	読み方	使い方
19	砂	9画	サ／（シャ）／すな	砂糖　砂鉄／砂ぼこり　砂場
19	腹	13画	フク／はら	中腹　腹痛／腹がへる
20	段	9画	ダン	階段　段落
21	並	8画	（ヘイ）／なみ／なら**べる**／なら**ぶ**／なら**びに**	並木　並の品／かたを並べる／一列に並ぶ／本並びに雑誌
22	降	10画	コウ／お**りる**／お**ろす**／ふ**る**	以降　降雨／列車を降りる／乗客を降ろす／雨が降る
22	認	14画	（ニン）／みと**める**	実力を認める
22	洗	9画	セン／あら**う**	洗面所／洗い流す
22	異	11画	イ／こと	異物　異議／意見が異なる
22	純	10画	ジュン	単純　純真
24	射	10画	シャ／い**る**	反射　発射／矢を射る
24	背	9画	ハイ／せ／せい／（そむ**く**）／（そむ**ける**）	背景　背後／背中　背負う／背比べ
27	舌	6画	（ゼツ）／した	舌つづみ
28	乱	7画	ラン／みだ**れる**／みだ**す**	乱打　散乱／咲き乱れる／列を乱す

地域の施設を活用しよう

ページ	漢字	画数	読み方	使い方
34	域	11画	イキ	地域　流域

蔵 34 15画
ゾウ （くら）
所蔵　蔵書

展 35 10画
テン
展示　発展

訪 35 11画
ホウ （おとず**れる**） たず**ねる**
訪問　来訪　外国を訪ねる

漢字の形と音（おん）・意味

我 36 7画
（ガ） われ （わ）
我々

承 36 8画
ショウ （うけたまわ**る**）
伝承　承知

蒸 36 13画
ジョウ （む**す**） （む**れる**） （む**らす**）
蒸気　蒸発

処 36 5画
ショ
対処　処理

就 36 12画
シュウ （ジュ） （つ**く**） （つ**ける**）
就職　就任

干 36 3画
カン ほ**す** （ひ**る**）
干拓（たく）　干潮（ちょう）　洗濯（たく）物を干す

層 36 14画
ソウ
地層　高層

恩 37 10画
オン
恩人　恩返し

裁 37 12画
サイ （た**つ**） さば**く**
裁判官　独裁　罪人を裁く

律 37 9画
リツ （リチ）
法律　規律

脳 37 11画
ノウ
頭脳　首脳

臓 37 19画
ゾウ
心臓　臓器

肺 37 9画
ハイ
肺活量

胃 37 9画
イ
胃腸

腸 37 13画
チョウ
胃腸　大腸

聞いて、考えを深めよう

映 41 9画
エイ うつ**る** うつ**す** （は**える**）
映画　映像　鏡に映る　映し出す

幕 41 13画
マク バク
字幕　開幕　幕府　幕末

補 41 12画
ホ おぎな**う**
補強　立候補　言葉を補う

裏 43 13画
（リ） うら
裏づけ　裏返す

沿 43 8画
エン そ**う**
沿岸漁業　話題に沿う

笑うから楽しい　時計の時間と心の時間

45 私 7画
シ　わたくし　わたし
私語　私服　私事　私ども　ぼくと私

46 密 11画
ミツ
密接　精密

46 呼 8画
コ　よ**ぶ**
呼吸　点呼　呼び起こす

47 吸 6画
キュウ　す**う**
呼吸　吸入　空気を吸う

48 存 6画
ソン　ゾン
存在　存続　保存　存分

50 刻 8画
コク　きざ**む**
時刻　一刻　心に刻む

51 激 16画
ゲキ　はげ**しい**
刺激　感激　激しく流れる

52 簡 18画
カン
簡単　簡潔

52 机 6画
（キ）　つくえ
机に向かう

53 難 18画
ナン　（かた**い**）　むずか**しい**
災難　難問　難しい問題

55 疑 14画
ギ　うたが**う**
疑問　人を疑う

話し言葉と書き言葉

58 卵 7画
（ラン）　たまご
ゆで卵　生卵

58 乳 8画
ニュウ　ちち　（ち）
牛乳　乳児　乳を吸う

58 創 12画
ソウ　つく**る**
創業　創作　文化を創る

58 敬 12画
ケイ　うやま**う**
敬語　尊敬　相手を敬う

59 除 10画
ジョ　（ジ）　のぞ**く**
除雪　除去　雑草を除く

59 誤 14画
ゴ　あやま**る**
誤解　誤字　誤った字

たのしみは

60 暮 14画
（ボ）　く**れる**　く**らす**
夕暮れ　日々の暮らし

61 探 11画
タン　（さぐ**る**）　さが**す**
探検　探求　本を探す

62 座 10画
ザ　（すわ**る**）
星座　座席

文の組み立て

65 券 8画
ケン
券売機　食券

65 障 14画
ショウ（さわ**る**）
故障　支障

65 派 9画
ハ
立派　流派

65 警 19画
ケイ
警察署　警告

65 署 13画
ショ
警察署　署名

65 銭 14画
セン（ぜに）
銭湯　金銭

65 庁 5画
チョウ
県庁　市庁舎

65 訳 11画
ヤク　わけ
通訳　訳者　言い訳

私たちにできること

70 源 13画
ゲン　みなもと
資源　源流　生命の源

71 策 12画
サク
解決策　対策

71 忘 7画
（ボウ）わす**れる**
消し忘れる

73 討 10画
トウ（う**つ**）
検討　討論（ろん）

74 供 8画
キョウ（ク）そな**える**　とも
供給　提供　花を供える　供を連れる

74 模 14画
モ　ボ
模造紙　模様　規模

私と本　森へ

79 冊 5画
サツ（サク）
一冊　冊子

79 宅 6画
タク
自宅　宅配便

79 推 11画
スイ（お**す**）
推理　推敲（こう）

79 宇 6画
ウ
宇宙

79 宙 8画
チュウ
宇宙　宙返り

80 装 12画
ソウ（ショウ）（よそお**う**）
装置　服装

84 姿 9画
シ　すがた
姿勢　容姿　パジャマ姿

84 潮 15画
チョウ　しお
風潮　満潮　潮風　満ち潮

85 樹 16画
ジュ
樹木　果樹園

86 割 12画
（カツ）わ**る**　わり　わ**れる**（さ**く**）
竹を割る　役割　割合　皿が割れる

86 垂 8画
スイ　た**れる**　た**らす**
垂直　垂れ下がる　糸を垂らす

86 胸 10画
キョウ　むね（むな）
胸囲　度胸　胸が高鳴る

骨 88 10画
コツ ほね
鉄骨 骨折 動物の骨

厳 88 17画
ゲン （ゴン） （おごそ**か**） きび**しい**
厳守 厳重 厳しい自然

利用案内を読もう

勤 98 12画
キン （ゴン） つと**める** つと**まる**
在勤 勤務 会社に勤める 無事に勤まる

誌 98 14画
シ
雑誌 週刊誌

延 98 8画
エン の**びる** の**べる** の**ばす**
延長 延期 試合が延びる 延べ三百人 出発を延ばす

幼 99 5画
ヨウ おさな**い**
幼児 幼虫 幼い妹

熟語の成り立ち

熟 100 15画
ジュク （う**れる**）
熟語 実が熟す

収 100 4画
シュウ おさ**める** おさ**まる**
収納 吸収 成功を収める 争いが収まる

納 100 10画
ノウ （ナッ） （ナ） （ナン） （トウ） おさ**める** おさ**まる**
収納 納税 品物を納める 倉庫に納まる

縦 100 16画
ジュウ たて
縦横 縦断 縦書き

頂 100 11画
チョウ いただ**く** いただき
山頂 頂上 雪を頂く 山の頂

忠 100 8画
チュウ
忠誠 忠実

誠 100 13画
セイ （まこと）
忠誠 誠心誠意

敵 100 15画
テキ （かたき）
強敵 天敵

蚕 100 10画
サン かいこ
養蚕 蚕を飼う

仁 100 4画
ジン （二）
仁愛 仁義

泉 100 9画
セン いずみ
温泉 源泉 泉がわく

系 101 7画
ケイ
銀河系 系図

盟 101 13画
メイ
加盟国 同盟

臨 101 18画
リン （のぞ**む**）
臨時 臨機応変

やまなし イーハトーヴの夢

枚 104 8画
マイ
二枚 枚数

縮 107 17画
シュク ちぢ**む** ちぢ**まる** ちぢ**める** ちぢ**れる** ちぢ**らす**
縮小 短縮 あみが縮む 差が縮まる 長さを縮める 糸が縮れる 布を縮らす

棒 107 12画
ボウ　鉄棒　棒切れ

寸 117 3画
スン　寸法　原寸大

暖 118 13画
ダン　温暖　暖冬
あたた**か**　暖かな気候
あたた**かい**　暖かい部屋
あたた**まる**　空気が暖まる
あたた**める**　室内を暖める

揮 118 12画
キ　指揮者　発揮

晩 120 12画
バン　晩ご飯　今晩

痛 120 12画
ツウ　頭痛　痛快
いた**い**　頭が痛い
いた**む**　歯が痛む
いた**める**　心を痛める

批 120 7画
ヒ　批評　批判

傷 120 13画
ショウ　負傷者　重傷
きず　傷つく　傷口
（いた**む**）
（いた**める**）

若 121 8画
（ジャク）
（ニャク）
わかい　若者　若い人
（も**しくは**）

劇 121 15画
ゲキ　劇団　劇場

閉 121 11画
ヘイ　閉会式　開閉
と**じる**　本を閉じる
（と**ざす**）
し**める**　ドアを閉める
し**まる**　店が閉まる

遺 122 15画
イ　遺書　世界遺産
（ユイ）

翌 122 11画
ヨク　翌日　翌朝

みんなで楽しく過ごすために

論 133 15画
ロン　結論　討論

班 133 10画
ハン　班長　班員

危 133 6画
キ　危険　危機
あぶ**ない**　危ない場所
（あや**うい**）
（あや**ぶむ**）

優 134 17画
ユウ　優先　優勝
（やさ**しい**）
（すぐ**れる**）

善 136 12画
ゼン　改善点　善意
よ**い**　善い行い

否 138 7画
ヒ　否定的　安否
（いな）

専 139 9画
セン　専用　専門家
（もっぱ**ら**）

捨 139 11画
シャ　取捨選択（たく）
す**てる**　ごみを捨てる

窓 139 11画
ソウ　車窓　同窓会
まど　窓口　天窓

至 139 6画
シ　至急　冬至
いた**る**　目的地に至る

糖 139 16画
トウ　砂糖　糖分

紅 139 9画
コウ　紅茶　紅白
（ク）
べに　口紅
（くれない）

『鳥獣戯画(ちょうじゅうぎが)』を読む 日本文化を発信しよう

筋 143 12画
筋筋筋筋筋筋筋
キン　すじ
筋肉　鉄筋　いく筋

盛 143 11画
盛盛盛盛盛盛盛
（セイ）（ジョウ）　も**る**　（さか**る**）（さか**ん**）
盛り上がる

巻 143 9画
巻巻巻巻巻巻巻
カン　ま**く**　まき
全巻　巻末　取り巻く　巻物

宝 143 8画
宝宝宝宝宝宝宝
ホウ　たから
国宝　宝石　宝物　宝探し

貴 150 12画
貴貴貴貴貴貴貴
キ　（たっと**い**）（たっと**ぶ**）（とうと**い**）（とうと**ぶ**）
貴重　貴族

著 152 11画
著著著著著著著
チョ　（あらわ**す**）（いちじる**しい**）
著作権　著者

権 152 15画
権権権権権権権
ケン　（ゴン）
著作権　人権

尊 152 12画
尊尊尊尊尊尊尊
ソン　たっと**い**　たっと**ぶ**　とうと**い**　とうと**ぶ**
尊重　尊敬語　尊い精神　恩師を尊ぶ　尊い命　ルールを尊ぶ

担 154 8画
担担担担担担担
タン　（かつ**ぐ**）（にな**う**）
分担　担任

秘 155 10画
秘秘秘秘秘秘秘
ヒ　（ひ**める**）
秘密　神秘

従 156 10画
従従従従従従従
ジュウ　（ショウ）（ジュ）　したが**う**　したが**える**
従順　従業員　指示に従う　家来を従える

カンジー博士の漢字学習の秘伝

奏 160 9画
奏奏奏奏奏奏奏
ソウ　（かな**でる**）
演奏　合奏

郵 160 11画
郵郵郵郵郵郵郵
ユウ
郵便局　郵送

拡 161 8画
拡拡拡拡拡拡拡
カク
拡大　拡張

操 161 16画
操操操操操操操
ソウ　（みさお）（あやつ**る**）
体操　操作

絹 161 13画
絹絹絹絹絹絹絹
（ケン）　きぬ
絹織物

俵 161 10画
俵俵俵俵俵俵俵
ヒョウ　たわら
五俵　土俵　米俵

拝 161 8画
拝拝拝拝拝拝拝
ハイ　おが**む**
拝見　参拝　地蔵を拝む

聖 161 13画
聖聖聖聖聖聖聖
セイ
聖火　聖地

賃 161 13画
賃賃賃賃賃賃賃
チン
家賃　運賃

孝 161 7画
孝孝孝孝孝孝孝
コウ
孝行　忠孝

預 161 13画
預預預預預預預
ヨ　あず**ける**　あず**かる**
預金　お金を預ける　荷物を預かる

漢字	ページ	画数	読み	用例
覧	161	17画	ラン	一覧表　回覧
鋼	161	16画	コウ　（はがね）	鉄鋼　鋼材
亡	161	3画	ボウ　（モウ）　（ない）	死亡　亡命

狂言（きょうげん）　柿山伏（かきやまぶし）

漢字	ページ	画数	読み	用例
己	164	3画	コ　（キ）　（おのれ）	自己　利己的
届	165	8画	とど**ける** とど**く**	荷物を届ける 心に届く
困	169	7画	コン こま**る**	困難 返事に困る
看	171	9画	カン	看病　看板
尺	171	4画	シャク	一尺　巻尺
染	171	9画	（セン） そ**める** そ**まる** （し**みる**） （しみ）	 真っ黒に染める 赤く染まる
退	173	9画	タイ しりぞ**く** しりぞ**ける**	退場　後退 後方に退く 要求を退ける

詩を朗読してしょうかいしよう

漢字	ページ	画数	読み	用例
朗	184	10画	ロウ （ほが**らか**）	朗読　朗報

仮名（かな）の由来

漢字	ページ	画数	読み	用例
片	187	4画	（ヘン） かた	片仮名

メディアと人間社会／大切な人と深くつながるために

漢字	ページ	画数	読み	用例
欲	190	11画	ヨク （ほっ**する**） （ほし**い**）	欲求　意欲的
誕	190	15画	タン	誕生　生誕

漢字を正しく使えるように

漢字	ページ	画数	読み	用例
穀	201	14画	コク	穀物　五穀
郷	202	11画	キョウ　（ゴウ）	郷里　故郷
株	202	10画	かぶ	株式会社
諸	202	15画	ショ	諸国　諸条件
衆	202	12画	シュウ　（シュ）	観衆　群衆
磁	203	14画	ジ	磁石　磁力
皇	203	9画	コウ　オウ	皇室　皇居　天皇　皇子
后	203	6画	コウ	皇后
陛	203	10画	ヘイ	陛下

203
憲
16画
ケン
憲法　憲章

203
党
10画
トウ
政党　党派

203
閣
14画
カク
内閣　天守閣

203
革
9画
カク
（かわ）
改革　革命

203
宗
8画
シュウ
（ソウ）
宗教

人を引きつける表現

204
詞
12画
シ
歌詞　作詞

207
宣
9画
セン
宣伝　宣言

思い出を言葉に

209
値
10画
チ
ね
（あたい）
価値　数値
値段　値札

209
俳
10画
ハイ
俳句　俳優

今、私は、ぼくは

213
将
10画
ショウ
将来　将軍

海の命

221
針
10画
シン
はり
方針　秒針
つり針

227
灰
6画
（カイ）
はい
灰色　灰皿

227
奮
16画
フン
ふるう
興奮　奮発
勇気を奮う

229
済
11画
サイ
すむ
すます
経済　救済
仕事が済む
宿題を済ます

表彰状

さん

あなたは、六年間の国語学習で、言葉について
たくさんのことを学びました。特に、

についての努力は、かけがえのない経験です。
中学校に行っても、ぜひいかしてください。
ここに、六年間の学びを表彰します。

「中学校へつなげよう（234ページ）」や「『たいせつ』のまとめ（248ページ）」、「学習に用いる言葉（309ページ）」などを見て、あなたがこれまでに身につけた言葉の力を確認しましょう。そして、特にがんばったことや、力がついたと感じることを書き、自分に表彰状をおくりましょう。

学習に用いる言葉

国語の学習で、よく使われる言葉です。意味や使い方を確かめて、学習に役立てましょう。

視点（してん）

物語や詩において、語り手がどこからその作品を見て語っているかということ。その作品の登場人物に寄りそった視点から語ることもあれば、登場人物自身の視点から語る場合や、どの人物にもかたよらない視点から語る場合もある。

> どの視点から書かれているかを意識して読むと、地の文からも、中心となる人物の心情の移り変わりが読み取れたり、作品世界の様子を、その人物に寄りそって想像したりすることができる。

30ページ

著作権（ちょさくけん）

文章や音楽、絵などの作品を作った人（著作者）がもつ権利のこと。適切に引用し、出典を示す場合を除いて、許可なくその作品を使ったり、変えたりしてはいけないというルールがある。

> 学習で作った絵や文章などの作品にも著作権があるため、作った人の権利を尊重しなければならない。

152ページ

推敲（すいこう）

一度書いた文章をよりよくするために、読み直して、誤字などを修正したり、形式や表現を適切な形に整えたりすること。

> 読み手を意識して推敲することで、自分の伝えたいことが相手に伝わる文章を、完成させることができる。

178ページ

心情を表す言葉

- したう
- あこがれる
- 好感をもつ
- いとしい
- かんめいを受ける
- 心にひびく
- 圧倒（とう）される
- 我（われ）を忘（わす）れる

- 痛快（つう）
- ここちよい
- 晴れやか
- 胸（むね）をふくらませる
- 待ち望む
- 意気ごむ
- くつろぐ
- 気が楽になる
- 解放感

- かたの荷が下りる
- くすぐったい
- そわそわする
- 心もとない
- 気がかり
- 気が気でない
- もどかしい
- ふさぐ
- たまらない
- なやましい

- わずらわしい
- 嫌（いや）気が差す
- むっとする
- 鼻につく
- ぐらつく
- ためらう
- なごりおしい

- 心残り
- 後悔（かい）
- 味気ない
- いじける
- くじける
- 失望

▼これまでの学習をいかして、ここから言葉を広げる方法を考え、取り組みましょう。

言葉の宝（たから）箱

考えや気持ちを伝える言葉

調べたことを報告するときや、自分の意見や心情を伝えるときに使う言葉を集めています。表現に役立てましょう。

人物を表す言葉

- 楽（らっ）観的
- 悲観的
- 積極的
- 消極的
- 論（ろん）理的
- 感情的
- 熱意のある
- 率（そっ）直
- まっすぐ
- もの静か
- 誠（せい）実
- 温かい
- するどい
- 気難（むずか）しい
- えんりょがち
- 未熟（じゅく）
- ――に明るい
- ――に強い

事物を表す言葉

- 適切
- 好ましい
- うってつけ
- ――にかなう
- 不都合
- 不つり合い
- 明確
- 確実
- 的確
- あいまい
- 不確か
- 不向き
- 不規則
- 同一（いっ）
- 共通
- 抽（ちゅう）象的
- 具体的
- 現実的
- 理想的
- おそらく

考え方を表す言葉

- ――とみられる
- 具体的には、――
- 共通点は、――
- 中でも、――
- 多くは、――
- ――の場合は
- ここから、
- ――といえる

これまでに学んだ言葉

構成
話や文章の全体が、どのようなまとまりで組み立てられているかということ。

根拠（きょ）
考えや主張のもとになるもので、客観的な事実や、体験などの具体的な事例によって示されることが多い。

主張
自分の意見や思いを他の人にうったえること。また、その意見や思いのこと。話し合いや意見文などでは、自分の主張や立場を明確に示す必要がある。

事例
ある物事や考えを説明するために例として挙げられる、具体的な事実のこと。

心情
登場人物が、心の中で思っていることや感じていること。直接書かれているだけでなく、行動や会話、情景にも表れる。

人物像
物語全体を通してえがかれる、人物の性格や、ものの見方・考え方などの特徴（ちょう）を総合的にとらえたもの。

日本十進分類法
図書資料の分類方法の一つ。アメリカで作られた分類方法をもとに、日本の図書館に合わせて考案された。全ての図書資料を十の種類に分け、それぞれをさらに細かく十ずつに分ける。

山場
物語の中で、中心となる人物のものの見方・考え方や人物どうしの関係が大きく変わるところ。

要旨（し）
筆者が文章で取り上げている、内容や考えの中心となる事がら。文章全体をまとめている段落（だん）に表れることが多い。

- □ あらすじ
- □ 司会
- □ 場面
- □ アンケート調査
- □ 質問
- □ 筆者
- □ 引用
- □ 取材
- □ 見出し
- □ 奥付（おく）
- □ 出典
- □ メモ
- □ 会話文・地の文
- □ 情景
- □ 訳者（やく）
- □ 箇条書き（か）
- □ 設定
- □ 要点
- □ 語り手
- □ 対比
- □ 要約
- □ 議題
- □ 題名
- □ 連
- □ キャッチコピー
- □ 段落（だん）
- □ 話題
- □ 句読点
- □ 出来事
- □ 割り付け（わ）
- □ 索引（さく）
- □ 問い（問いの文）
- □ 作者
- □ 登場人物